D1369953

© Les Éditions Accent Grave
Montréal, Québec

Si vous désirez être tenu au courant des publications
des Éditions Accent Grave
vous pouvez nous écrire par courriel à editions@accentgrave.ca
ou consulter notre site internet :
www.accentgrave.ca

Création de la couverture, mise en pages typographique et conversion au
format ePub : Studio C1C4

Crédit photo de la couverture : Mario Beauregard/La Presse Canadienne

Dépôt légal :
Bibliothèque et Archives nationales du Québec, 2012

ISBN papier : 978-2-924151-00-6
ISBN PDF : 978-2-924151-01-3
ISBN ePub : 978-2-924151-02-0

Diffusion au Canada :
Prologue Inc.
1650, Lionel-Bertrand
Boisbriand, Québec
J7H 1N7

Les faces cachées
d'Amir Khadir

DU MÊME AUTEUR

Gertrude Laframboise, agitatrice.
Théâtre
(1978) Montréal, Éditions Varia, 2000

Femmes d'attente. Théâtre
(1982) Adel Inc., 2003
http://www.adelinc.qc.ca

Les Enfants de Schubert. Roman
Montréal, Éditions Varia, 1999

Les Tourments du génie. Théâtre
(1999) Adel Inc., 2003

Un Rêve prénatal. Théâtre
(1999) Adel Inc., 2003.

Le Cerveau humain. Théâtre
(2000) Adel Inc., 2003.

« Y a d'la joie ». Théâtre
(2000) Adel Inc., 2003

Dans l'angle mort. Nouvelle
« Les saisons littéraires » N° 19
Montréal, Guérin éditeur, 2000.

Dernier souffle. Poésie.
« Les saisons littéraires » N° 20
Montréal, Guérin éditeur, 2001.

*Lettre ouverte aux chiens édentés
qui agitent la queue et à leurs chiots
qui mordillent.* Essai
Montréal, Éditions Varia, 2001

Les Soupirs du cloporte. Roman
Montréal, Éditions Varia, 2002

Enculubrations. Nouvelle, dans
C'est ça qui est ça,
N° 1 de La Compagnie à Numéro,
2002.

Autoportrait liquidatif. Nouvelle, dans
Lay-Z-Boy,
N° 2 de La Compagnie à Numéro,
2003.

Triple choc. Théâtre
Adel Inc., 2003.

Docteur Nérant. Théâtre
(2002) Adel Inc., 2003.

Le Quatuor d'Asbestos. Histoire
(co-auteure, Esther Delisle)
Montréal, Éditions Varia, 2004
Maintenant chez *Nota Bene*

Le Meurtrier. Théâtre
Adel Inc., 2005.

Si Kafka avait vécu. Nouvelle,
dans *Papa,*
N° 5 de La Compagnie à Numéro,
2005.

Au plus près des os. Livre d'art
(avec Jean-Pierre Beaudin)
Auto-édition, 2006.

Mosaïque. Livre d'art
(avec Pierre Fortin)
Auto-édition, 2009

Château Bizarre. Contes et poèmes
(Collaboration et co-direction),
Montréal, Marcel Broquet, 2010

Pierre K. Malouf

Les faces cachées
d'Amir Khadir

TABLE DES MATIÈRES

INTRODUCTION

Khadir ? Pour quoi faire ?

Il n'y a plus aujourd'hui que diverses façons de pratiquer le capitalisme, avec plus ou moins de marché, de propriété privée, d'impôts et de redistribution. Aussi la correction des vices de fonctionnement du libéralisme ne saurait-elle venir que du libéralisme même.

Jean-François Revel
La grande parade

Je l'avoue d'emblée — et ça n'étonnera personne étant donné que je viens de citer Revel — l'orientation et l'action politiques d'Amir Khadir, de Françoise David et de leur parti m'inspirent depuis toujours une profonde méfiance voire un certain dégoût. Cette gauche soi-disant vouée à l'établissement d'une société « égalitaire » me déplaît souverainement. Cela dit, si l'on m'avait proposé avant mai 2011, c'est-à-dire avant certaines péripéties d'une campagne de boycottage et de harcèlement dont je parlerai abondamment dans les prochains chapitres, de consacrer temps et efforts à l'écriture du livre que vous tenez entre vos mains, je me serais sûrement esclaffé : « Un ouvrage sur Khadir ? Vous croyez que j'ai du temps à perdre ? Proposez-moi un sujet sérieux ! »

Mon refus eût été causé par l'âge et l'expérience. Je suis né en 1943, voyez-vous, et j'en ai vu d'autres ! Qu'il s'agisse de la droite ou de la gauche, les extrêmes sont aujourd'hui beaucoup moins éloignés du centre qu'ils ne l'étaient à l'époque où Revel produisait ses plus grands livres. Nous vivons au Québec des temps bien tranquilles! Ça bougeait beaucoup plus dans les années 60 et 70. Khadir, David et leur parti ne font pas exception à la règle. Ils sont... il est, lui surtout, moralisateur, arrogant, cabotin, alternativement cohérent et incohérent... Mais contagieux ou dangereux?... Permettez-moi d'en douter. Le souvenir encore vivace de l'époque héroïque où les centrales syndicales étaient infestées de marxistes, m'empêche même de m'émouvoir de la présence à Québec solidaire d'anciens ou de néo-communistes plus ou moins avachis.

Prenons l'exemple de la CSN, que certains trouvent encore aujourd'hui trop à gauche (ou trop radicale), mais qui l'était bien davantage il y a quarante ans. En 1965, peu après que Marcel Pepin eut succédé à Jean Marchand, Pierre Vadeboncoeur, qui occupait alors un poste de conseiller technique, et qu'on avait accusé d'être marxiste (étiquette infâmante dans le Québec de l'époque), répondait ceci à ses détracteurs :

> [...] il va falloir [...] riposter par des dénonciations plus dures et plus précises, par des démonstrations plus claires encore, qui montreront enfin à tous que les trusts, c'est-à-dire quelques centaines d'individus ultra-gras, c'est-à-dire le capitalisme, c'est-à-dire le système qui vous exploite et vous pressure dans les usines et qui gouverne en sous-main dans les coulisses de vos pseudo-gouvernements et de vos pseudos[sic]-partis d'opposition, l'auteur du chômage et le responsable de l'anarchie dans l'économie du pays, le fournisseur des caisses électorales et l'accapareur à vil prix des territoires qui sont à nous, sont ceux qu'il est à peu près temps d'interroger sérieusement sur leur gestion du bien commun. Il commence à être temps de citer le capitalisme à la barre de la démocratie[1].

Certaines de ces récriminations, qui annoncent les jérémiades de nos « indignés » de 2011, n'étaient que trop justifiées,

---

1. *Le Travail*, avril 1965, p. 7.

mais il est remarquable que pour les formuler (et se défendre d'être marxiste) Vadeboncoeur utilisait spontanément la langue de bois marxiste. Dans un article de juin 1965 portant sur la pensée de Marcel Pepin, *Le Travail* proclamait: «Pour la CSN, et cela depuis très longtemps, la démocratie politique n'a toujours été qu'une démocratie apparente», poncif marxiste qui connut une très longue et très fructueuse carrière. L'extrême gauche dénonçait systématiquement et sans faillir la «démocratie formelle», qu'elle comptait remplacer un jour par une dictature... réelle.

Quand, à partir de 67 ou 68, les prêtres sécularisés du marxisme succédèrent, dans les institutions de moyen et de haut savoir, aux abbés défroqués de notre Sainte-Mère-l'Église, je venais à peine de terminer mes études. Spectateur intéressé, je vis bientôt surgir du terreau universitaire et pulluler sur la place publique une multitude de groupes et groupuscules à visées révolutionnaires, qui pour la plupart assimilaient dans leur «projet de société», à l'exemple des idéologues-terroristes du FLQ, les idées d'indépendance nationale et de socialisme. Quelques bombes et quelques morts plus tard, le FLQ fit deux prisonniers politiques et assassina l'un d'eux.

Naquirent ensuite, après la Crise d'octobre, le mouvement En lutte ! et la Ligue communiste (marxiste-léniniste) du Canada, qui devint en 1979 le Parti Communiste Ouvrier (PCO). Il n'y avait pas moyen de faire un pas dans les lieux publics sans que quelque camelot ne vous flanque dans les mains *La Forge* ou *En Lutte !* ou quelque autre feuille de chou de l'un ou l'autre groupe d'extrême gauche. J'ai dû pendant des années faire comme tant d'autres la sourde oreille aux anathèmes réciproques et aux prêches dogmatiques de camarades convertis au matérialisme dialectique, qui vantaient jusqu'à l'absurde, mais avec une conviction inébranlable, les mérites de la Chine de Mao ou de

l'Albanie d'Enver Hodja, paradis des travailleurs, modèles de
« monde meilleur », matrices d'un « homme nouveau ».

Elle grenouillait partout, l'extrême gauche : dans les usines,
les hôpitaux, les CLSC, les ACEF, les comptoirs alimentaires, etc.
Très minoritaires, mais hyperactifs, les marxistes-léninistes (m. l.)
et les trostkistes s'infiltraient dans les syndicats[2], pratiquaient
l'agit-prop auprès des travailleurs, exacerbaient les conflits, ten-
taient de soulever les masses (de quelques millimètres), préparaient
(vainement) la Révolution. Avec un zèle qu'on peut qualifier de
religieux, ils sacrifiaient pour la Cause leur libre-arbitre, leur vie
amoureuse, leur confort matériel, presque leur avenir[3]. Leur
grand mérite : ils avaient renoncé — en attendant qu'éclate la
révolution armée — à la violence échevelée pratiquée auparavant
par le FLQ. Mais leurs têtes de Turc demeuraient les mêmes que
chez leurs criminels prédécesseurs : la bourgeoisie, le capitalisme,
l'impérialisme (américain, bien sûr !). Différence capitale cependant, les maoïstes et une fraction importante des trostkistes
s'opposaient au projet d'indépendance du Québec et honnissaient
tout autant le Parti québécois que le Parti libéral. Exemple : « De
plus en plus se dévoile devant le peuple le vrai visage du PQ : un
parti bourgeois comme les autres, oeuvrant à protéger et à

---

2.   Terrain favorable, la CSN et la CEQ (et dans une moindre mesure certains
syndicats affiliés à la FTQ) utilisant le même discours critique que les m.-l., avec
toutefois moins de suite dans les idées que ces derniers, qui préparaient la révolution
armée alors qu'à la CSN, on rêvait de « socialisme démocratique » !
3.   Il faut préciser que plusieurs d'entre eux, revenus de leurs illusions, ont connu des
carrières fructueuses (pas toujours dans la politique, comme Gilles Duceppe ou
Françoise David). Il se trouvait parmi ces apprentis révolutionnaires quelques individus
fort brillants (j'en ai connu et j'en connais), qui se sont parfaitement intégrés dans la
société dite « capitaliste », et qui y jouent un rôle utile (généralement hors de la
politique).

défendre le capitalisme *qui est la cause de toutes nos misères* [c'est moi qui souligne][4]»

La cause de toutes nos misères? Cette expression vous a des petits airs de déjà-vu. Permettez-moi une brève digression. Fouillant dans de vieux dossiers mis de côté depuis le Déluge, je tombe sur la même expression, employée par quelqu'un de la plume duquel on s'attendrait plutôt à voir perler du saint chrême. Qui a dit?: «C'est ce capitalisme [dénoncé par *L'Osservatore Romano*[5] comme aussi mauvais que les péchés contre nature] *qui est la cause de toutes nos misères*. Nous devons travailler contre, non pas pour le transformer, il est intransformable; non pas pour le corriger, il est incorrigeable [*sic*], mais pour le remplacer.»

Réponse: Mgr Philippe-Servule Desranleau, archevêque de Sherbrooke, devant un auditoire syndical lors de la Fête du Travail en 1949. Ne croirait-on pas entendre le tandem Khadir-David? Bien sûr, l'inoffensif Mgr Desranleau ne proposait à l'époque, pour remplacer le capitalisme, qu'une forme atténuée de corporatisme: la participation des ouvriers à la gestion des entreprises et le partage des profits. L'idée fut abandonnée au détour des années cinquante par l'Église de Rome, qui de toute façon n'a jamais eu la moindre crédibilité en matière économique. Sachons-lui gré de s'être rendu compte de son incompétence et émettons le voeu que Québec solidaire puisse se livrer un jour à la même prise de conscience.

À partir des années 80, les certitudes cédèrent le pas au doute puis au découragement. Les troupes se dispersèrent, les

---

4. Anonyme, «Ripostons classe contre classe aux mesures de crise du PQ dans les hôpitaux», *La Forge*, 16 septembre 1977, p.10. Cité par Jean-Philippe Warren, *Ils voulaient changer le monde*, p. 143

5. Journal du Vatican.

partis maoïstes se sabordèrent[6]. Mais deux partis communistes survécurent : le Parti communiste du Canada marxiste-léniniste, PCC(M-L) (enregistré par Élections Canada sous le nom de Parti marxiste-léniniste du Canada) et le Parti Communiste du Québec, qui célébrait en 2011 son quatre-vingt-dixième anniversaire. Le socialisme était donc en crise — crise qui déboucha sur un coma prolongé —, mais les têtes de cochon du PCC(M-L) et du PCQ continuèrent de hanter l'épave. Tout est toujours trop simple ou trop compliqué avec les communistes. Ne confondons pas : le parti communiste intégré dans Québec solidaire, c'est le PCQ. Bigre! Ça se complique davantage : il existe un deuxième PCQ, fruit d'une scission avec le premier PCQ, et qui, lui, est une section du Parti communiste du Canada (PCC). Après consultation des sites web de ces trois partis[7], je conclus que par ordre décroissant d'arriération idéologique il faut les classer ainsi : 1 - le PCC(M-L), qui possède une branche québécoise, le Parti marxiste-léniniste du Québec (PMLQ); 2 - le PCC-PCQ; 3 - le PCQ affilié à Québec solidaire.

Tiens, je retrouve un autre vieux papier. Étonnant, quand même... Qui a écrit que «le communisme comme formule de production économique et d'organisation sociale, contient un élément de générosité qui manque au capitalisme»? Je vous le donne en mille : Gérard Filion, le 16 juillet 1949 dans *Le Devoir*. Gérard Filion, qui deviendra plus tard directeur général de la

---

6.   À consulter absolument pour comprendre ce qui s'est passé alors, le vol 13, No 1 (automne 2004) du *Bulletin d'histoire politique* de l'Uqam, publié chez LUX, «Histoire du mouvement marxiste-léniniste au Québec». Tout aussi intéressant, l'ouvrage de Jean-Philippe Warren publié chez VLB, *Ils voulaient changer le monde*. Sans oublier non plus la célèbre série d'articles de Jacques Benoit portant sur l'extrême gauche, publiés dans *La Presse* de juin à août 1977 et qui demeurent toujours une mine de renseignements.

7.   http://www.cpcml.ca/francais/, http://pccpcq.blogspot.com/ et http://www.pcq.qc.ca/Dossiers/Modeles/index.html?id=Autres/Archives/index&lang=fr Amusez-vous bien!

Société générale de financement! M. Filion a de nombreux admirateurs à Québec solidaire.

Après la conversion de la Chine à l'économie de marché, la chute du Mur de Berlin, la dislocation du Bloc de l'Est, la dissolution de l'URSS, autrement dit après l'échec planétaire du socialisme réel, les socialistes des pays occidentaux (qu'on a trop souvent tendance à qualifier de «go-gauchistes», comme s'ils n'avaient jamais fait que pérorer dans les tavernes de Saint-Henri ou les salons d'Outremont — avant d'emménager sur le Plateau Mont-Royal) n'eurent plus qu'à rentrer dans leurs foyers pour y ronger leur frein. Que leur restait-il comme modèles? La Corée du Nord et Cuba! Il n'y a pas là de quoi pavoiser, sauf, évidemment, pour les fossiles vivants du PCC(M-L) aux yeux de qui la Corée du Nord et ses dirigeants sont dignes d'admiration:

> Le 9 septembre était le 63e anniversaire de la fondation [en 1945] de la République populaire démocratique de Corée. À l'occasion de la journée nationale de la RPDC, la première secrétaire du Comité central du PCC(M-L), Sandra L. Smith, a transmis ses salutations révolutionnaires les plus chaleureuses au dirigeant coréen Kim Jong Il, au Parti des travailleurs de Corée et au peuple coréen, exprimant une confiance totale dans leur projet socialiste d'édification nationale au service du bien-être du peuple[8].

Un bon point en faveur du PCQ-PCC et de l'autre PCQ (celui qui est affilié à Québec solidaire), personne n'ose y faire l'éloge du régime nord-coréen, ce qui n'empêche toutefois pas, comme nous le verrons, leur plus célèbre porte-parole de côtoyer Mme Sandra L. Smith à l'occasion de certaines fêtes où tous les deux sont invités comme dignitaires.

---

8.   Voir http://www.cpcml.ca/francais/Lmlq2011/Q410315.HTM

Que sont devenus par ailleurs les militants d'En lutte! ou du PCO après leur réveil brutal? Éprouvent-ils toujours trente ou quarante ans plus tard, pour l'universalisme libéral — les «progressistes» disent plutôt «capitalisme» (comme Desranleau et Filion) ou «néo-libéralisme» —, le dégoût et l'indignation qui soutenaient autrefois leur engagement politique et social? On renonce plus facilement à nos illusions qu'on ne surmonte nos aversions... On jette un mauvais remède à la poubelle, mais le malaise persiste... ou s'aggrave. Que font-ils aujourd'hui? Laissez-moi deviner... Tiens, l'un d'eux, l'ancien chef du PCO, Roger Rashi, est membre d'un groupe appelé *Masse critique,* qui est l'un des collectifs radicaux dont les adhérents sont automatiquement inscrits à Québec solidaire. Significatif? Je ne saurais dire... Sans doute la plupart des anciens maoïstes vaquent-ils tranquillement à leurs occupations et vivent-ils leur vie tant bien que mal dans cette société démocratique pluraliste et éminemment imparfaite qu'ils ont autrefois voulu détruire. D'autres ont rejoint l'un ou l'autre des partis de gauche qui vivotaient encore au début du siècle: le Rassemblement pour l'alternative progressiste (RAP), le Parti de la démocratie socialiste (PDS, ex-NPD Québec), et le Parti communiste du Québec (PCQ), qui se réunirent en 2002 sous l'étiquette Union des Forces Progressistes (UFP), qui elle-même fusionna en 2006 avec le groupe *Option citoyenne* dirigé par Françoise David. Ainsi fut bricolé le radeau de la Méduse des naufragés du socialisme québécois, sur lequel se retrouve aujourd'hui, réduit à l'état de simple matelot, l'ancien capitaine du navire, Roger Rashi.

Le portrait est plutôt déprimant, mais j'en reste à ma première idée: Amir Khadir et Françoise David, c'est de la petite bière! Moi, ces gens-là me font plutôt rigoler. Les frasques de

Khadir (un temps, le plus populaire des politiciens Québécois[9]!) ne peuvent alarmer que ceux et celles qui n'ont pas connu l'époque glorieuse des vrais socialistes, ceux qui brassaient réellement la cage. Que les «communistes résiduels[10]» soient membres d'office de Québec solidaire, qu'importe? S'ils ont cinquante ans ou plus, ces gens ne sont plus que l'ombre d'eux-mêmes, et s'ils en ont trente ou moins, ils sont plus à plaindre qu'à craindre. Entre trente et cinquante ans, ils sont mûrs pour l'asile d'aliénés. Quiconque jette un coup d'oeil rapide sur le programme politique de Québec solidaire, constate en effet qu'il s'agit surtout d'un tissu de voeux pieux. Certes, certaines des propositions de ce parti donnent froid dans le dos. Et on a beau savoir que Khadir et David n'ont absolument aucune chance d'exercer un jour le pouvoir et que leur Manifeste est pur délire d'interprétation débouchant sur un projet d'État-providence exacerbé qui redistribuerait à gogo des richesses qu'il serait désormais impossible, voire interdit de produire, on ne peut que frémir quand il est proposé que «le Québec s'engage dans la voie d'une redéfinition des rapports entre les êtres humains[11]», projet démentiel qui dégage un répugnant parfum d'utopisme totalitaire! «Redéfinir les rapports humains», l'idée doit bien plaire aux tyrannosaures du PCQ ou de *Gauche socialiste* (un groupe trotskiste associé à Québec solidaire). C'est leur spécialité, aux communistes, la redéfinition des rapports humains: délation, rééducation, déportation, épuration. Décidément, les «orphelins

---

9.   Voir http://www.ledevoir.com/politique/quebec/312927/le-barometre-leger-marketing-le-devoir-the-gazette-khadir-le-politicien-le-plus-populaire
10. Expression empruntée à Pierre-André Taguieff.
11. *Manifeste de Québec solidaire*, p. 9.

de la Révolution[12]» ne se sont pas entièrement guéris de leurs penchants sadiques.

Mais calmons-nous! Je propose que nous laissions ces gens délirer en paix. Ils sont bien contents (et devront se contenter pour l'éternité), d'avoir à l'Assemblée nationale, un «porte-parole» qui s'agite en leur nom. Passons outre.

Ainsi aurais-je décliné, avant un certain dimanche fatidique, toute invitation à me pencher sérieusement sur le cas d'Amir Khadir. J'ai changé d'avis, vous comprendrez bientôt pourquoi. Je me contenterai pour le moment de souligner la faille principale de mon plaidoyer abstentionniste : non, contrairement à ce que je viens de prétendre, Amir Khadir n'est pas inoffensif, son action n'est pas insignifiante.

---

12. Cette expression est aussi de Taguieff. J'ai pour ma part utilisé, dans un ouvrage publié en 2001, l'expression «chiens édentés». C'est la même chose.

PREMIÈRE PARTIE

Amir Khadir et Le Marcheur
Chronique d'un boycott

On peut, par une action d'éclat, captiver tout à coup la faveur d'un peuple; mais pour gagner l'amour et le respect de la population qui vous entoure, il faut une longue succession de petits services rendus, de bons offices obscurs, une habitude constante de bienveillance et une réputation bien établie de désintéressement.

Alexis de Tocqueville
De la démocratie en Amérique

CHAPITRE PREMIER

Intifada sur la rue Saint-Denis

La liberté d'opinion est une farce si l'information sur les faits n'est pas garantie et si ce ne sont pas les faits eux-mêmes qui font l'objet du débat.

Hannah Arendt
La crise de la culture

Dimanche, 15 mai 2011, en début d'après-midi. Une foule de quelque trois cents personnes est rassemblée sur la place Gérald-Godin à la station de métro Mont-Royal. Le ciel est gris, certains ont prévu le pire et se sont munis d'un parapluie. Plusieurs femmes ne sont cependant protégées d'une ondée qui ne viendra pas que par le voile islamique qui leur couvre la tête. La présence ici d'autant de musulmanes et d'un grand nombre d'hommes d'origine maghrébine ou proche-orientale n'est pas le fruit du hasard. Ils viennent commémorer l'anniversaire de la *Nakba*, la « Catastrophe », en compagnie de Québécois de souche hostiles à Israël. Certains brandissent des drapeaux de l'Autorité palestinienne, certains vont jusqu'à s'en draper. On aperçoit aussi quelques fleurdelysés, des bannières mohawks (ou des Warriors, mais en quel honneur?) de même que des pancartes (qu'il m'est impossible de déchiffrer sur l'écran de mon ordinateur). L'exaltation et l'indignation sont à leur comble. Vous ne savez pas ce que c'est que la *Nakba*? Ne vous en faites pas, personne n'est obligé, n'est-ce pas, de souffrir d'antisionisme obsessionnel[13].

Le 15 mai 1948, c'est la date choisie par le peuple palestinien pour commémorer la Nakba, entreprise de nettoyage ethnique menée par les sionistes, en Palestine. Le 15 mai 1948, l'entité coloniale sioniste proclame la formation de son Etat sur le territoire de la Palestine, après que ses bandes armées se soient livrées aux massacres et à l'expulsion de centaines de milliers de Palestiniens, de leurs villages, villes et bourgs : 850 000 Palestiniens furent expulsés de leurs terres et leurs propriétés. C'est de leur terre, la Palestine, que les Palestiniens ont été expulsés, et c'est vers leur terre qu'ils ont été empêchés, depuis 63 ans, de retourner, par ce qui se fait appeler « communauté internationale[14] ».

J'examinerai dans un prochain chapitre ce tissu de mensonges et de demi-vérités. Quoi qu'il en soit, à l'occasion de ce douloureux anniversaire des manifestations ont été organisées un peu partout partout dans le monde. Le Québec et Montréal ne sont pas en reste :

1. Palestiniens en Cisjordanie, se sont réunis aux points de contrôle et des colonies juives après la prière de midi.

2. Palestiniens dans la bande de Gaza passages [sic] se sont réunis à l'occupation et les frontières entourant le secteur après la prière de midi.

3. Palestiniens dans le territoire de 48 réunis dans les villages et les villes détruites en 1948 après la prière de midi.

4. Palestiniens et des Arabes au Liban, la Jordanie, la Syrie et l'Egypte se dirigeaient vers la frontière palestinien voisin [sic].

5. Palestiniens et les Arabes dans les autres pays arabes se sont réunis dans les ambassades et consulats palestiniens.

---

13.   Je ne réclame pas la paternité de cette expression, que Lysianne Gagnon a employée avant moi. Voir http://www.cyberpresse.ca/chroniqueurs/lysiane-gagnon/201012/20/01-4354210-khadir-le-fanatique.php?utm_categorieinterne=trafficdrivers&utm_contenuinterne=cyberpresse_B13b_lysiane-gagnon_3265_section_POS1
14.   http://bellaciao.org/fr/spip.php?article117049

6. Palestiniens et les Arabes en Turquie, en Europe et le reste du monde à des manifestations devant les ambassades israéliennes[15].

Tout un branle-bas! Mais bien avant le 15 mai, les passions anti-sionistes et antisémites s'exprimaient et se confondaient sans la moindre retenue dans des pages Facebook (dont certaines seront fermées):

> « Nous mourrons et la Palestine vivra. »
>
> « Des millions de martyrs sont en marche vers Jérusalem. »
>
> « Khaybar, Khaybar, ô Juifs, l'armée de Mahomet est de retour. »
>
> « Chers Juifs, n'ayez pas peur, la mort sera rapide. Attendez-vous à un déluge arabe, nous arrivons. Nous aiderons la religion d'Allah et la Palestine à triompher. »
>
> « Mort aux Juifs, assassins des prophètes. »
>
> « Les descendants des fils de Sion vont en Enfer. »

À Montréal, les propos de l'orateur de la place Gérald-Godin ne sont pas aussi incendiaires que ceux-là, mais ils écorchent quand même les oreilles et l'intelligence[16] :

> *« Welcome, bienvenue sur le territoire du comté de Mercier, qui aspire un jour être un territoire libre d'apartheid. Dans le quartier du Plateau Mont-Royal, on aspire être un territoire libre d'apartheid contre les peuples autochtones, les premières nations n'oublions-le pas* [sic] *comme ça vient d'être mentionné* [dans un discours précédent celui-ci[17] et qu'on ne retrouve pas sur YouTube], *et également, le début peut-être,*

---

15.   http://www.aslama.com/forums/showthread.php/34822-La-troisième-intifada-palestinienne. (15-Mai-2011)

16.   http://www.youtube.com/watch?v=DJ2APhs2hA0

17.   Tout finit par se savoir ! Un orateur mohawk (ou Warrior), un certain Clifton Nicholas, avait harangué la foule en français et s'en était excusé en disant que c'est la langue de l'oppresseur. Cette touchante cérémonie était organisée par la Fondation canado-palestinienne du Québec.

23

puisque vous le savez qu'il y a [inaudible] *accompagné la compagne de désinformation qui a cherché à intimider Québec solidaire à se dissocier de ces dizaines et de ces dizaines de militants anti-sionistes et anti-apartheid qui depuis au moins octobre 2000, depuis 11 ans, ne cessent de sillonner chaque semaine, chaque vendredi comme mon père l'a fait, c'est la prière du vendredi pour lui*[18].

Donc, depuis au moins octobre 2000, des dizaines et des dizaines, par pluie battante, par froid à - 20, devant le consulat israélien, devant les commerces comme Chapters-Indigo, qui font commerce avec l'État d'apartheid[19], *pour rappeler que le commerce n'est pas au-dessus de la moralité, que le commerce ne peut pas se placer au-dessus de la société. Et quand dans une société on n'accepte pas l'injustice, quand dans une société on n'accepte pas le nettoyage ethnique, il n'y a aucune raison qu'au nom du commerce on accepte l'État d'apartheid d'Israël*[20] *!» Dont la fondation...* [cris d'approbation] *dont la fondation repose !...* [cris redoublés] *dont la fondation repose d'abord sur un nettoyage ethnique !... mis en branle par un processus qui s'appelle du terrorisme contre les populations civiles ! Ça été en 47, en 48, que le modèle de terrorisme appliqué aux populations civiles*

---

18.   Par cette évocation de la piété de son père, l'orateur flatte dans le sens du poil une foule en majorité musulmane (à preuve le grand nombre de femmes voilées) et peut-être même islamiste, donc non seulement pro-palestinienne mais résolument pro-Hamas.

19.   Détrompez-vous, Khadir ne fait pas allusion à l'Arabie saoudite, à l'Iran, au Pakistan, au Soudan, à l'Égypte, à la Syrie ou tout autre État islamique (théocratique ou non) où une forme d'apartheid (puisqu'il faut bien employer l'expression stupidement galvaudée par Khadir et ses semblables) est réellement exercée contre les femmes, les homosexuels, les chrétiens, les Juifs...

20.   Khadir ne précise pas ici s'il refuse d'accepter Israël ou seulement la soi-disant politique d'apartheid d'Israël. Nous aurons réponse à cette question dans quelques secondes.

a été inventé[21] *! Et ensuite, évidemment, hissé dans ses manifestations les plus modernes et suprêmes par celui que la CIA a inventé de toutes pièces dans les années 70 et 80 en Afghanistan, Ben Laden*[22], *et dont on se sert aujourd'hui pour délégitimer la résistance des peuples à travers le monde, dont à Gaza et en Palestine. Juste un dernier mot. Je pense que c'est un message d'espoir. La troisième Intifada est déjà commencée. Vous savez le résultat le plus tangible ? C'est que la troisième Intifada des jeunes, des femmes et des mouvements populaires en Palestine a forcé l'Autorité palestinienne et le gouvernement du Hamas à s'asseoir ensemble et à accepter la voix du peuple !* [Ovation]

Moi je suis ici pour qu'il y ait un lien entre l'Intifada dans la rue palestinienne et l'Intifada dans les consciences libres du Québec et en dépit de toutes les tentatives d'intimidation et de salissage, nous allons résister et nous allons dire que l'apartheid, que le commerce avec l'apartheid n'a pas sa place au Québec. Merci beaucoup !

Khadir se tait. Dans la foule, une voix lance: «Intifada!» Une femme hurle dans le micro d'une voix stridente: «Intifada! Intifada!» La foule reprend: «Intifada! Intifada!»

Cette scène édifiante, qu'on peut voir sur YouTube, n'aura duré que trois minutes et quarante-huit secondes, pendant lesquelles

---

21.   Sans blague! Ne cherchons plus, c'est clair, nous avons notre réponse. Criminel dès l'origine, inventeur (vous m'en direz tant!) du terrorisme appliqué aux populations civiles (!), l'État d'Israël peut-il être accepté, apartheid ou pas? Si nous suivons la logique de Khadir et accordons foi à ses affabulations grotesques, la réponse est évidemment négative, et Israël doit disparaître.

22.   On l'attendait celle-là! Les Américains ont inventé Ben Laden! Marionnette dont ils se sont servis ensuite (par l'entremise de la CIA) pour faire s'écrouler les Twin Towers. Ce n'est pas la première fois que Khadir se livre à de lugubres élucubrations sur Ben Laden et les attentats du 11 septembre 2001.

Amir Khadir aura montré son vrai visage. En gros plan! Ici, pas de face cachée, mais une évidence brutale! Ce discours devient encore plus choquant quand on en connaît les prémisses et les suites. Mais pour comprendre ce que signifie vraiment cette sinistre comédie du 15 mai 2011, il faut retourner quelques mois en arrière.

Ouverte en 1979, la boutique Le Marcheur a acquis depuis peu une notoriété fort inhabituelle. Travaillant d'arrache-pied (sans jeu de mot) de 50 à 70 heures par semaine, Yves Archambault et son épouse, Ginette Auger, consacrent beaucoup d'énergie et de conviction à la bonne marche de leur commerce. Leur seul souci étant de gagner honorablement leur vie en fournissant à leur clientèle des produits de qualité, tous deux se seraient bien passé de la publicité incongrue qui leur est tombée dessus à l'automne 2010.

La saga débute le samedi 2 octobre. Ginette Auger sert les clients, son mari travaille à des tâches administratives dans son petit bureau à l'arrière de la boutique. En début d'après-midi, un employé vient annoncer à ce dernier que quatre personnes désirent lui parler. Nous avons pu identifier deux de ces individus. Il s'agit de Bruce Katz et de William Sloan. Le premier est co-fondateur (avec Rezeq Faraj) de l'organisme Palestiniens et Juifs Unis (PAJU). Le second, qui est avocat, siège au Comité central du PCC-PCQ, qu'il faut toujours distinguer de l'autre PCQ[23], car les deux sont en chicane. Du bien bon monde! Trop occupé, M. Archambault déclare qu'il n'a pas le temps de les recevoir. L'employé revient quelques minutes plus tard et remet à son patron, de la part de ses visiteurs, un dépliant, un DVD et une enveloppe. Yves Archambault dépose le tout sur une tablette et poursuit son travail.

Une demi-heure plus tard, sortant pour aller poster une lettre, il réalise qu'une dizaine de personnes sont attroupées

---

23.   Voir http://www.pajumontreal.org/paju_fr/?/20/

devant chez lui, distribuent des tracts aux passants et tentent (sans toutefois s'interposer physiquement) d'empêcher ces derniers de pénétrer dans la boutique[24]. Deux grandes banderoles sont déployées. On peut lire sur l'une d'elles : *Appel de la société civile palestinienne. Boycottons l'apartheid israélien.* Revenant quelques minutes plus tard après avoir déposé son courrier, Yves Archambault apostrophe les manifestants : « Qu'est-ce que vous faites là au juste ? » Les explications qui fusent (« le baratin habituel » me dira-t-il en entrevue plusieurs mois plus tard), lui paraissant incompréhensibles ou ridicules, il conclut : « Vous avez pas d'affaire à être ici, j'appelle la police ! ». Aussitôt dit, aussitôt fait. De retour dans l'arrière-boutique, il ouvre l'enveloppe qui lui a été remise un peu plus tôt et y découvre le message suivant :

Montréal, 2 octobre 2010
MISE EN DEMEURE
DEMANDE DE BOYCOTT DE LA MARQUE "BEAUTIFEEL"

Monsieur Archambault,
Je vous écris au nom de PAJU, Palestiniens et Juifs Unis, un organisme intéressé par les droits humains au Moyen-Orient. Depuis plus de 9 ans, nous tenons une ligne de piquetage pacifique chaque vendredi, sans relâche, dénonçant l'occupation illégale de la Palestine par les troupes et les colonisateurs israéliens que nous concevons comme une forme d'apartheid. Les sept premières années, nous étions devant le Consulat d'Israël. Depuis, nous sommes devant Indigo, à l'angle de la rue Ste-Catherine et McGill College.
En avril 2002, suite à une visite en Terre Sainte, Desmond Tutu qui fut archevêque du Cap et président de la Commission Sud-Africaine pour

---

24. La campagne BDS est menée de manière beaucoup plus agressive en Europe, en France notamment, où cependant, comme au Québec, elle rencontre peu sympathie dans la population. Voir http://europapax.com/2010/11/29/3925/

la Vérité et la Réconciliation déclara pour décrire la situation actuelle du peuple palestinien, ce qui suit : «*J'ai été profondément bouleversé lors de ma visite en Terre Sainte ; cela m'a tant rappelé ce que qui nous est arrivé à nous les noirs d'Afrique du Sud. J'ai vu l'humiliation des Palestiniens aux check-points et aux barrages routiers, je les ai vus souffrir comme nous quand de jeunes officiers de police blancs nous empêchaient de nous déplacer.*»

Pour en apprendre davantage sur la situation du peuple palestinien, nous vous recommandons le livre intitulé «*Palestine : Le refus de disparaître*» de Rezeq Faraj, cofondateur de notre organisme. Nous vous invitons à prendre le temps de consulter ce livre qui selon nous est un éloquent plaidoyer en faveur de l'instauration d'une paix juste et durable en Palestine.

Il y a cinq ans afin de mettre pression sur le régime d'apartheid d'Israël et pour mettre fin au système discriminatoire qui y sévit, une très large coalition d'ONG de la société civile palestinienne lança l'appel aux citoyens et citoyennes du monde entier de s'abstenir d'acheter tout produit israélien — un boycott[25]. Le boycott est un moyen de pression très ancien de ralliement à une cause de manière pacifique. Il fut introduit en Irlande, il y a deux siècles, pour dénoncer un ex-militaire anglais qui maltraitait les paysans irlandais. il y a quelques années aux Etats-Unis, le Révérend Martin Luther King, Jr. l'utilisa également dans sa lutte pour les droits civiques.

Vous avez un produit israélien en vente dans votre boutique de la marque **Beautifeel**. Nous vous proposons de joindre votre geste de solidarité en retirant ces produits de votre offre de vente et de faire de votre entreprise une zone libre de toute association au régime d'apartheid israélien. Nous serions heureux de vous rencontrer à votre convenance pour en parler davantage, en vous citant, entre autres, les noms d'entreprises qui se sont ajoutées à la liste de boycott. Notre

---

25.   Voir le site www.bdsmovement.net On y trouvera la liste complète des organismes palestiniens à l'origine de la campagne BDS.

pratique est de dresser une ligne de piquetage devant l'établissement pour y distribuer de l'information concernant le produit en question ainsi que les raisons pour lesquelles nous proposons le boycott. Soyez assuré qu'il n'y a pas l'ombre de violence dans aucune de nos actions.

Par ailleurs, veuillez prendre note que faute d'une réponse de votre part dans un délai de sept (7) jours, nous nous réservons le droit de lancer publiquement l'appel au boycott de votre boutique et dans tous nos réseaux jusqu'à ce que vous retiriez de vos étagères les souliers de marque *Beautifeel* fabriqués en Israël. A l'inverse, si vous acceptez de joindre votre voix aux citoyens et citoyennes de conscience à travers le monde qui refusent toute forme d'association avec les politiques d'apartheid israélienne, nous encouragerons les Québécois et Québécoises dans tous nos réseaux de choisir et privilégier votre boutique pour avoir eu le courage d'en faire une entreprise libre de toute association au régime d'apartheid israélien.

Espérant une réponse favorable, veuillez agréer, Monsieur Archambault, nos salutations distinguées.

Cordialement,
Bruce Katz
Président de PAJU (Palestiniens et Juifs Unis)

Interloqué, Yves Archambault se demande s'il n'est pas victime d'une mauvaise blague. Une relecture s'impose, mais il doit la remettre à plus tard car les policiers appelés à la rescousse viennent d'arriver.

Les forces de l'ordre ont vite fait de conclure que les manifestants ne peuvent être délogés. Nous aurons d'ailleurs l'occasion de constater que ces gens-là sont têtus comme des mules, à cette différence près qu'au contraire de nos frères asiniens, ils ont lu les oeuvres complètes de Vladimir Ilich Oulianov (dit Lénine) et en ont bien saisi le message. La police ne peut rien faire : tant qu'ils ne bloquent pas le trottoir et n'agressent personne, ils ne commettent aucune infraction et peuvent continuer de manifester devant la boutique.

Je dois souligner le fait que la police ne renonça pas si facilement à venir en aide au Marcheur. Mais ce sont les mairies d'arrondissement, dira un policier, qui donnent leurs consignes aux forces de l'ordre... Comprenne qui pourra. Un certain samedi, un policier un peu plus zélé donna une contravention au chef des manifestants, qui, non sans protester, se virent forcés de quitter les lieux. Ils revinrent la semaine suivante munis d'un permis... On conseilla à Yves Archambault de monter un dossier détaillé afin de pouvoir entamer des poursuites au civil, le but étant de trouver un moyen légal de chasser les importuns. À bout de ressources, un policier lui suggéra de fermer boutique le samedi après-midi, conseil que Yves Archambault refusa de suivre. Mais revenons au 2 octobre.

Au grand étonnement d'Yves et de Ginette, un «journaliste» (ou quelqu'un qui prétend en être un), pénètre dans le magasin et se met à interviewer les personnes présentes. Après avoir lui-même répondu aux questions du reporter, Yves Archambault réalise qu'il s'agit d'un imposteur délégué par les PAJUstes. La manière dont il s'adresse à eux sur le trottoir ne laissant en effet aucun doute sur le fait qu'il est des leurs. Finalement, vers 15 heures, les trouble-fêtes remballent leurs pancartes, roulent leurs banderoles et déguerpissent. L'incident est clos, mais Yves et Ginette sentent qu'ils sont loin d'être au bout de leurs peines. Détail remarquable, ils apprendront plus tard que parmi les manifestants se trouvait un dénommé Jafar Khadir, le père de l'autre...

Qui sont ces gens? Que reprochent-ils à la boutique Le Marcheur et à son propriétaire? Qu'exigent-ils de ce dernier? La mise en demeure — qu'il faut sans doute relire attentivement pour bien saisir de quoi il retourne — répond à ces questions mais en fait surgir quelques autres, dont l'une est capitale[26]. Il est fait mention dans cette lettre de «régime d'apartheid» et de «politiques d'apartheid» en Israël. Dans son discours du 15 mai 2011, comme nous l'avons vu au début de ce chapitre, Amir Khadir parlera de «l'État d'apartheid d'Israël». Tous les ennuis que subira la boutique Le Marcheur dans les semaines et les mois qui vont suivre reposent sur ce postulat : Israël est un État d'apartheid.

Je vends des chaussures fabriquées en Israël, État d'apartheid (prétend le dénommé Bruce Katz et répétera plus tard notre ami Khadir), je devrais donc, moi, marchand de chaussures de la rue Saint-Denis à Montréal, faire disparaître de mes étalages les chaussures BeautiFeel, qui représentent 2 % de mon chiffre d'affaires. Ça ne serait pas une si grande perte financière, mais ces chaussures sont d'excellente qualité, est-ce que je vais me laisser dicter ma conduite par ces gens-là ? Israël, État d'apartheid ? Est-ce bien vrai ?

Si comme moi, ou comme Yves Archambault et Ginette Auger, ou comme la plupart des bipèdes du Plateau Mont-Royal, de Notre-Dame-de-Grâce ou de Westmount, vous ne suivez pas de très près la politique internationale, si vous n'avez pas le regard continuellement rivé sur Israël, la Cisjordanie, Gaza, le Proche-Orient ; si, en un mot, vous n'êtes pas un antisioniste obsessionnel, vous accueillez avec beaucoup de circonspection et de scepticisme l'équation Israël = apartheid faite par le dénommé Bruce Katz — c'est qui ça ? Pourquoi vient-il se mêler de mes affaires ? — et concluez : «Qu'on me fiche la paix ! Je ne fais rien d'illégal ! Je vais gérer mon commerce à ma guise !»

Entre ce premier incident du 2 octobre 2010 à la boutique Le Marcheur et le discours du 15 mai 2011 d'Amir Khadir, qui

---

26. En voici une autre : Katz écrit vouloir accorder à M. Archambault un délai de 7 jours pour obtempérer. Pourquoi ne lui fut-il accordé en réalité qu'un délai d'une trentaine de minutes ?

sera suivi, nous le verrons plus loin, d'une scène odieuse — qui, étroitement liée au discours de Khadir, me convainquit qu'il fallait écrire ce livre —, il y eut plusieurs péripéties, que je relaterai dans les chapitres suivants et qui contribueront à tracer du député de Mercier un portrait plus fouillé. Mais il s'impose que nous répondions d'abord à la question, la seule, l'unique: Israël est-il un État d'apartheid? Si oui, la campagne de boycott des produits fabriqués dans ce pays pourrait peut-être se justifier. Mais n'oublions cependant pas que la campagne BDS, comme son nom l'indique, ne touche pas que des produits, mais également des institutions, des personnes, des produits culturels: universités israéliennes, chercheurs israéliens, films israéliens, athlètes israéliens, etc.: « [Les boycotteurs] empêchent la tenue de manifestations d'information sur Israël; ils interdisent de parole des philosophes ou des intellectuels, même dans de simples débats, dès qu'il s'agit d'Israël[27]. » Essentiellement, la campagne BDS vise au Québec les mêmes objectifs et utilise les mêmes moyens qu'ailleurs dans le monde. « À l'initiative de plusieurs universitaires québécois, écrit Lorraine Guay, un comité pour le boycott académique est en place [28]. »

Si par ailleurs il s'avérait qu'Israël ne pratique pas l'apartheid, le boycott des produits israéliens — et en particulier celui des souliers BeautiFeel — perdrait toute raison d'être. Et il n'y aurait surtout pas lieu que Le Marcheur se mêle de cette histoire abracadabrante. Pourquoi d'ailleurs ferions-nous ici ce que les Palestiniens

---

27.   Dans Fabien Ghez, *L'État de trop*, p. 151. Voir bibliographie.

28.   http://www.ababord.org/spip.php?article1076 Voir ce commentaire cinglant de Richard Martineau : http://www.canoe.com/infos/chroniques/richardmartineau/ archives/2010/07/20100728-065803.html Et pour avoir une meilleure idée de la virulence de la campagne BDS, voir également ce site qui en fait la promotion: http:// info-palestine.net/rubrique.php3?id_rubrique=23 À consulter aussi : le site de CJPMO (Canadiens pour la justice et la paix au Moyen-Orient), favorable au boycott culturel. http://www.cjpmo.org/DisplayDocument.aspx?DO=853&RecID=97&DocumentID =1097&SaveMode=0

eux-mêmes ne font pas chez eux ? Le Bureau Palestinien Central des Statistiques (PCBS, affilié au gouvernement de Ramallah), nous apprend en effet que 71 % des importations et 90 % des exportations palestiniennes se font avec Israël : « L'Etat Juif est le premier consommateur des biens palestiniens. 90,6 % des exportations palestiniennes se font vers Israël. Il suffirait qu'Israël cesse de consommer des produits palestiniens pour faire chuter le gouvernement de Ramallah[29] ! »

---

29. http://jssnews.com/2011/12/01/71-des-importations-et-90-des-exportations-palestiniennes-se-font-avec-israel/ L'autorité palestinienne s'oppose à la campagne BDS, qu'elle ne peut cependant empêcher. Voir le témoignage de l'ambassadeur de Palestine en Afrique du Sud : http://jssnews.com/2011/08/31/pal-critique-bds

CHAPITRE II

Vous avez dit «apartheid»?

N'ayez crainte! Ne détruisez pas vos foyers de vos propres mains et évitez les malheurs d'un exil inutile. L'exil vous vaudra la misère et l'avilissement. Dans notre ville qui est aussi la vôtre, vous pourrez, vous et vos familles, travailler et vivre en paix.

Conseil des ouvriers juifs de Haïfa[30]

Les pays arabes n'accorderont pas la citoyenneté aux demandeurs d'origine palestinienne afin de prévenir leur assimilation dans les pays hôtes.

Résolution 1457 de la Ligue arabe en 1959

Si les réfugiés retournent en Israël, Israël cessera d'exister.

Gamal Abdel Nasser, le 1er septembre 1960

Ce que nous voulons, nous autres Arabes, c'est être et nous ne pouvons être que si l'autre n'est pas.

Ahmed Ben Bella[31]

---

30. Extrait d'une proclamation affichée et publiée en hébreu et en arabe, le 28 avril 1948, exhortant les Arabes à ne pas quitter la ville.
31. Ancien président algérien (1916-2012). Paroles prononcées lors d'une entrevue donnée à la revue *Politique internationale* en 1982. Cité par Jacques Tarnéro, dans son livre *Le nom de trop*.

L'entreprise de diabolisation de l'État juif est à l'oeuvre depuis longtemps[32], elle a atteint son but : la vision manichéenne de la situation au Proche-Orient, où Israël joue le rôle du Méchant et les Palestiniens (Fatah et Hamas compris) celui du Bon, imprègne désormais l'opinion publique et continue de gagner du terrain[33]. Ainsi, quand ils portent un jugement sur les événements du Proche-Orient, M. et Mme Toulemonde, qui en ignorent générale-ment l'histoire et n'ont qu'une vague idée de sa géographie, sont spontanément portés à blâmer Israël (l'Agresseur, le Puissant) et à exonérer les Palestiniens (la Victime, le Faible). Cela dit, ils sont encore capables de discernement, ouverts à la discussion, prêts à changer d'avis si on apporte des preuves sérieuses qu'ils se trom-pent. Le cerveau du « monde ordinaire » n'est pas protégé des leçons du réel par un épais blindage de dogmes. La majorité silencieuse n'est pas imperméable aux faits.

Il n'en va pas de même cependant avec les antisionistes radicaux, généralement d'extrême gauche, que rien ne peut ébranler et qui sont aussi obsessionnels que radicaux. Obsessionnels parce qu'ils ne pensent qu'à ça, ne voient que ça, ne se soucient que de ça[34]. « La réprobation d'Israël est d'abord l'obsession d'Israël », écrit

---

32.   Elle s'est intensifié après la Guerre des Six-Jours, qui marqua un point tournant. Pour une analyse approfondie, il faut consulter les ouvrages de Pierre-André Taguieff, plus particulièrement ses deux derniers livres : *La nouvelle propagande antijuive* et *Israël et la question Juive*. Voir bibliographie.
33.   Avec le concours enthousiaste de certains médias occidentaux, par exemple France 2. À preuve, l'émission abominablement biaisée en faveur des Palestiniens et calomnieuse envers Israël diffusée le 3 octobre 2011 sur TV5, *Un oeil sur la planète*. Si vous avez vu cette émission, vous pouvez vous administrer un antidote en visitant le site suivant : http://jssnews.com/2011/10/06/video-exclusive-jssnews-infolive-un-oeil-sur-la-planete-la-contre-emission
34.   On peut sans aucun risque de se tromper leur mettre dans la bouche ces paroles prononcées le 4 mai 2011 par Khaled Mechal, chef du Hamas, après la conclusion de l'accord entre le Fatah et le Hamas : « Notre unique combat est contre Israël. ». http://www.crif.org/?page=articles_display/detail&aid=24703&returnto=articles_display/presse_th&artyd=5&tg_4

Pascal Bruckner[35]. Israël est un État d'apartheid, voire une réincarnation de l'Allemagne nazie, et les Palestiniens sont victimes d'une épuration ethnique, que dis-je!... d'un génocide! Les réfugiés palestiniens étaient 600 000 en 1948[36], ils sont 4 millions 700 mille soixante-trois ans plus tard, mais Israël les extermine! Non, mais... quels incompétents!

Il peut crever des centaines de milliers, des millions d'être humains en Somalie, au Congo, au Soudan; l'Arabie saoudite, l'Iran, le Pakistan, peuvent amputer, flageller, lapider, pendre, décapiter; les États musulmans peuvent persécuter leurs minorités chrétiennes, juives ou bouddhistes, il n'y a pas là de quoi manifester le moindre petit signe d'indignation, puisqu'on ne peut en imputer la responsabilité aux Juifs... je veux dire aux sionistes! Quoique... ils y sont sûrement pour quelque chose, comme les Américains, leurs chevaliers servants. «Il n'existe aucune guerre dans n'importe quelle partie du monde dont ils ne soient les instigateurs», affirme l'article 22 de la Charte du Hamas, qui fait référence indifféremment aux sionistes ou aux Juifs. Et nos antisionistes obsessionnels d'opiner du bonnet. Le problème, c'est Israël, la politique d'Israël, l'existence d'Israël. Qu'on règle ce problème-là et la terre deviendra un lieu où il fait bon vivre. Inutile d'essayer de convaincre ces obnubilés. Ce n'est donc pas à eux que je m'adresse.

---

35. *La tyrannie de la pénitence*, p. 77.
36. Le mot «réfugié» recouvre ici trois catégories de personnes déplacées: 1 - les *réfugiés* proprement dit, qui ont quitté leur foyer de leur propre initiative (100 000 Arabes palestiniens ayant fui avant la déclaration d'indépendance d'Israël et le déclenchement de la guerre entrent dans cette catégorie); 2 - les *repliés,* qui sont partis à la demande des autorités arabes (près de 300 000); 3 - les *expulsés,* qui ont été chassés de force par les Israéliens (environ 150 000). Je tire ces chiffres de l'ouvrage de Michel Gurfinkiel, *Israël peut-il survivre?*

Lors d'un voyage en Israël effectué en 2008, le directeur du Congrès musulman canadien, Tarek Fatah, rencontre l'ancien député-maire de Haïfa, Elias Mtanes[37], un Arabe. Il pose à ce dernier la question suivante : «Croyez-vous qu'Israël est un État d'apartheid?» «Qu'est-ce que c'est que cette question, répond Mtanes. Croyez-vous que j'aurais été élu député-maire de Haïfa si Israël était un État d'apartheid? Je ne dis pas que les relations entre les Arabes et les Juifs sont parfaites ni même cordiales, mais nos existences sont étroitement liées par le destin et il ne peut en être autrement... nous essayons de tirer le meilleur parti de cet état de fait.»

Évoquant ensuite le conflit de 2006 entre le Hezbollah libanais et Israël, Mtanes rappelle à son interlocuteur que les missiles tirés par le Hezbollah tuèrent indistinctement des Arabes et des Juifs. «Nasrallah[38] fit des discours enflammés demandant aux Arabes d'Haïfa et d'autres villes de Galilée de partir pour éviter le feu des missiles... Mon père, poursuit Mtanes, m'a rappelé les appels similaires des leaders arabes lors de la guerre de 1948, qui nous demandaient de quitter nos demeures parce que les armées israéliennes approchaient. Voyez ce qui s'est produit. Nous les Arabes israéliens [We Israeli Arabs] sommes des Israéliens, et non pas la cinquième colonne de quelque dirigeant arabe qui ne sait à peu près rien à notre sujet et qui de plus se fiche bien de sa propre population arabe[39].»

Demandant plus tard à un barman arabe de la banlieue de Tel Aviv s'il aimerait que son village fasse partie d'un futur État palestinien, Tarek Fatah se fit répondre : « *Ya Khee* [mon frère], je

---

37. Le dialogue qui suit, que je traduis, est tiré de l'ouvrage de Tarek Fatah, *The Jew is not my Ennemy*, livre essentiel qu'il faudra bien publier un jour en français pour le plus grand bénéfice des francophones du monde entier.
38. Hassan Nasrallah, secrétaire-général du Hezbollah irano-libanais.
39. Tarek Fatah, *The Jew is not my enemy*, p. 179.

suis Arabe — ça ne fait pas de moi un imbécile. Si mon village devait être cédé aux Palestiniens, nous protesterions tous. Je ne veux pas vivre sous la dictature du Hamas ou du Fatah[40].»

Confrontés à ces témoignages, MM. Katz, Sloan, Khadir et Compagnie diront que ça ne prouve rien : Israël est un État d'apartheid, Jimmy Carter et Desmond Tutu l'ont dit ! Il est par conséquent légitime d'intimider et de harceler la boutique Le Marcheur et le magasin Naot[41].

Jetons néanmoins quelques petits cailloux dans la mare de ces messieurs.

Un million et demi d'Arabes vivent en Israël. Ils forment 20 pour cent de la population. Ils jouissent de la liberté de culte et des mêmes droits que leurs concitoyens juifs. Ils votent et sont représentés à la Knesset. Il y a d'ailleurs des députés arabes depuis les tout débuts d'Israël. Soixante-trois Arabes ont été députés depuis cette époque. Les Arabes jouissent des mêmes droits immobiliers et sont propriétaires de leurs terrains, de leurs maisons, de leurs commerces. Ils fréquentent les mêmes écoles que les Juifs. Toutes les professions leur sont ouvertes, y compris la carrière militaire. Plusieurs sont officiers dans l'armée. C'est un juge arabe qui a condamné à la prison l'ancien président d'Israël reconnu coupable de viol. Aurait-il été possible dans l'Afrique du Sud de l'apartheid qu'un juge noir envoie en tôle un ex-président blanc ? Non, il n'y avait pas de juge noir en Afrique du Sud. À partir de 2006, Israël, «État d'apartheid», a accueilli 25 000 réfugiés du Darfour. «Vous voulez dire des Noirs?» Des Noirs! Quelle attitude bizarre pour un État d'apartheid, n'est-ce pas?

---

40. *Ibid.* On trouvera une brève mais saisissante description de la dictature du Hamas, dans ce reportage de France 2 : http://www.youtube.com/watch?v=hm2d9Mbqvcs
41. À la suite d'événements que je raconterai plus loin, PAJU a cessé en juin 2011 de manifester devant Le Marcheur pour jeter son dévolu sur le magasin Naot, qui vend surtout des chaussures fabriquées en Israël.

Vous en voulez d'autres?

Un Druze, Reda Mansour, historien, poète, devint le plus jeune ambassadeur dans l'histoire d'Israël (en Équateur). Il est maintenant consul général de son pays à Atlanta.

Un Arabe, Majalli Wahabi, ancien président des débats à la Knesset, devint par interim président d'Israël en février 2007. Il est vice-ministre aux Affaires étrangères et vice-président du parlement.

Un Arabe, Salim Joubran, est juge à la Cour suprême.

Un Druze, Yusef Mishleb, fut général dans l'armée israélienne (Tsahal), de 2004 à 2008.

Un Arabe, Walid Badir, vedette internationale de soccer, fait partie de l'équipe nationale d'Israël. Il est capitaine du Hapoel de Tel Aviv.

Une Arabe, Rana Raslan, fut élue Miss Israël en 1999.

Une Arabe, Mira Awad, actrice, chanteuse, compositrice, a représenté Israël en 2009 au concours d'Eurovision.

Une Arabe, Eleanor Joseph, est la première femme israélienne à obtenir le grade de caporal comme parachutiste dans une unité d'élite de l'armée de l'air israélienne.

Un Arabe, Khaled Abu Toameh, est l'un des plus important journalistes du *Jerusalem Post*.

Un Arabe, Emile Habibi, membre du Parti communiste israélien, fut récipiendaire du Prix Israël de littérature en 1992.

Un Arabe, Ishmael Khaldi, a été vice-consul d'Israël à San Francisco.

Un Arabe, Ghaleb Majadele, membre du Parti Travailliste, fut de 2007 à 2009 ministre dans un gouvernement de coalition dirigé par Ehud Olmert, chef du parti Kadima.

Une Arabe, Rania Elkhatib, est la première femme israélienne à devenir chirurgien plastique. Elle exerce sa profession au centre hospitalier Rambam, le plus grand hôpital du nord d'Israël.

Un Arabe, Fouad Fares, dirige l'équipe du Centre médical du Carmel, à Haïfa, qui a découvert en 2009 le rôle de certains antioxydants d'origine végétale dans le traitement du cancer.

Il ne s'agit que de cas individuels? Y en eut-il chez les Noirs des cas individuels analogues dans l'Afrique du Sud de l'apartheid?

Une étudiante arabe israélienne, Rania Fadel (volontaire du mouvement *Stand With Us*) déclarait ceci devant les caméras de télévision de IBA News en mars 2011 : «Ou bien celui qui dit qu'Israël pratique l'apartheid est un menteur ou bien il ne sait pas ce qu'est l'apartheid[42].»

Et qu'arrive-t-il aux Arabes qui contestent la légitimité même de leur pays? Peuvent-ils s'exprimer librement? Sont-ils persécutés? Je donnerai en exemple le cas de Haneen Zoabi, députée arabe du parti Balad, qui a participé à l'opération dite «Flottille de la liberté» du «Free Gaza Movement[43]». On sait que cette opération pseudo-humanitaire a été préparée par La Fondation pour l'assistance humanitaire (IHH), une organisation islamiste turque. Mme Zoabi se trouvait à bord du MV Mavi Mamara, quand il fut arraisonné par la marine israélienne le 31 mai 2010. Les islamistes turcs qui se trouvaient à bord en compagnie d' «idiots utiles» (i.e. de prétendus humanitaires) ont tenté de lyncher les jeunes soldats israéliens, qui ont répliqué. L'affrontement a provoqué la mort de neuf activistes, qui ont ainsi obtenu ce qu'ils recherchaient, le martyre. Zoabi, qui s'était déjà adressée aux médias israéliens quand elle se trouvait à bord, se livra ensuite à la Knesset à un discours enflammé dénonçant l'action de la marine israélienne. Il faut dire que cette dame rejette le principe même de

---

42. http://www.youtube.com/watch?v=SHPSdBztS98&NR=1
43. Voir ce reportage de la télévision allemande: http://www.youtube.com/watch?v=giVsCkY17ec et cette analyse du Centre d'information sur les Renseignements et le Terrorisme: http://www.terrorism-info.org.il/malam_multimedia/fr_n/pdf/hamas_f110.pdf

l'existence d'un État juif, qui selon elle est intrinsèquement raciste. Mme Zoabi siège toujours à la Knesset, mais certains de ses droits parlementaires lui ont été retirés. Elle est désormais protégée par deux gardes du corps. Sanction bien légère pour un comportement qui s'apparente à une trahison.

Voici ce que disait le journaliste Khaled Abu Toameh, citoyen arabe d'Israël, lors de la Conférence d'examen de Durban, à Genève, en avril 2009:

> Notre dilemme est que notre État, Israël, est en guerre contre notre peuple à Gaza ou en Cisjordanie. En passant, nous n'avons aucun problème en tant que citoyens israéliens. Je veux dire que beaucoup d'entre nous sont fiers d'être des citoyens israéliens. Si vous allez à Ramallah et Gaza et revenez à Jérusalem ou Tel-Aviv, vous comprendrez ce que je veux dire. Quelques fois, je me dis: «Dieu merci, nous avons Israël.» Israël est un pays où il fait bon vivre et nous sommes heureux d'y être. C'est un pays libre et ouvert. Si on me donnait le choix, je préférerais vivre en Israël comme citoyen de seconde classe au lieu d'être un citoyen de première classe au Caire, à Gaza ou Ramallah[44].

À l'appui de cette choquante proposition (qu'il ferait bon vivre en Israël), le fait que voici, qui plongera dans la perplexité les anti-sionistes obsessionnels: entre 1967 et aujourd'hui, 300 000 Palestiniens de Cisjordanie et de Gaza ont voté avec leur pieds en allant s'installer en Israël. Les pauvres! Sans doute ignoraient-ils le triste sort qui les y attendait...

> Certes, écrit Michel Gurfinkiel, la démocratie israélienne présente de nombreuses faiblesses: régime des partis induit par une représentation proportionnelle presque intégrale, autorité excessive du pouvoir

---

44. Khaled Abu Toameh , «Islam Today,» http://www.hudson-ny.org/511/islam-today-1 Traduit par Point de Bascule http://www.pointdebasculecanada.ca/archives/1144.html

judiciaire depuis le renforcement, en 1992, de la Cour suprême, scandales divers, discriminations latentes et parfois explicites entre ethnies ou communautés. Mais, comme toute démocratie réelle, elle en a débattu et est parvenue, jusqu'à ce jour, à s'autocorriger sur les points les plus importants[45].

Conclusion: il n'y a pas d'apartheid en Israël, c'est d'ailleurs Jimmy Carter lui-même qui l'affirme: « Je ne parlais pas d'Israël, car il n'y n'y a aucun signe de quelque forme d'apartheid à l'intérieur d'Israël[46] ». Cela dit, je concède qu'à propos d'Israël et des Palestiniens, Jimmy Carter s'est souvent contredit. En décembre 2009, il a fait des excuses au peuple juif dans une lettre ouverte, sans faire spécifiquement référence aux accusations d'apartheid portées contre Israël dans son livre de 2006. Ces excuses plus ou moins sincères coïncidaient « avec les ambitions politiques de son petit-fils, Jason Carter, qui briguait le poste de sénateur de Géorgie[47]. » Elles furent néanmoins accueillies assez favorablement dans la communauté juive américaine. Mais l'année suivante, dans une entrevue publiée le 13 novembre 2010 par le quotidien belge *Le Soir*, entrevue donnée après son voyage à Gaza où il avait rencontré des chefs du Hamas, Carter revint sur ses accusations d'apartheid en en rajoutant une nouvelle couche[48].

---

45. Michel Gurfinkiel, *Israël peut-il survivre?*, p. 24.
46. « I did not refer to Israël because there is no semblance of anything relating to apartheid within the nation of Israël. » Devant les caméras du réseau MSNBC, à propos de son livre *Palestine, Peace not Apartheid* http://www.youtube.com/watch?v=Xscq2nIKLHM&eurl=http://theforbiddentruth.net/vbtube_show.php?do=tube&tubeid=140
47. http://largument.over-blog.com/article-usa-israel-pour-jimmy-carter-israel-n-est-pas-une-democratie-et-pratique-deja-l-apartheid-61037148.html
48. *Ibid.*

Les propos de Jimmy Carter, sur ce sujet comme sur bien d'autres[49], ne constituent donc pas une base solide. Pourtant, les PAJUstes et Amir Khadir s'y réfèrent constamment.

Et Desmond Tutu alors ? Dans une lettre publiée dans le journal *The Nation* le 15 juillet 2002, et co-rédigée par Ian Urbina, les auteurs n'utilisent pas une seule fois le mot apartheid pour qualifier l'action d'Israël dans les territoires occupés[50]. Ils font certes un parallèle entre les emmerdements et l'humiliation des Palestiniens de Judée-Samarie et l'oppression des Noirs en Afrique du Sud sous l'apartheid — comme je peux qualifier d'enfer la douleur provoquée par mon lumbago devant un ami dont j'ignore qu'il souffre atrocement d'un cancer du côlon en phase terminale et qui serait justifié de me rétorquer que je n'ai aucune idée de ce qu'est l'enfer ! — mais ils n'accusent pas Israël de pratiquer l'apartheid. Le titre de l'article est très trompeur et sans doute choisi par la rédaction de *The Nation*[51]. Tutu et Urbina écrivent même : « Dans une région où les gouvernements répressifs et les politiques injustes sont la norme, Israël est sûrement plus démocratique que ses voisins[52] ». Si Israël était un État d'apartheid, l'une des pires formes de négation des droits humains qui puisse exister, comment qualifier alors la politique de ses voisins ? Tutu peut être naïf mais il n'est pas complètement stupide ! S'il accusait Israël d'apartheid, il n'irait pas dire du même souffle qu'il est plus démocratique que ses voisins ! L'article se termine par cette phrase : « Si l'apartheid a pris fin, la

---

49. Au moment de l'affaire Rushdie et de la fatwa prononcée par Khomeini, Carter a déclaré : « *Rusdie's book is a direct insult to those millions of Muslims whose sacred beliefs have been violated.* » Voir Salim Mansur, *Delectable Lie*, p. 94. Traduction libre : Le livre de Rushdie est une insulte faite à des millions de musulmans, dont les saintes croyances ont été salies.

50. http://www.thenation.com/article/against-israeli-apartheid

51. Un périodique dont l'objectivité n'est pas la caractéristique principale.

52. « *In a region where repressive governments an unjust policies are the norm, Israël is certainely more democratic than it's neighbors.* »

même chose peut arriver avec l'Occupation, mais les forces morales et les pressions internationales devront être tout aussi déterminées[53].» Ce que Tutu approuve en 2002, c'est un boycott destiné à mettre fin à l'occupation de la Cisjordanie et de Gaza par Israël, méthode qui avait contribué à abattre l'apartheid en Afrique du Sud. Mais jamais il ne dit qu'Israël est un État d'apartheid, ni dans cette lettre, ni sans ses interventions ultérieures, qu'on peut retrouver en grand nombre sur le web.

En octobre 2007, l'ancien évêque de Cape Town participa à Boston en compagnie de Noam Chomsky à une conférence intitulée *The Apartheid Paradigm in Palestine-Israel* et organisée par un organisme réunissant des Palestiniens chrétiens, *Friends of Sabeel North America*. Cette fois-là encore, Tutu compara les conditions de vie des Palestiniens des territoires occupés à celles des Noirs d'Afrique du Sud, mais il n'alla pas jusqu'à accuser Israël de pratiquer l'apartheid[54].

Dans une vidéo datant de 2008 et intitulée *Desmond Tutu Endorses US Campaing anti-Apartheid Tours*, Tutu se montre tout aussi circonspect qu'en 2002 et 2007 et il n'accole jamais l'étiquette «apartheid» à l'État d'Israël. « Nous appelons à la fin des violences de la part de tous les belligérants, la violence des attentats suicides, la violence de l'occupation israélienne. Dieu vous bénisse. » Encore une fois, le titre est trompeur, et l'on fait dire à Tutu bien plus qu'il n'a vraiment dit[55].

Dans leurs confuses comparaisons avec l'apartheid sud-africain, Carter et Tutu ne parlaient donc pas d'Israël, mais des

---

53. « *If apartheid ended, so can the occupation, but the moral force and international pressure will have to be just as determined.* »

54. Voir Adrianne Appel, *Desmond Tutu Likens Israeli Actions to Apartheid* http://ipsnews.net/news.asp?idnews=39829

55. « *We call for an end to violence from all sides, the violence of suicides bombers and the violence of the israeli occupation. God bless you.* » http://www.youtube.com/watch?v=JrgGW5Q-f7s

territoires «occupés» par Israël. Khadir et ses semblables ne s'embarrassent évidemment pas de telles distinctions par trop subtiles pour leur esprit balourd qui raisonne à peu près comme un rouleau compresseur. Pour eux, Israël est un État d'apartheid, point. Cet énorme mensonge, qu'ils ne sont évidemment pas les seuls à propager — il est à la base de la campagne BDS partout à travers le monde —, n'a qu'une seule fonction: contribuer à la délégitimation d'Israël en vue de sa destruction[56]. Mais ne reculant devant rien, Khadir pousse l'outrecuidance encore plus loin dans son discours du 15 mai (voir ci-haut), où il accuse Israël d'avoir inventé, en 1947 et 1948, «le modèle de terrorisme appliqué aux populations civiles», allégation tellement sotte qu'on peut se demander si son auteur était en possession de toutes ses facultés quand il la proféra. Vaut-il la peine de réfuter une telle énormité? Oui, assurément. Car lorsqu'ils veulent nous faire prendre des vessies pour des lanternes, les gens comme Amir Khadir présument que nous sommes ignorants ou paresseux (et sots, évidemment), et que dans l'impossibilité où se trouvent les pauvres incultes que nous sommes de réfuter leurs dires, nous serons bien forcés de les croire sur parole, et surtout que nous ne nous donnerons pas la peine d'aller vérifier. Il est temps de faire savoir à M. Khadir que nous ne sommes ni des imbéciles ni des fainéants.

Avant même que nous nous donnions la peine de fureter dans notre bibliothèque, d'allumer notre ordinateur, de questionner Google ou de consulter Wikipedia, nous reviennent spontanément en mémoire d'immenses massacres de civils ayant précédé au XXe siècle la soi-disant invention de l'État juif — faits que Khadir ne peut ignorer, à moins d'être un inculte — : le génocide des Arméniens en 1915 et 1916 (entre 600 000 et 1,1 millions de

---

56. «Par les opérations de boycottage, on vise à affaiblir l'ennemi tout en le délégitimant, en vue de l'éliminer.» P.-A Taguieff, *Israël et la question juive*, p. 209.

victimes); la Grande famine d'Ukraine organisée par Staline en 1932 (entre 2,6 et 5 millions de morts); les massacres de Nankin par les Japonais en 1937 (20 000 viols, 200 000 assassinats); les opérations mobiles de tuerie menées par les Einsatzgruppen en Europe de l'Est à partir de 1941 (plus d'un million de Juifs assassinés par balle ou asphyxiés au monoxyde de carbone dans des camions blindés, puis jetés dans des charniers). Sans parler des attentats et des pogroms ayant eu lieu dans la Palestine sous Mandat britannique en 1920, 1921 et, surtout, 1929. Sans parler non plus des politiques répressives meurtrières pratiquées entre 1936 et 1939 à l'encontre de ses propres ressortissants arabes par le Père du nationalisme palestinien et grand ami d'Adolf Hitler, le Grand Mufti de Jérusalem, Hadj Amin Al-Husseini. À supposer qu'il soit vrai qu'Israël se soit livré à une épuration ethnique au moment de sa création, il n'aurait rien inventé, M. Khadir, et vous le savez fort bien, comme vous savez aussi, à moins d'être un imbécile fini, que des tueries furent commises des deux côtés pendant cette guerre, qui du côté des pays arabes avait pour but la disparition du nouvel État : « Ce sera une guerre d'extermination, un massacre dont on parlera comme on parle des massacres des Mongols et des croisés », proclamait le 15 mai 1948 Azzam Pacha, le secrétaire général de la Ligue Arabe. Peut-être serait-il bon, M. Khadir, que vous rappeliez ces menus détails de l'histoire à vos petits amis palestinophiles et/ou islamistes, dans vos lénifiants discours antisionistes. Pour ma part, je ne songe pas à nier qu'un crime grave fut commis par des miliciens de l'Irgoun et du Lehi (groupe Stern) à Deir Yassin. Dans votre optique manichéenne, vous ne pouvez évidemment admettre que les Arabes ne firent pas mieux et qu'ils auraient fait bien pire si Israël s'était laissé rayer de la carte. Voici un témoignage parmi des dizaines d'autres, celui de l'écrivain Amos Oz :

Toutes les localités juives tombées entre les mains des Arabes au cours de la guerre d'Indépendance furent sans exception rayées de la carte et leurs habitants tués, arrêtés ou évadés, mais les armées arabes n'autorisèrent personne à rentrer chez soi après la guerre. Dans les territoires conquis, les Arabes procédèrent à une « purification ethnique » bien plus radicale que celle que les Juifs pratiquèrent au même moment : des centaines de milliers d'Arabes prirent la fuite ou furent expulsés de l'État d'Israël, mais plus d'une centaine de milliers demeurèrent chez eux. En revanche, sur la rive occidentale du Jourdain et dans la bande de Gaza, sous domination jordanienne et égyptienne, il n'y avait plus un seul Juif. Leurs villages avaient été anéantis, les synagogues et les cimetières détruits[57].

Michel Gurfinkiel confirme : « Dans les territoires dont les Arabes ont pris le contrôle, toute la population juive a été expulsée — ou massacrée. Le quartier juif de la Vieille Ville [de Jérusalem] a été rasé. Les six villages du canton d'Etzion l'ont été également[58] ». Ces villages devenus *judenrein*[59], où se trouvaient-ils ? En Judée-Samarie (de même qu'à Gaza), c'est-à-dire en Cisjordanie, en anglais *The West Bank*, territoires occupés et contrôlés militairement par Israël depuis l'Opération Rempart de 2002[60], territoire disputé, dont l'administration est partagée non sans de nombreux tiraillements avec l'Autorité palestinienne. Ceux qu'on appelle aujourd'hui les « colons israéliens » exercent sur ce territoire ce qui représente pour plusieurs d'entre eux un retour au bercail. On peut comprendre leurs motifs sans toutefois les approuver, bien sûr. Que dire pourtant de ces « bébés colons » qu'on égorge dans

---

57. Amos Oz, *Une histoire d'amour et de ténèbres*, p, 563-564.
58. Michel Gurfinkiel, *Op. cit.*, p. 109.
59. Mot allemand : territoires d'où tous les Juifs ont été chassés.
60. Territoire autonome dirigé par Arafat, la Cisjordanie servait jusque là de base terroriste.

leur berceau ? Certains diront qu'il ne s'agit que d'un fait divers... Dans la nuit du 11 au 12 mars 2011, à Itamar, cinq membres de la famille Fogel ont été tués à l'arme blanche : Oudi, 36 ans, Ruth, 35 ans, Yoav, 11 ans, Elad, 4 ans, Hadas, 3 mois. Les médias occidentaux ont parlé à leur sujet de « cinq colons juifs ». Les coupables, un lycéen et un étudiant, ont déclaré avoir tué le bébé parce qu'il pleurait. Pierre-André Taguieff écrit que « l'un des assassins, Amjad Mahmad Awad, a transfiguré rituellement son acte en affirmant avoir voulu "mourir en martyr"[61] ».

En somme, une simple exposition sans parti pris des faits historiques, de TOUS les faits, jette le ridicule sur vos jugements sectaires, M. Khadir. Mais au point où vous en êtes rendus dans votre dénigrement systématique de l'État juif, plus rien ne peut vous arrêter, j'en suis conscient. Pourquoi donc vous seriez-vous gêné, le 15 mai 2011, face à un public qui aurait gobé avec ravissement et acclamé avec frénésie n'importe quel postillon antisioniste surgissant de votre bouche ? Permettez-moi néanmoins de vous faire remarquer que l'apôtre de la paix que vous prétendez être a raté une belle occasion de tempérer les ardeurs belliqueuses de son auditoire. Il vous aurait suffi d'évoquer brièvement dans votre discours le sort tragique du petit Hadas Fogel. Nul doute que votre auditoire ému aurait sincèrement partagé votre élan de compassion.

Nous savons maintenant que l'accusation d'apartheid portée contre Israël ne tient pas debout. Les mystificateurs de PAJU ne pourront donc plus nous leurrer. Retournons sur la rue Saint-Denis et voyons ce qui s'est passé après la première manifestation du 2 octobre 2010. Entre cette date et le discours du 15 mai 2011, il s'est brassé beaucoup de merde. Nous allons bientôt voir de

---

61. *Israël et la question juive*, p. 148.

quelle manière Amir Khadir a plongé dans la cuvette. Mais voyons d'abord de quelle manière ses amis de PAJU ont mijoté le plat.

CHAPITRE III

Les sophismes de M. Katz

*Les pays arabes ne veulent pas résoudre le problème des
réfugiés arabes. Ils veulent garder la plaie ouverte... et s'en
servir comme arme contre Israël[62].*

Sir Alexander Galloway
directeur de l'UNRWA en 1951-52

*Sur près de 2,400,000 Juifs en Israël, il y a d'abord 56,000
Hébreux qui n'ont pas quitté leur sol depuis l'Antiquité.*

Jacques Givet
La gauche contre Israël (1968).

*À ceux qui ont tout perdu de leurs espérances subversives
et qui ne se satisfont pas des coquetteries vestimentaires
du commandant Marcos, il demeure, pour étancher leur
soif d'absolu, un dernier bon sauvage : le Palestinien.*

Pascal Bruckner
La tyrannie de la pénitence

Après les premiers accrochages du 2 octobre 2010, Yves Archambault
et Ginette Auger se doutaient bien qu'ils n'en avaient pas fini avec
les énergumènes qui les accusaient de complicité avec l'apartheid
israélien. Et qui comptaient sur eux pour le combattre! Ils furent

---

62.   « *The Arab nations do not want to resolve the arab refugee problem. They want to
keep an open sore... as a weapon againts Israel* »

quand même heureux de ne pas les voir réapparaître la semaine suivante, mais pas vraiment étonnés de les voir surgir de nouveau le 16 octobre. Comme la première fois, les manifestants s'installèrent avec leurs pancartes et leurs banderoles et, de 13 heures à 15 heures, distribuèrent des tracts et tentèrent de dissuader d'éventuels clients de pénétrer dans la boutique. Ils revinrent ensuite deux semaines plus tard, soit le 30 octobre, puis les 6, 20, et 27 novembre, de même que le 4 décembre. Yves et Ginette comprirent alors que les emmerdeurs avaient décidé de rappliquer à tous les samedis, toujours au nombre d'une dizaine. Parmi eux, à l'occasion, apparaissait un «pauvre diable» — expression employée par un témoin — Jafar Khadir. Les apparences sont parfois trompeuses, car M. Khadir est un homme d'affaires prospère — tant mieux pour lui!

L'affaire avait alors commencé à faire quelque bruit discret. Le premier chroniqueur qui s'avisa, dès le mois d'octobre, que quelque chose d'étrange se passait sur la rue Saint-Denis, c'est Éric Duhaime, qui y consacra un article, que les journaux québécois avec lesquels il avait l'habitude collaborer refusèrent de publier. Son texte parut donc en anglais dans *The Calgary Sun* le 21 octobre 2010. Duhaime annonce et dénonce au début de l'article, la conférence BDS (Boycott, Désinvestissement, Sanctions) qui devait avoir lieu la semaine suivante à l'université du Québec à Montréal[63]. Le comité organisateur, écrit-il, «est composé de syndicats, de groupes islamiques et d'ONG de la gauche radicale[64].»

En préparation pour la conférence BDS, une douzaine d'activistes d'extrême-gauche manifestaient déjà samedi dernier en face d'un commerce, Le Marcheur, sur la rue Saint-Denis à Montréal. [...] Ils

---

63. Pour un bilan de cette conférence voir http://www.qic-cqi.org/spip.php?article239
64. « *is made up of unions, Islamic groups and radical leftist NGOs* ».

veulent interdire la vente légale de produits fabriqués dans un pays démocratique qui respecte les droits des travailleurs et avec lequel le Canada a signé une entente de libre-échange, en même temps qu'ils ferment les yeux et se pincent le nez quand il s'agit de dénoncer les islamistes et les terroristes[65].

La nouvelle du boycott se répand. Mais surtout par le bouche à oreille. En novembre, des citoyens d'origine juive, suivis de membres du groupe Les Amitiés Québec-Israël (qui, avec un autre groupe constitué de manière spontanée, les Amis Québécois d'Israël, sera le principal fer de lance de la résistance contre les PAJUstes) se présentent chez Le Marcheur et s'entretiennent avec Yves Archambault et Ginette Auger[66]. Des gens du RLQ (Réseau Liberté Québec, dont Éric Duhaime est co-fondateur) font de même à peu près à la même époque. Des représentants du Comité Québec-Israël viendront plus tard, en décembre, observer la situation. Un mouvement de sympathie semble vouloir s'organiser. De véritables confrontations ne vont pas tarder.

Le 27 novembre, les choses se corsent. Les PAJUstes se heurtent alors à une forte opposition. On vient près d'en venir aux coups en face de la boutique. La présence providentielle (?) d'un vidéaste de CUTV News[67] nous permet de prendre connaissance *in vivo* de l'idéologie de PAJU — et de la critiquer

65. Ma traduction. http://www.calgarysun.com/comment/columnists/eric_duhaime/2010/10/20/15767031.html «Avec à peine 100 militants réunis en plénière de clôture, hier après-midi à l'UQAM, force est de constater que le mouvement BDS est à bout de souffle au Québec», écrira le Comité Québec-Israël. http://qic-cqi.org/spip.php?article238

66. Pour un plus juste compte-rendu des réactions de la communauté juive à ce moment-là, voir http://www.cjnews.com/index.php?option=com_content&task=view&id=20378&Itemid=86

67. Université Concordia. http://www.youtube.com/watch?v=qoAY9TGYt0o&NR=1 Cette télé universitaire et ses soi-disant journalistes adoptent systématiquement des positions anti-israéliennes.

au besoin. Le film est bien monté, le message est clair. Une image valant mille mots, j'essaierai d'être bref. Action!

Sabine Friesinger[68], porte-parole de PAJU, tente de s'interposer entre le caméraman de Concordia et un contre-manifestant plutôt agressif. «You're not allowed to push people», dit-elle. L'homme saisit l'extrémité d'un drapeau palestinien que le vent lui a projeté dans la figure. «Don't put that on my face!» rugit-il à l'endroit du porte-drapeau, Chadi Marouf, du C.A. de PAJU et président de la Fondation Canado-Palestinienne du Québec — on retrouvera cet individu au chapitre VI comme acteur principal de la scène ignoble qui succédera au discours d'Amir Khadir à la place Gérald-Godin, le 15 mai 2011.

«Fuck you, faggot!» lance un autre contre-manifestant en poursuivant avec son portable un vidéaste de PAJU. Serré de près, le «journaliste» de l'université Concordia déclare qu'il pourrait porter plainte pour assaut. Le premier contre-manifestant lance un avertissement. Celui à qui il est adressé s'appelle Sylvain Archambault — membre de PAJU, cet individu sera candidat pour le Parti communiste du Canada (PCC-PCQ) dans le comté de Laurier Sainte-Marie aux élections fédérales de mai 2011[69] — : «This is the start. Now, you guys, we'll have more people, and more every time. We're going to bring more and more people

---

68. Voir cette notice biographique: http://cosmos.ucc.ie/cs1064/jabowen/IPSC/php/authors.php?auid=7545 Sabine Friesinger a été responsable des communications internes à *Québec solidaire* en 2007 et 2008. Elle a joué un rôle important en 2002 à l'université Concordia comme présidente de l'association étudiante (CSU, Concordia Student Union), lorsqu'eurent lieu les émeutes provoquées par la venue dans cette université de Benjamin Netanyahou. Voir le film Discordia dirigé par Ben Addelman et Samer Mallad et produit par l'ONF en 2004. http://www.onf.ca/film/discordia_fr Peut être visionné en ligne.

69. http://www.youtube.com/user/CPCupdates. Les communistes participent au processus démocratique. Il faut les en féliciter sans aucune arrière-pensée. Contentons-nous de souhaiter qu'aucun d'eux ne soit jamais élu.

until you give up[70]. » Promesse qui sera tenue, mais bien d'autres personnes et organisations devront s'en mêler.

Un père venu avec son jeune fils déclare: « J'voudrais absolument pas que mon enfant vive dans un camp de réfugiés. [...] Y a aucune raison pourquoi des enfants devraient se faire maltraiter, devraient se faire euh... tirer dessus par des soldats israéliens, ça l'a aucun sens c'qu'on a vu là-bas. » Ce bon monsieur affirme être allé en Palestine, où il s'est fait raconter que l'armée israélienne tirait sur les enfants palestiniens[71]. Il a ajouté foi à ces sornettes. Voilà sur quel socle de chimères repose la campagne BDS et l'action des mystificateurs de PAJU. On a oublié de dire à cette bonne âme que le Hamas se sert systématiquement des femmes et des enfants comme boucliers humains. Ce dont il ne se cache pas. Extrait d'un discours prononcé en février 2008 par Fathi Hamad, qui représente le Hamas au Conseil législatif de l'autorité palestinienne[72]:

> Pour le peuple palestinien, la mort est devenue une industrie dans laquelle excellent les femmes et tous les habitants de ce pays : les vieillards y excellent, les combattants du jihad y excellent, les enfants y excellent. En conséquence [les Palestiniens] ont créé un bouclier humain de femmes, d'enfants, de vieillards et de combattants du jihad contre la

---

70. Traduction libre : « Ce n'est que le début. Nous reviendrons de plus en plus nombreux jusqu'à ce que vous lâchiez prise. »

71. Sans doute fait-il allusion à l'affaire Al-Dura, cette supercherie montée par les services de propagande du Hamas et tournée par un caméraman palestinien, Talal Abu Rahma, puis avalisée par le journaliste Charles Enderlin, complice de ce mensonge qui a brillamment contribué à la campagne de diabolisation d'Israël. Cette fausse mort en direct de Mohamed Al-Dura a été récupérée par Bruce Katz lui-même, qui fait semblant de croire à cette comédie pour justifier l'existence et l'action de PAJU. Voir http://www.humanitequebecoise.com/index.php?option=com_content&view=article&id=49:justice-et-paix-en-palestine&Itemid=37

72. Voir Taguieff, *Op. cit.*, p. 50. Ou mieux encore, voyez Hamad vociférer en personne sur YouTube: http://www.youtube.com/watch?v=g0wJXf2nt4Y.

machine de guerre des sionistes, comme s'ils disaient à l'ennemi sioniste : «Nous désirons la mort, tout comme vous désirez la vie».

Mais revenons sur la rue Saint-Denis. Interrogé par le «journaliste» de Concordia, le petit Raphaël récite sa leçon : il est venu pour «défendre euh... la Palestine. Ils se sont fait emprisonner par Israël». «Est-ce que tu penses que c'est correct c'qui s'passe-là?», demande le type de Concordia. «Non», répond l'enfant. Bénin! Dans les écoles palestiniennes, les enfants apprennent que les Juifs, tous les Juifs, sont des ogres qui dévorent les enfants, plus particulièrement ceux du Prophète[73]. Il faut prendre les devants : des bêtes aussi malfaisantes doivent disparaître du Proche-Orient et, pourquoi pas, de la surface de la terre! «Comment imaginer la paix, écrit Jacques Tarnéro, quand les manuels scolaires de l'autorité palestinienne ont fait de l'éducation à la haine la matrice de son système éducatif[74]?»

Nous assistons ensuite à une fort intéressante discussion. Je traduis, mais l'original anglais est beaucoup plus vivant :

«Monsieur, je SUIS un Juif!» lance Bruce Katz.

— OK! Moi aussi, et j'y étais... répond l'homme qui lui fait face.

— Êtes-vous allé dans les territoires palestiniens?

— Yes, sir!

— Foutaise! répond Katz en pointant un doigt accusateur.

— Ah oui?... Je suis allé à Ramallah, répond son interlocuteur, que les propos de Katz semblent plutôt amuser.

73. http://www.israel-flash.com/2011/10/l'endoctrinement-des-enfants-palestiniens-a-la-haine-genocidaire-une-perspective-psychiatrique/#axzz1bXBzxrd5
74. Jacques Tarnéro, *Le nom de trop. Israël illégitime ?*, Paris, Armand Colin, 2011, p. 76.

— Parce que si vous avez vu... Ramallah ce n'est pas comme Hébron ou Jénine.

— Je suis allé à Hébron il y a quelques années, assure l'homme.

— Êtes-vous... Êtes-vous allé dans le camp des réfugiés palestiniens ?»

L'autre ne se départit pas d'un sourire moqueur, que Katz accueille avec irritation.

«Oui!

— C'est difficile à croire», répond Katz, qui semble présumer que lui seul peut voyager au Proche-Orient et classer dans la catégorie des invraisemblances le fait de croiser devant Le Marcheur quelqu'un qui aurait foulé le même sol que lui à l'autre bout du monde.

«You're bullshit!», réplique l'autre avec un sourire

À bout d'arguments, Katz lance, pendant que sa cible tente de s'éloigner: «En d'autres mots... en d'autres mots... vous approuvez tout ça... Ce qui fait de vous un raciste!...

— Il s'adonne que je suis...

— Ça fait de vous un raciste! insiste Katz.

— Ah oui?

— Tout à fait!»

L'autre homme absorbe l'insulte sans se démonter: «J'ai été chassé d'Égypte! Je suis un réfugié! Pourquoi sont-ils réfugiés depuis soixante ans? Pourquoi vivent-ils encore dans ces camps? Qu'est-ce que c'est que cette histoire? Être réfugié, c'est une religion?

— Vous dites que c'est de leur faute s'ils sont dans des camps de réfugiés?

— Je ne sais pas... Je...

— Israël n'a aucun tort?

— No, no, no, no !...

— Foutaise ! lance Katz, ce que vous essayez de faire c'est de jouer le jeu de la victimisation ! »

Victimisation ? Excellente description par le président de PAJU de la posture à jamais figée des antisionistes obsessionnels : la victimisation systématique des Palestiniens. Les réfugiés palestiniens vivent dans des camps devenus des villes parce que les pays arabes ont toujours refusé de les accueillir et de les intégrer. À la question si pertinente « Pourquoi vivent-ils encore dans ces camps ? », d'autres réponses que celle-là peuvent évidemment être fournies. On en trouvera une dans ce passage du dernier livre de Pierre-André Taguieff :

> Loin d'illustrer le type de la victime maximale, les Palestiniens apparaissent bien plutôt comme les privilégiés de l'aide humanitaire internationale. Par exemple, selon le rapport d'Oxfam France récemment rendu public, un Palestinien reçoit 27 fois plus d'aide au développement qu'un Congolais. En 2008, en termes d'aide publique au développement par habitant, un Palestinien a reçu 682 dollars, un Irakien 340 dollars, un Afghan 179 dollars, un Congolais 25 dollars et un Pakistanais moins de 10 dollars. Ou encore : les Palestiniens mobilisent près de 80 % de l'aide humanitaire internationale alors qu'il n'y a aucune pénurie dans les territoires où ils vivent — même dans la bande de Gaza, où le blocus vise prioritairement le trafic d'armes. Et il existe une agence spécialisée à l'ONU pour les seuls Palestiniens, l'UNRWA (créé en 1948 pour une année) qui compte entre 22 000 et 25 000 employés, et bénéficie d'une aide américaine annuelle de 190 millions de dollars[75].

La conversation relatée ci-haut se termine sur un fondu enchaîné. Un violoneux gratte son instrument, William Sloan tape des mains, l'atmosphère est à la fête.

---

75. Taguieff, *Op. cit.*, p. 192.

Une autre discussion éclate. Je traduis. « En fait, vous avez un État! Il s'appelle la Jordanie! » lance à Chadi Marouf un contre-manifestant, qui affirmera un peu plus loin être sioniste. Cette déclaration sans équivoque permettra à Bruce Katz d'y aller des réflexions suivantes devant la caméra du « journaliste » de CUTV News : « C'est l'attitude typique des sionistes, ici comme en Israël. C'est un fait qu'ils seront toujours les victimes et joueront toujours le rôle des victimes même si ce sont eux qui font des victimes. C'est ce qui se produit pour les Palestiniens depuis soixante-deux ans. Grand merci pour leur apport civilisateur, qui est le prétexte utilisé tout au long de l'histoire par tous les pouvoirs impérialistes à propos des peuples indigènes. C'est tout simplement une autre... Il s'agit de la dernière entité colonialiste qui subsiste sur la planète[76]. » Katz termine en disant qu'il sent monter au sein de la jeunesse israélienne un mouvement qui fera imploser le sionisme. En d'autres mots, il prévoit et souhaite la disparition de l'État d'Israël. Il rejette la solution des deux États. Bien que Katz tente de brouiller les cartes en n'appelant jamais un chat un chat, le programme de PAJU est d'ailleurs clair à ce sujet.

Le contre-manifestant que nous avons rencontré précé-demment venant d'avouer son sionisme, Chadi Marouf déclare d'un ton compatissant qu'il trouve normales les réactions agres-sives des sionistes, qui réaliseront peut-être un jour tout le mal qu'ils commettent. Ensuite, une jeune femme, son bébé dans les bras, vient nous expliquer, écoutez-la bien, qu'en forçant Le Marcheur à se départir de sa marchandise d'origine israélienne,

---

76. Version originale : « It's the typical attitude that we've seen of sionists both here and in Israël. That is a fact that they will always be the victims and will always play the role of victims even thought they are in the process of victimizing. Palestinians have been doing it for 62 years. Grateful for their civilizing factor witch is what every colonial imperialist powers ever said about an indigenous people in history. It's simply another... It's the last colonialist entity that exists on the earth. »

on améliorera le sort des Palestiniens. Belles paroles accompagnées d'un regard brillant derrière des lunettes qui rendent encore plus sympathique la figure ronde de la jeune femme, qui s'appelle Marianne Breton-Fontaine. Ainsi qu'ont déjà pu le constater ceux qui ont visionné la scène proposée à la note 69 de la page 55, cette jeune maman sera candidate pour le Parti communiste du Canada (celui qui possède une branche québécoise et dont font aussi partie William Sloan et Sylvain Archambault) dans le comté d'Hochelaga-Maisonneuve lors des élections fédérales du 2 mai 2011. Qui veut se régaler davantage du discours confus et doucereux de Mme Breton-Fontaine n'a qu'à visionner également la vidéo filmée devant le magasin Naot le 9 juillet 2011[77]. Le regard de Mme Breton-Fontaine est malheureusement beaucoup plus brillant que ses propos. Notons en passant qu'elle fut également candidate pour Québec solidaire aux élections de 2008 dans le comté de Jacques-Cartier. Communiste à Ottawa, solidaire à Québec, Mme Breton-Fontaine suit les traces de son demi-chef provincial, qui, sans apparemment y voir de contradiction, vote fédéraliste, i.e. NPD, à Ottawa, mais se présente à Québec comme souverainiste.

Comme c'est mélangeant! Essayons d'y voir clair. Mme Breton-Fontaine, communiste et solidaire, se présentait en 2008 pour Québec solidaire dans une élection provinciale. Voilà un fait bien établi. De quel parti communiste faisait-elle alors partie: le PCC-PCQ ou le PCQ-solidaire? Le PCQ solidaire, évidemment! Mais comment pouvait-elle trois ans plus tard se présenter aux élections fédérales pour l'*autre* parti communiste, qui est en rupture avec le premier? Mme Breton-Fontaine aurait donc, comme Amir Khadir, une double allégeance ou des allégeances

---

77. https://www.facebook.com/video/video.php?v=10150245494252213.

successives et interchangeables: indépendantiste à Québec, fédéraliste à Ottawa? Car le PCC-PCQ est bel et bien fédéraliste, non?... alors que l'autre est souverainiste si je ne m'abuse! M'imposant la pénible corvée d'explorer les sites des deux PCQ, je découvre ce texte, qui constitue l'explication par le PCQ-solidaire de la dispute qui l'oppose au PCC-PCQ:

> Depuis leur expulsion du PCQ, en avril 2005, un certain nombre d'anciens membres de notre parti ont décidé de s'autoproclamer comme étant les «seuls» et «vrais» communistes au Québec et ont conséquemment créé un 2e PCQ, n'hésitant pas à usurper carrément notre nom. [...] Au sein du PCQ, nous avions l'habitude d'appeler ce groupe «La Bande des quatre». Ce surnom provient du fait que leurs leaders sont au nombre de quatre et représentent un exemple patent de gauchisme et de sectarisme poussé à l'extrême. Ces quatre leaders sont Pierre Fontaine [alias Pierre Luxley, conseiller à la CSN et rédacteur en chef de *Clarté*, l'organe du PCC-PCQ], Bill Sloan, Anibal Laner et Sylvain Archambault et leurs prises de position ne sont pas sans rappeler celles d'un autre groupe très gauchiste: le PCR[78].

Bill Sloan et Sylvain Archambault?! Par la barbe du Prophète! Communistes fédéralistes et membres de PAJU, Sloan et Archambault (sans oublier Breton-Fontaine) reçoivent l'appui, dans leur entreprise de harcèlement d'un marchand de chaussures, d'Amir Khadir, co-porte-parole d'un parti indépendantiste dont font partie d'autres communistes, mais indépendantistes ceux-là, qui qualifient de gauchistes et de sectaires les susdits Sloan et Archambault! Moi, si j'étais membre du PCQ-solidaire, je considérerais l'action d'Amir Khadir en faveur de Bill Sloan et Sylvain Archambault (sans oublier Mme Breton-Fontaine) comme

---

78. http://www.pcq.qc.ca/Dossiers/Modeles/index.html?id=PCQ/PCC/AutrePCQ&lang=fr

une trahison! Mais dites-moi donc à la fin à quelle enseigne loge môssieur Khadir! Question facile : il est l'ami de tout le monde et de n'importe qui tant qu'il s'agit de diaboliser Israël. Je conclus également, comme le font déjà plusieurs souverainistes, qu'Amir Khadir préférerait un Canada dirigé par un parti de gauche à un Québec indépendant dirigé par un parti de droite. Amir Khadir n'est sans doute pas plus indépendantiste que je ne suis papiste.

Tordons maintenant le cou à la vieille rengaine qui fait d'Israël un État colonial(iste), mantra qui revient depuis toujours dans les textes des communistes — Katz et ses disciples n'ont rien inventé. Fouillant dans de vieux papiers, je retrouve des numéros d'un journal d'extrême gauche (et maoïste jusqu'à la névrose) publié dans les années 70, *Le Partisan*, organe du Mouvement révolutionnaire des Étudiants Québécois (MREQ) — qui fusionnera en 1975 avec la Cellule militante ouvrière (CMO) et la Cellule ouvrière révolutionnaire (COR), pour former la Ligue communiste (marxiste-léniniste) du Canada (LCMLC), qui deviendra en 1979 le Parti communiste ouvrier (PCO). Je lis dans le numéro de novembre 1973 :

> Il n'y aura pas de paix au Moyen-Orient tant que le problème fondamental n'y aura pas été résolu, c'est-à-dire tant que l'État sioniste existera. Ainsi, la seule solution juste aux problèmes de la région passe d'abord et avant tout par la reconnaissance dans les faits des droits du peuple palestinien à reprendre ses terres et à réintégrer ses foyers, et par l'élimination de cette base de l'impérialisme qu'est l'État sioniste[79].

C'est exactement la position de PAJU! Dans le numéro de janvier-février 1975, on peut lire cette description du sionisme :

> Le sionisme est une théorie réactionnaire bourgeoise apparue au 19e siècle en Europe, et d'après laquelle les juifs du monde entier devaient se

---

79. *Le Partisan*, Vol 3, no 3, nov. 1973, p. 8

regrouper sur un territoire pour y constituer une communauté nationale, sur les bases exclusives de la race et de la religion.

Ce territoire, il fallait donc le trouver, le coloniser. Les contrées proposées alors étaient toutes des colonies ou des pays dominés par l'impérialisme : l'Ouganda, la Palestine, l'Argentine. C'est finalement la Palestine qui fut choisie, sur la base de l'argument suivant : voilà 2000 ans, les Juifs avant d'être chassés par les Romains et de se disperser sur les cinq continents, habitaient la Palestine.

La création artificielle d'un État juif ne pouvait donc naître que de l'usurpation de terres appartenant à autrui et pour parvenir à leurs fins, les sionistes ne pouvaient que se mettre au service des intérêts de l'impérialisme et du colonialisme des États occidentaux. Théodore Herzl (fondateur du mouvement sioniste) déclarait à ce sujet : «Pour l'Europe, nous constituerions là-bas (en Palestine) un morceau de rempart contre l'Asie, nous serions la sentinelle avancée de la civilisation contre la barbarie[80]».

Katz et Sloan, de même que Mesdames Friesinger et Breton-Fontaine, ainsi que MM. Sylvain Archambault et Chadi Marouf — la position d'Amir Khadir est moins claire — sont sans doute d'accord avec leurs illustres prédécesseurs. Mais peut-être, avant de contresigner le texte de 1975, en rayeraient-ils l'expression «réactionnaire bourgeois», qui fait un peu vieillot... J'avoue pour ma part que la citation de Théodore Herzl — si elle est exacte, car avec les communistes, il faut toujours se méfier — a des connotations fâcheuses. Hélas, l'avenir aura donné raison au fondateur du sionisme : aujourd'hui, Israël est effectivement aux premières lignes du combat qui oppose les sociétés occidentales pluralistes et démocratiques à la nouvelle barbarie (plutôt multi-séculaire que nouvelle, en réalité), l'islamisme, idéologie totalitaire qui vise

---

80. *Le Partisan*, Vol 4, No 4, janv.-fév. 1975, p. 1.

à dominer les pays musulmans d'abord et l'ensemble de la planète ensuite. L'islamisation de la cause palestinienne, véritable retour aux sources — les motivations de Hadj Amin Al-Husseini, le père du « nationalisme palestinien », étaient essentiellement d'ordre politico-religieux : il ne pouvait tout simplement pas tolérer que des Juifs s'installent au milieu des musulmans[81] —, rend tout à fait caduque le mirifique projet de PAJU et de ses prédécesseurs du MREQ : l'établissement d'un État laïc et démocratique en Palestine. L'utilisation dans la phrase précédente de l'expression « nationalisme palestinien » n'est elle-même qu'un raccourci pratique. Il ne pouvait exister de « nationalisme palestinien » dans les années 30, le « peuple palestinien » n'ayant pas encore été inventé. Il ne le fut qu'en 1964 par le KGB et les services secrets égyptiens et syriens, le but étant de populariser la cause arabe dans les pays occidentaux en transformant la guerre pour la destruction d'Israël en lutte de « libération nationale ». C'est ainsi que l'OLP fut créée et Ahmed Choukeiri choisi pour en prendre la direction[82]. Voici d'ailleurs ce que disait à ce propos, en 1977, un membre du comité exécutif de l'OLP, Zair Muhswe'in :

> Le peuple palestinien n'existe pas. La création d'un État palestinien n'est qu'un moyen de continuer notre lutte contre l'état d'Israël pour l'unité arabe. En réalité, aujourd'hui, il n'existe aucune différence entre Jordaniens, Palestiniens, Syriens, et Libanais. Ce n'est que pour des raisons politiques et tactiques que nous parlons aujourd'hui d'un peuple palestinien, car les intérêts nationaux arabes exigent que nous insistions

---

81. « Pour des Musulmans, le Sionisme a représenté un phénomène inconnu et impensable, celui d'un judaïsme non-*Dhimmi*. De plus, il avait surgi au coeur du *Dar al-Islam* et revendiquait une aire autonome au sein de ce qui est pour les Musulmans l'empire Islamique. Pour beaucoup de Musulmans, le sionisme est donc un blasphème théologique ». (Richard Landes) http://www.jcpa.org/phas/phas-fr-24.htm
82. Guy Millière, *Pourquoi et comment le peuple palestinien fut inventé.* http://www.israel7.com/2011/11/pourquoi-et-comment-le-peuple-palestinien-fut-invente/ Fondateur du Fatah en 1959, Arafat succéda à Choukeiri en 1969.

sur l'existence d'un peuple palestinien pour nous opposer au sionisme. C'est pour des raisons tactiques que la Jordanie, qui est un État souverain aux frontières définies, ne peut réclamer Haïfa ou Jaffa, alors que nous, comme Palestiniens, pouvons exiger, Jaffa, Haïfa, Bercheva ou Jérusalem. Cependant, dès que nous réclamerons nos droits sur toute la Palestine, nous unirons aussitôt la Palestine à la Jordanie[83].

Yasser Arafat était du même avis que son subordonné : « Le peuple palestinien n'a pas d'identité nationale. Moi, Yasser Arafat, homme de destin, je lui donnerai cette identité, grâce au conflit contre Israël[84]. » Mission accomplie, mais pas plus après sa mort que de son vivant, le « laïc » Arafat n'a pu empêcher la prise en charge de la cause palestinienne par les intégristes : « En devenant la cause de l'Islam, la Palestine n'est plus qu'une pièce stratégique à l'intérieur d'un conflit d'une tout autre amplitude : celui de la guerre planétaire que l'islamisme a déclaré au reste du monde[85] ».

Le rédacteur du *Partisan* écrivait : « Le but de la révolution palestinienne est la destruction des institutions politiques, militaires et économiques du sionisme [M. Katz, lui, parle d'une implosion possible du sionisme], la création d'un État laïc et démocratique en Palestine, où les populations de religion juive,

83.   James Dorsey, «Wij zijn alleen Palestijn om politieke reden», *Trouw* [Journal d'Amsterdam], 31 March 1977. Cité par Richard Landes. http://www.dreuz.info/2011/12/entretien-exclusif-avec-le-professeur-richard-landes-sur-l'invention-du-peuple-palestinien/?utm_source=feedburner&utm_medium=email&utm_campaign=Feed%3A+drzz%2FPxvu+%28Dreuz%29&mid=554373 Citation reprise et complétée par Jean-Charles Chebat lors d'une entrevue avec Guy Millière à Radio Shalom : http://www.radio-shalom.ca/player.php?URI=%2Fmp3%2FPrograms%2F1024%2F1389.mp3
84.   Dans Alan Hart, *Arafat, Terrorist or Peacemaker*, London, Sedwick & jackson Ltd 1984. L'ouvrage de Hart présente Arafat et l'OLP sous un jour favorable. On peut lire sur la couverture de la seconde édition du livre : « *Written in co-operation with Yasser Arafat and the top leadership of the PLO.* »
85.   Tarnéro, *Op. cit.*, p. 70.

chrétienne et musulmane auraient les mêmes droits[86].» Et voici ce qu'on trouve sur le site web de PAJU : «En ce qui concerne Jérusalem Est : PAJU soutient la création d'un État palestinien indépendant et laïque ayant pour capitale Jérusalem Est, celle-ci étant partie intégrante des territoires palestiniens illégalement occupés en 1967.[87]» Le mot qu'il faut rayer, c'est le mot laïque.

Les autres propositions de PAJU, prudemment rédigées, ne disent pas clairement que l'État d'Israël doit disparaître — sinon indirectement en faisant la promotion du «droit au retour» des réfugiés, qui signifierait effectivement la mort d'Israël — , mais nulle part n'est reconnue la légitimité de son existence, même à l'intérieur des frontières de 1948. En réalité, le discours des PAJUstes en est un de délégitimation totale de l'État juif, «the last colonialist entity that exists on the earth», affirmait Bruce Katz le 27 novembre 2010, opinion qu'il avait déjà émise dans une entrevue publiée par la revue *Humanité québécoise*[88] : «C'est le conflit d'un peuple assujetti par une société colonisatrice, essentiellement européenne d'origine. C'est le problème existentiel du Moyen-Orient : on a une société occidentale, à toute fin pratique, qui a été insérée en plein milieu du Moyen-Orient. Israël se conçoit comme une société occidentale[89].» Et rien ne peut être plus détestable et malfaisant qu'une société occidentale ! D'ailleurs, même en Occident, c'est

---

86 *Le Partisan*, janv.-fév. 1975, Vol 4, No 4.

87 http://www.pajumontreal.org/paju_fr/?/20/

88 http://www.humanitequebecoise.com/index.php?option=com_content&view =article&id=49:justice-et-paix-en-palestine&Itemid=37

89 Grand simplificateur, M. Katz fait peu de cas des Juifs d'Orient (ou sépharades), dont l'intégration parmi les Juifs ashkénases, qui se trouvaient à la tête de l'État d'Israël quand ils ont quitté le Maroc, l'Algérie, la Tunisie, la Lybie, la Syrie, le Liban, l'Irak, le Yémen, la Turquie, l'Iran ou l'Afghanistan pour se réfugier en Israël, n'a certes pas été facile, mais est un fait accompli depuis la fin des années 70. Israël a aussi un héritage oriental. Ces Juifs d'Orient sont désormais occidentalisés ? Oui, autant, sans doute, que les Arabes musulmans, chrétiens ou druzes demeurés en Israël, qu'il faudra rééduquer, ce dont les islamistes du Hamas se chargeront volontiers quand

bien la société occidentale qu'il faut détruire, non? N'est-ce pas là l'essence même du «pays de projet» de Québec solidaire? Nous y reviendrons... Nul doute que M. Katz — et peut-être aussi son ami Khadir — partage les buts et les ambitions de Abbas Zaki, du comité central du Fatah, qui déclarait le 23 septembre 2011[90]:

> Si Israël se retire de Jérusalem, évacue les 650 000 colons et démonte le mur, qu'adviendra-t-il d'Israël? Il touchera à sa fin. Qui est nerveux, en colère et contrarié aujourd'hui? Pourquoi en parler? Netanyahu, Lieberman et Obama, tous des salauds. Nous devrions être heureux de voir Israël contrarié. Si nous disons que nous voulons détruire Israël, c'est trop difficile, ce n'est pas une politique acceptable à dire. Ne dites pas ces choses au monde, gardez-les pour vous. Je veux des résolutions que tout le monde accepte.

Ces propos recoupent en tous points ceux de Mahmoud Al-Zahar, dirigeant du Hamas, qui ne se cache pas (ou s'en cache moins que son acolyte du Fatah) que l'objectif visé est la destruction d'Israël[91]. M. Al-Zahar a le mérite de mettre cartes sur table. Mais de toute évidence, M. Zaki, ses émules de PAJU et, osons le suggérer, Amir Khadir, porte-parole de Québec solidaire (et complice des communistes de PAJU), vaste coalition qui a Israël comme ennemi commun, pratiquent l'art de la dissimulation, c'est-à-dire le double langage appelé dans l'Islam, la *taqiyya*. De là à conclure *ipso facto* que les communistes de PAJU sont également des islamistes, il n'y a qu'un pas... que nous ne franchirons pas. L'explication est beaucoup plus simple: toutes ces bonnes gens, communistes et islamistes,

---

Israël aura été rayé de la carte. Après tout, ces gens-là ne demandent pas mieux que d'être soumis à la charia!

90   http://www.youtube.com/watch?v=AGJwJ0t8NxY&NR=1 ou http://www.youtube.com/watch?v=eB9lkfcfKic&feature=player_embedded.

91   http://jssnews.com/2011/05/11/le-plan-par-etapes-du-hamas-pour-detruire-israel/

communient dans la haine de la société libérale et joignent temporairement leurs forces pour essayer de la détruire.

L'objectif véritable de PAJU, c'est donc, dans la mesure de ses faibles moyens, de contribuer à la destruction d'Israël. Vous en doutez encore ? Le co-fondateur de PAJU, Rezeq Faraj, disparu en 2009, a fondé dans l'année qui a précédé son décès un autre organisme, USED (Un Seul État Démocratique)/Groupe Rezeq Faraj. Voici ce qu'on peut lire à ce sujet dans un article publié le 3 juin 2010 :

> Le manque de sérieux évident d'Israël [après les accords d'Oslo], son impunité malgré ses manquements à ses obligations et ses manigances, amena Faraj à rejeter la solution des deux États. Pendant la dernière année de son existence, il contribua à fonder un groupe prônant la formation d'un seul État démocratique. À cette fin, USED (Un Seul État Démocratique)/Groupe Rezeq Faraj, participe à l'organisation d'une conférence internationale en septembre 2010. Faraj considérait que l'Autorité palestinenne n'avait plus aucune crédibilité quant à la défense des intérêts des Palestiniens. Il mettait tous ses espoirs dans la renaissance et le renforcement d'une nouvelle Organisation de Libération de la Palestine[92].

Mais dès 2002, dans son livre *Palestine, le refus de disparaître*, Faraj écrivait : « Aujourd'hui, l'idée de la solution des deux États est morte. Elle n'est plus possible ni viable. Que l'Autorité palestinienne continue d'en parler et continue de vouloir la négocier

---

92.   Dave Himmelstein, *Rezeq Faraj: The legacy of a man without childhood* http://rabble.ca/news/2010/06/rezeq-faraj-legacy-man-without-childhood, traduit par nous : «*Israel's undisguised lack of seriousness, burnished by its continued impunity despite flouting obligations and undertakings, led Faraj to abandon the very possibility of a two-state solution. In the last year of his life, he helped establish an action group to press for a single democratic state. To that end, USED (Un Seul État Démocratique)/ Groupe Rezeq Faraj is catalyzing the organization of an international conference in September 2010. A culminating act of abandonment involved the Palestinian Authority, which Faraj considered to have forfeited credibility as a vehicle of Palestinian aspiration. Instead, he looked forward to a reborn and reinvigorated Palestine Liberation Organization*».

me dépasse[93]. » Faraj, qui ne se donnait pas les allures d'un san-guinaire, rêvait plutôt d'un État binational qui « pourrait prendre la forme d'une fédération comme celle du Canada[94] ». Le co-fondateur de PAJU, Bruce Katz ne s'est jamais officiellement dissocié des prises de positions « modérées » de Rezeq Faraj, qui exprimait dans son livre le souhait de voir un jour vivre en bonne harmonie les Juifs et les Palestiniens à l'intérieur d'un même État — mais seulement après s'être livré à une analyse historique distordue où les sionistes sont peints en véritables croquemitaines dévoreurs de Palestiniens, et les événements racontés d'une manière complètement biaisée. Je crois que pour la concrétisation du rêve de son ami Faraj, M. Katz devra compter davantage sur le Hamas, dont les objectifs génocidaires sont d'ores et déjà de notoriété publique, que sur une hypothétique OLP ressuscitée et tonifiée. Mais mieux que le Hamas le Fatah ou l'OLP, il y a l'Iran d'Ahmadinejad et ses sbires du Hezbollah.

Dans une entrevue donnée le 7 novembre 2011 à *Press TV*, diffuseur officiel de l'État théocratique et totalitaire iranien, M. Katz débite un tas d'âneries sur l'intention supposée des Israéliens de chasser du Proche-Orient tous ceux qui ne font pas partie de la « race » juive. Tel serait l'objectif de Benjamin Netanyahou! Nul doute que les élucubrations de M. Katz sur ces ondes religieusement contrôlées par les ayatollahs d'Iran encourageront Mahmoud Ahmadinejad et ses tueurs stipendiés dans leur projet d'exter-mination[95]. Qu'en pense Amir Khadir, qui connaît bien et Bruce

---

93. Rezeq Faraj, *Palestine, le refus de disparaître*, p.56.
94. *Ibid.*, p.57.
95. Payez-vous quelques minutes de délire savant: http://www.presstv.com/ detail/208931.html On trouvera sur le site suivant, sous la plume de Jean-Marie Gélinas, une réfutation cinglante des théories de Bruce Katz: http://lys-dor. com/2011/11/14/jean-marie-gelinas-repond-aux-mensonges-de-bruce-katz-co-president-du-paju/

Katz et les Iraniens ? Khadir est intervenu à quelques reprises depuis trois ans à l'Assemblée nationale pour dénoncer le régime des ayatollahs. Il met bien sûr dans ses déclarations beaucoup moins de zèle et de conviction qu'il n'en montre dans sa lutte acharnée contre Israël, que l'Iran veut précisément rayer de la carte, mais on ne peut pas nier qu'il l'ait fait. Sachons reconnaître ses mérites. Et voici maintenant que son ami Bruce Katz, avec qui il partage la même hostilité envers Israël, voici que le co-fondateur de PAJU, dont Amir Khadir approuve l'action au point d'être allé piqueter avec les PAJUstes devant Le Marcheur, voici que l'ami Katz, faisant flèche de tout bois et avec une indécence innommable, transporte son combat contre le sionisme sur les écrans de l'État théocratique et ultra-répressif des ayatollahs obscurantistes, par ailleurs dénoncé et condamné publiquement et officiellement par Khadir à l'Assemblée nationale ! Qui peut maintenant douter que le prochain geste du député de Mercier sera de dénoncer le comportement odieux de M. Katz et que nous allons assister à une rupture définitive entre les deux hommes ? À moins que... À moins que l'objectif essentiel, c'est-à-dire la destruction d'Israël, ne prime sur toute autre considération, auquel cas M. Khadir, qui est l'ami de tout le monde et de n'importe qui tant qu'il s'agit de pourfendre l'État juif, passera l'éponge sur l'ignoble conduite de M. Katz ou mieux, et nous pouvons compter sur lui pour y parvenir, trouvera les mots qu'il faut pour la justifier. *Let's wait and see !*

Mais examinons la théorie selon laquelle Israël est un État colonial(iste), un État colonial tout à fait étrange, du fait qu'il s'agirait d'une colonie sans Mère patrie, qui a dû être créée en dépit de la résistance de la Grande-Bretagne, qui, après la Déclaration Balfour de 1917, n'a cessé de mettre des bâtons dans les roues aux bâtisseurs de cette soi-disant « colonie ». À partir de 1920, les Anglais, c'est-à-dire les colonialistes, ont presque toujours pris la part des Arabes quand des conflits ont éclaté entre ces derniers et les Juifs nouvellement établis. Établis comment, d'ailleurs? Par la violence? Par spoliation ou usurpation des terres et des biens appartenant aux Arabes? Pas du tout! Ces terres ont été acquises légalement, souvent à prix d'or, de propriétaires terriens arabes qui les laissaient en friche et voulaient «faire la piasse» en s'en débarrassant. Que certaines de ces transactions aient été désavantageuses pour les vendeurs et avantageuses pour les acheteurs, c'est indéniable. Et après? Nous ne reprendrons pas en inversant les rôles la posture manichéenne des antisionistes obsessionnels. Une telle pirouette ne nous aiderait nullement à comprendre ce qui s'est passé dans cette région du monde dans les premières décennies du XXe siècle. Ainsi serait-il fort injuste de parler d'une hostilité généralisée des Arabes de Palestine envers les Juifs. Il existait à l'époque, explique Michel Gurfinkiel, un parti de la paix, qui s'opposait aux clans belliqueux constitués par les confréries islamistes et par deux grandes familles de Jérusalem, les Nashashibi et les Husseini. «Réprouvé par les trois autres, harcelé, vilipendé, décimé par des assassinats, ignoré par les médias et les politologues, il n'a pourtant jamais disparu et pourrait, un jour jouer un rôle capital[96].»

Exemple du parti pris pro-arabe du colonisateur britannique: lors des troubles de 1921 — l'on tue des Juifs sans défense à Jaffa et à Tel Aviv, — les Anglais laissèrent aux Arabes leurs armes et leurs munitions, mais tout Juif qui portait un revolver était arrêté.

C'est normal, direz-vous, les Arabes étaient des indigènes et les Juifs des envahisseurs. Faux! Des Juifs ont toujours habité cette région du monde même après en avoir été chassés par les

---

96. *Op. cit.*, p. 75.

Romains. En 1863, Jérusalem comptait 15 000 habitants, 8 000 de ces derniers étaient juifs. Juifs et tout aussi «indigènes» que les Arabes à qui M. Katz prétend réserver l'étiquette. Soit, des Juifs européens se sont installés dans le territoire sous Mandat britannique — moins la Jordanie, pays inventé de toute pièce en 1922, au bénéfice des seuls Arabes et de la dynastie hachémite, récemment chassée d'Arabie saoudite. Cette immigration dérangeait certes les judéophobes et antisémites arabes et plus particulièrement leur dirigeant le plus fanatique, Hadj Amin Al-Husseini, Grand Mufti de Jérusalem. Mais faut-il rappeler qu'une grande partie de la population arabe de la région venait elle-même de l'extérieur, ayant été attirée en Palestine par l'activité économique générée par les Juifs? Près de la moitié des «Palestiniens» n'étaient pas... palestiniens, mais se virent reconnus comme tel en 1948. Ces gens venaient d'Égypte, de Transjordanie, de Syrie, du Liban, du Koweit, d'Arabie saoudite, de l'Irak, de Turquie ou même d'Afrique noire (un village soudanais fut fondé et existe encore). Plusieurs noms de familles palestiniens témoignent d'ailleurs de l'origine de ceux qui les portent : Masri vient d'Égypte, Iraqi, d'Iraq, Tarabusti de la ville de Tripoli au Liban, Hourani, de Houran en Syrie, Husseini de Jordanie, Saudi d'Arabie saoudite.

Peu après que le territoire sous Mandat britannique eut été amputé en 1922 de presque 80 % de sa superficie avec la fondation de la Transjordanie, les Anglais cédèrent aux pressions des Arabes en suspendant l'immigration des Juifs dans ce qui restait de la Palestine historique.

En 1930, écrit Michel Gurfinkiel, une commission royale d'enquête, présidée par Sir John Hope Simpson, observe à ce sujet : «*Nous avons constaté, à travers nos discussions avec les autorités compétentes, qu'une immigration illégale substantielle existait à partir de la Syrie* (en termes actuels, de la Syrie et du Liban) *et tout le long de la frontière de la Palestine*» Compte tenu de «*la difficulté que présentent le repérage et l'expulsion de ces immigrants illégaux »*, la commission recommande de fermer l'oeil sur ce phénomène *« à condition qu'il ne génère pas de désordres, et bien qu'on porte indubitablement préjudice aux immigrants juifs potentiels, dont la place est prise par d'autres*[97].

Ajoutons que le plus célèbre des réfugiés palestiniens, Yasser Arafat, chef fondateur de l'OLP, est né au Caire en 1929. « Palestinien » quand même, certes, car en 1948, il suffisait d'être établi en Palestine depuis deux ans pour avoir droit au titre de réfugié.

> Dès la fin des combats, en 1948, plusieurs Arabes vivant alors dans le territoire dont s'empara la Jordanie réclamèrent le statut de réfugiés en alléguant être des victimes de la guerre [déclenchée par les pays arabes]. C'est ainsi que des gens qui n'avaient jamais vécu en Israël furent inscrits sur les listes de l'UNRWA, celle-ci n'ayant aucun moyen de vérifier la véracité des déclarations de ces personnes[98].

Bien des Juifs vivaient en Israël depuis plus longtemps que ces « pseudos-palestiniens » et ils n'auraient pas eu le droit de fonder un pays sur un territoire qui n'en avait jamais été un depuis l'Antiquité ni pour les Juifs ni pour les Arabes ? La situation des Arabes ayant fui la zone des combats n'était certes pas rose, et elle ne l'est sans doute pas encore soixante-trois ans plus tard, ni pour eux ni pour leurs descendants, malgré toute l'aide internationale qui leur est consacrée. Mais à qui la faute ? Pourquoi les pays arabes belligérants leur avaient-ils promis qu'ils rentreraient chez eux peu après, quand les Juifs auraient été rejetés à la mer ? Que ces gens soient à plaindre, je n'en disconviens pas, au contraire. Mais si, plutôt que d'être enfermés dans des ghettos baptisés

---

97. Michel Gurfinkiel, *Op. cit.*, p. 46-47.
98. L.G. Halal, *Israël, une réalité ? Témoignage d'un Arabe*, p. 149.

«camps de réfugiés», ils avaient été accueillis dans les pays arabes comme l'ont été en Israël les 900 000 autres réfugiés, Juifs ceux-là, chassés des pays arabes et dépossédés de tous leurs biens (comme ce monsieur qui discutait avec Bruce Katz en face du Marcheur), il y a longtemps que l'on ne parlerait plus du problème des réfugiés palestiniens.

Mais on ne changera pas l'histoire. Les faits sont les faits.

> Les termes du mandat étaient bafoués par l'occupant. L'agence juive prévue ne fut mise sur pied que neuf ans plus tard. Le droit pour les Juifs de se réunir pour prier devant le Mur des Lamentations fut contesté et des incidents furent provoqués par les Arabes. La violence commença un peu partout contre les Juifs. La police palestinienne, en majorité arabe et anglaise, fermait les yeux sur tous les méfaits organisés par des chefs religieux musulmans arabes. Des centaines de Juifs furent assassinés[99].

D'autres massacres de Juifs ont lieu à Hébron le 23 août 1929, ainsi décrits par Sir John Chancelor: «[...] meurtres sauvages perpétrés sur des membres sans défense de la communauté juive, sans égard pour l'âge ou le sexe et accompagnés d'actes de férocité indicibles, incendies des fermes et des maisons, dans les villes et les campagnes, pillage et destruction des biens[100]». D'autres tueries se produisirent à Jérusalem, à Safed, à Tel-Aviv.

«La plupart des victimes ont reçu au moins trois blessures, plus d'une en a reçu de douze à dix-huit sur toutes les parties du corps. Quarante-cinq pour cent d'entre elles sont des femmes, dix-neuf pour cent des enfants de un à dix ans[101].» Le journaliste

---

99. L.G. Halal, *Op. cit.*, p. 15.
100. *Ibid.*, p. 19.
101. *Ibid.*

Albert Londres rapporta pour le massacre de Safed des gestes atroces commis par les bandes du Grand Mufti : mains et doigts coupés, têtes brûlées sur des réchauds, énucléations, scalp d'un rabbin, dont on emporta la cervelle, mutilations sexuelles des hommes, viol « en chœur » des femmes[102].

En réaction à ces massacres, l'administration britannique publie en 1930 — voir note 97, page 73 — un livre blanc qui « limitait l'émigration juive en Palestine et, d'autre part, décidait de mesures draconiennes qui devaient empêcher les Juifs de s'armer pour leur défense[103]. »

Révoltés, des Juifs créeront des organisations parallèles, l'*Irgoun*, le groupe *Stern*, qui s'attaqueront en priorité à qui ?... Au colonisateur Anglais ! Et qui, effectivement commettront les « pires atrocités », écrit l'auteur que je viens de citer, dont le point de vue n'est pas aussi manichéen que celui de M. Katz. Impossible également de nier qu'à partir de 1937, les Britanniques ont exercé pour combattre l'insurrection arabe des mesures répressives brutales : « Internement ou bannissement arbitraire des notables liés à l'insurrection, punitions collectives et dragonnades dans les villages soupçonnés de soutenir les rebelles, exécutions sommaires[104]. » Un fait est un fait.

Mais Israël, État colonialiste ? Non, M. Katz ! Les Juifs avaient autant le droit d'occuper ces terres et de les développer que les Arabes (ceux que l'on se plaît à appeler les Palestiniens), à qui elles n'ont d'ailleurs jamais appartenu, ni sous le Califat ottoman ni pendant le Mandat britannique, mais qui auraient quand même depuis soixante-trois ans leur État « laïc et démocratique »

102. Albert Londres, *Le Juif errant est arrivé*, cité par Pierre-André Taguieff, *La nouvelle propagande antijuive*, p. 51, note 2.
103. Halal, *Op. cit.*, p. 19.
104. Gurfinkiel, *Op. cit.*, p. 99.

(en plus de la Jordanie monarchiste), si les pays arabes avaient accepté le partage proposé par l'ONU en 1947. Dans une entrevue donnée à la télévision israélienne le 28 octobre 2011, Mahmoud Abbas, chef de l'Autorité palestinienne, avouait d'ailleurs : « Ce fut notre erreur. Ce fut surtout une erreur commise par les Arabes[105] ».

Les Palestiniens auront peut-être un jour leur pays. Je le leur souhaiterais pour ma part avec beaucoup plus d'enthousiasme si je ne savais que le but final de leurs dirigeants, de même que celui des antisionistes obsessionnels des pays occidentaux, est la disparition de l'État d'Israël.

---

105. « *It was our mistake. It was an Arab mistake as a whole* ». Traduit par nous. http://www.huffingtonpost.com/2011/10/28/mahmoud-abbas-remarkable-_n_1064397.html

CHAPITRE IV

Khadir s'en mêle

*M. Archambault refuse toujours de donner réponse à la
demande et de retirer de la vente les chaussures Beautifeel.
PAJU invite donc les consommateurs et consommatrices
à boycotter la boutique Le Marcheur.*

Extrait d'un tract de PAJU

Le 1er décembre 2010, Yves Archambault reçoit le courriel suivant:

```
De : Khadir, Amir [mailto:akhadir@assnat.qc.ca]
Envoyé : 1 décembre 2010 19:52
[...]


Objet : Bonsoir


Bonsoir M. Archambault


Pouvez-vous me rappeler?


Amir Khadir
Député de Mercier
[No de téléphone de Khadir]
```

Il répond le 6 décembre:

```
De: Yves Archambault [mailto: ...]
Envoyé: 6 décembre 2010 15:24
À: Khadir, Amir
Objet: RE: Bonsoir


Bonjour M. Khadir


Ce serait à quel sujet?


Yves Archambault
Boutique Le Marcheur
```

Et reçoit une réponse le soir même:

```
De: Khadir, Amir [mailto:akhadir@assnat.qc.ca]
Envoyé: 6 décembre 2010 19:11
À: 'Yves Archambault'
Objet: RE : Bonsoir


Merci de me répondre
Ce serait à propos des manifestations qui se déroulent
parfois devant votre boutique, en lien je crois avec
des produits en provenance des territoires pales-
tiniennes occupées [sic] par Israël[106].


Amir Khadir
```

---

106. Quelle duplicité dans ces deux petits mots: «je crois»! Comme si Amir Khadir n'était pas sûr de ce qu'il avance! Passons... Les souliers BeautiFeel ne proviennent pas des territoires palestiniens occupés par Israël. Mais par ce bout de phrase, Khadir nous démontre qu'il considère Israël en entier, y compris à l'intérieur des frontières de 1948, comme un territoire occupé. Manière un peu maladroite de nous avouer qu'il souhaite la disparition d'Israël, ce que Bruce Katz ne saurait désapprouver. L'harmonie règne dans la famille.

Yves Archambault, qui n'a pas envie d'entendre les prêchi-prêcha du député de Mercier, dont il se doute bien qu'il approuve l'action de PAJU, laisse ce courriel sans réponse. Cinq jours plus tard, soit le samedi 11 décembre, coup de théâtre : Amir Khadir vient se joindre aux manifestants. « Les clients étaient très souriants, nous aussi », expliquera-t-il le 17 décembre à Mario Dumont du canal V. « C'est le temps des Fêtes, on s'parlait...[107] » Tout le monde n'a pas trouvé l'événement aussi comique. Je laisse la parole au journaliste de TVA Nouvelles :

> Le député de Mercier a refusé de répondre à nos questions pour expliquer sa présence devant ce commerce de son comté. Mais son attaché de presse, Christian Dubois, nous a indiqué que M. Khadir avait participé à cette manifestation, comme il le fait souvent. « Amir s'est rendu comme simple participant, comme il le fait pour plein de manifs dans l'année », a-t-il précisé. Pourtant, selon le propriétaire de la boutique, le député prenait part activement à la manifestation. « Monsieur Khadir a dit aux passants qui essayaient d'entrer dans la boutique : "Vous n'allez quand même pas entrer dans un commerce qui vend des produits israéliens ?" Il ne leur demandait pas de ne pas acheter de produits israéliens ; il leur demandait carrément de ne pas entrer dans notre commerce...[108] »

Clair comme de l'eau de roche ! Le tract distribué par les PAJUstes et par Khadir « invite les consommateurs et consommatrices à boycotter la boutique Le Marcheur » et non pas seulement les souliers de marque BeautiFeel, comme Khadir le prétendra devant Mario Dumont : « Je ne sais pas ce que font les gens qui vont chaque semaine là », dira-t-il d'un air innocent, en soutenant

---

107. http://vtele.ca/videos/dumont/religion-et-garderies-le-gouvernement-agit-amir-khadir-s-explique_22734_22735.php
108. Mathieu Demers. http://tvanouvelles.ca/lcn/infos/regional/archives/2010/12/20101217-051829.html

qu'il y a un «terrible malentendu» et qu'il ne boycotte pas la boutique mais les souliers, seulement les souliers. La propension de Khadir à prendre les gens pour des crétins est vraiment phénoménale! Parmi tous les commentateurs, c'est sans doute Joseph Facal et Lysianne Gagnon qui jugeront notre ami Khadir avec le plus de sévérité. Dans sa chronique du 20 décembre, *Le prophète et les infidèles*, Facal écrit:

> [...] Il [Khadir] manifestait devant le 4062, Saint-Denis, en compagnie de ses copains du Parti communiste du Canada. [...] On a bien lu: un député, payé à 100% par les fonds publics, manifeste devant un commerce situé dans son propre comté[109] parce qu'on y vend, en toute légalité, une infime quantité de produits d'un pays avec lequel le Canada a signé une entente de libre-échange. Après le lancer du soulier sur l'effigie de George Bush et les élucubrations sur la CIA et les attentats du 11 septembre, Amir Khadir récidive dans l'extravagance.
>
> [...] C'est parce que l'État d'Israël pratique «l'apartheid» à l'égard des Palestiniens, a-t-il expliqué. C'est évidemment risible.
>
> Palestiniens et Israéliens sont engagés dans une guerre sans merci. On peut à bon droit critiquer les politiques israéliennes et nombre d'Israéliens ne s'en privent pas. Utiliser le mot «apartheid», c'est cependant déformer le sens du mot et insulter ceux qui ont subi le vrai apartheid, en Afrique du Sud. [...]
>
> Mais je parle pour parler. Dès qu'il est question d'Israël, les critères normaux du débat civilisé, comme les nuances ou le sens de la mesure, ne tiennent plus. Amir Khadir peut donc dormir en paix: non seulement le ridicule ne tue jamais vraiment, mais je ne doute pas qu'il aura nettement plus de défenseurs que de détracteurs[110].

---

109. Erreur reprise par plusieurs commentateurs. Amir Khadir est député de Mercier, la boutique Le Marcheur se trouve dans la circonscription de Sainte-Marie-Saint-Jacques, représentée à l'assemblée nationale par le péquiste Mario Lemay.
110. http://www.canoe.com/infos/chroniques/josephfacal/archives/2010/12/20101220-051308.html.

Publiée le 21 décembre, la chronique de Mme Gagnon s'intitule *Khadir, le fanatique* :

> Amir Khadir s'est distingué à l'Assemblée nationale par quelques interventions pertinentes et bien documentées. Hélas, sa vraie nature — celle du radical fanatique qui voyait un complot américain dans les attentats du 11 septembre — vient une fois de plus de remonter à la surface. M. Archambault, qui tient commerce avec sa femme et ses enfants, est trop occupé pour avoir le loisir de faire de la politique. Le voici dans une situation intenable : ou il laisse le PAJU (encouragé par son propre député ?!) saboter son commerce aux heures les plus achalandées de la semaine, ou il cède à un chantage injustifié dont les motivations sont éminemment suspectes. [...]
>
> On peut certes reprocher au gouvernement israélien certaines politiques, notamment l'extension des colonies dans les territoires occupés. Mais pourquoi s'en prendre à ses citoyens ? Israël est une démocratie, au demeurant la seule du Proche-Orient, et il y existe une très grande diversité d'opinions. Pourquoi cibler Beautifeel, dont l'usine, au sud de Tel-Aviv, n'est pas en territoire occupé[111] ? [...]
>
> Oui, tant qu'à y être, pourquoi ne pas boycotter les produits de la Russie, où le système judiciaire est à la solde du clan Poutine ? Ceux de l'Égypte, où les homosexuels sont persécutés et les élections truquées ? Ceux de la Chine, où les dissidents sont emprisonnés ? Et ceux de ces nombreux pays musulmans où le sort des femmes est incommensurablement plus misérable que celui des Palestiniens ? [...][112]

Plus tôt, le 16 décembre, Éric Duhaime avait abordé le sujet à l'émission de Mario Dumont au canal V. On a pu voir et entendre à cette occasion le témoignage d'Yves Archambault de même que les explications de Bruce Katz, qui cette fois se montre moins

---

111. Les deux usines de BeautiFeel se trouvent à Rishon Lezion et à Haifa, c'est-à-dire à l'intérieur des frontières tracées par l'ONU en 1948.
112 http://www.cyberpresse.ca/chroniqueurs/lysiane-gagnon/201012/20/01-4354210-khadir-le-fanatique.php.

agressif qu'il ne l'avait été le 27 novembre sur Saint-Denis. Je transcris :

> On avait appris euh... par pur hasard, parce qu'il y a un de nos membres qui est entré dans le magasin à la recherche de souliers pour sa femme et elle a remarqué qu'il y avait la marque BeautiFeel. Et BeautiFeel est fabriqué en Israël. Suite à l'appel en 2005 de la société civile palestinienne, l'appel au boycott, le PAJU avec d'autres regroupements, le PAJU est membre de la Coalition pour la justice et la paix en Palestine, on a entamé la campagne de boycott.
>
> Moi, j'avais demandé par lettre au propriétaire de la boutique Le Marcheur de remplacer cette marque de souliers par une autre marque comparable. Devant son refus, bien on a décidé de prendre l'action de boycott par la suite. Évidemment le boycott ne va pas plaire à tout le monde, mais on considère que c'est l'outil nécessaire maintenant et la seule mesure qui donnera la possibilité de forcer Israël à entamer des négociations sérieuses avec les Palestiniens.
>
> [À l'écran, photo d'Amir Khadir manifestant le 11 décembre devant Le Marcheur] M. Khadir, samedi dernier, il est passé... [Photo de Khadir et Sloan jasant ou échangeant des tracts] On se connaît depuis une dizaine d'années de toute façon. Et il faut dire que *Québec solidaire* fait partie de cette campagne de BDS, boycott, désinvestissement et sanctions, depuis trois ans. Bien, M. Khadir, il vit dans le quartier. Il passait et il est venu nous dire bonjour et euh... je prends cette opportunité pour exprimer mon profond respect pour Amir Khadir et pour son père aussi, qui milite auprès de PAJU depuis dix ans[113].

À l'émission du lendemain, Khadir répond aux questions de Dumont. « Moi quand je fais des achats, dit-il, je fais des achats responsables. » Que ne se montre-t-il aussi responsable dans ses discours, mais n'en demandons pas trop. « J'aurais aimé parler à

---

113. http://vtele.ca/videos/dumont/amir-khadir-politicien-ou-activiste-amir-khadir-politicien-ou-activiste-partie-2_22687_22688.php

M. Archambault... Je l'ai invité d'ailleurs à m'appeler. Je lui ai envoyé un courriel. C'est dommage». Affirmant qu'il va tenter de parler à Yves Archambault et essayer de le convaincre, il ajoute: «Je suis sûr qu'il va faire un choix responsable, parce que acheter, là, c'est voter. Acheter, c'est un choix!» Tout ça est fort édifiant et nous émeut jusqu'aux larmes, mais voici la partie la plus révélatrice de l'entretien[114]:

> DUMONT: [...] Vous étiez à cette manifestation-là beaucoup avec des gens liés au Parti communiste. Est-ce que vous êtes membre du parti communiste, est-ce que vous êtes proche du Parti communiste, est-ce que vous...
>
> KHADIR: Est-ce que vous avez quelque chose contre l'existence du Parti communiste?
>
> DUMONT: Tout à fait. Le Parti communiste dans l'histoire, c'est des...
>
> KHADIR: Non mais son existence...
>
> DUMONT: ...millions de morts. Non je n'ai rien contre son existence.
>
> KHADIR: Alors de quoi on se mêle? Que les gens qui sont communistes, laissons-les à leurs idées! Moi, je suis...
>
> DUMONT: Mais ils sont vos amis. Vous êtes proche d'eux?
>
> KHADIR: Mon père...
>
> DUMONT: Ils sont membres de votre parti aussi.
>
> KHADIR: Mon père, si c'est ça que vous voulez dire, a des sympathies pour les communistes parce que il en a marre que des gens les accusent de n'importe quoi. Il a des critères... Avant, il l'était pas, mais quand il a vu toutes sortes d'accusations... Parce qu'il n'aime pas... Mon père, c'est un homme qui est libre, il n'aime pas qu'on fasse des procès d'intention et qu'on juge les gens en fonction de leurs croyances. Moi je suis pour la liberté d'opinion, alors je ne mêle pas de ça. Je m'en vais là avec des gens qui sont... qui sont pour une justice...

---

114. http://vtele.ca/videos/dumont/religion-et-garderies-le-gouvernement-agit-amir-khadir-s-explique_22734_22735.php

DUMONT : Vous allez y retourner ?... Vous allez y retourner manifester ?

KHADIR : Quand j'aurai rencontré M. Archambault. Je vais lui parler d'abord. On va s'expliquer, dissiper les malentendus... Parce que c'est important qu'il comprenne que c'qu'on lui...

DUMONT : Je pense que pour lui, y a pas de malentendu, pour lui c'est clair : y a un député qui vient décourager les gens d'acheter chez lui.

KHADIR : Non, non. Je l'ai entendu à votre émission, mais il y a un terrible malentendu. C'qu'on veut c'est que son commerce soit prospère, mais avec d'autre chose qui nuit à des gens...

DUMONT : Mais vous voulez, vous, décider de c'qu'y va mettre sur ses tablettes.

KHADIR : Mais non ! Je veux l'amener à comprendre c'qui s'passe...

DUMONT : Allez-vous retourner ?

KHADIR : Regardez. Y a des dizaines de villes au Canada, en Europe...

DUMONT : Allez-vous retourner ?

KHADIR : ... qui ont décidé de boycotter des produits israéliens...

DUMONT : Vous aller retourner ou pas ?

KHADIR : Je vais retourner une fois que je lui aurai parlé.

DUMONT : O. K. ! Vous allez retourner. Donc c'était pas une erreur cette...

KHADIR : Mais non !

DUMONT : ... manifestation, vous allez y retourner.

KHADIR : Non. C'est une question de conscience. Acheter, choisir, consommer, c'est voter ! Il faut qu'on fasse les choses en fonction de notre conscience et puis il faut que les choix qu'on fait ne nuisent pas à d'autres[115]. Ca c'est très simple, c'est une justice primordiale. Et on l'a fait avec l'Afrique du Sud, ça a marché. J'espère que pour le peuple israélien, pour le peuple palestinien, cette campagne-là va réussir, puis un jour ils auront la paix.

DUMONT : Merci, Amir Khadir.

KHADIR : Merci... Mario Dumont.

---

115. Mais nuire aux propriétaires de la boutique Le Marcheur, c'est tout-à-fait licite !

Reprenons une portion de ce dialogue en y apportant une très légère modification — il s'agit de remplacer un mot par un autre — opération fort simple qui nous aidera cependant à comprendre à quel point les propos de Khadir sont tordus :

> DUMONT : [...] Vous étiez à cette manifestation-là beaucoup avec des gens liés au Parti *nazi*. Est-ce que vous êtes membre du parti *nazi*, est-ce que vous êtes proche du parti *nazi*, est-ce que vous...
>
> KHADIR : Est-ce que vous avez quelque chose contre l'existence du parti *nazi* ?
>
> DUMONT : Tout à fait. Le parti *nazi* dans l'histoire, c'est des [...] millions de morts. Non je n'ai rien contre son existence.
>
> KHADIR : Alors de quoi on se mêle ? Que les gens qui sont *nazis*, laissons-les à leurs idées ! Moi, je suis...
>
> DUMONT : Mais ils sont vos amis. Vous êtes proche d'eux ?
>
> KHADIR : Mon père... [...] Mon père, si c'est ça que vous voulez dire, a des sympathies pour les *nazis* parce que il en a marre que des gens les accusent de n'importe quoi, etc.

On accuserait donc les communistes de n'importe quoi ? Quoi, par exemple ? D'avoir opprimé, affamé, méthodiquement surveillé, épié, traqué, réduit à la misère ou à l'esclavage, déporté, interné dans des camps, assassiné, j'en passe et des meilleures !... des dizaines de millions d'êtres humains — la bagatelle de 70 millions de morts en Chine seulement ?! Il me semble à moi, simple mortel, que l'histoire du XXe siècle étant ce qu'elle est, les communistes ont autant à se reprocher que les nazis, que leur héritage est égal en abjection, et que celui qui ose encore se dire communiste au XXIe siècle n'a pas droit à plus d'indulgence (ni à moins de hauts le coeur) qu'un autre zouf qui revendiquerait le titre de nazi !

Amir Khadir n'est pas de cet avis, qui s'en étonnera ? Mais il est pour la liberté d'opinion. Comme moi, comme vous et comme... les communistes. Mais oui, les communistes ! Qui sont pour la liberté d'opinion tant qu'ils sont dans l'opposition, mais qui s'empressent de l'abolir sitôt qu'ils s'emparent du pouvoir. Ce qui n'arrivera pas, rassurons-nous. Car ni les hurluberlus du Parti communiste du Québec ni leurs khamarades de Québec solidaire ne prendront jamais le pouvoir. Ils pourront donc jusqu'à la fin des temps, et par la bouche du khamarade Khadir, faire de belles déclarations de principe sur la liberté d'opinion.

Après le coup d'éclat d'Amir et les commentaires qu'il aura provoqués dans les médias, les PAJUstes ne pourront plus jamais manifester le samedi devant Le Marcheur sans que des individus ou des groupes plus ou moins organisés ne viennent contester leur action. Le 18 décembre, une campagne baptisée *BUYcott*, lancée sur Facebook, amènera sur les lieux quelque 150 personnes, parmi lesquelles des journalistes et des commentateurs bien connus du public[116]. À l'extérieur, tandis que William Sloan, déguisé en Père Noël, tape du pied ou joue du tambourin[117], les khamarades chantent joyeusement, sur l'air de *Jingle Bells*, ces paroles qui, ainsi que l'Internationale, passeront à la postérité : «On boycotte Le Marcheur le temps de Noël! [...] Un soulier, deux souliers [...] On boycotte, on boycotte l'apartheid d'Israël! On boycotte le Marcheur dans le temps de Noël!»

On peut trouver sur YouTube deux vidéos de l'événement[118]. L'une d'elles nous montre le chroniqueur et animateur Richard Martineau en train d'enguirlander les PAJUstes. Dans l'autre, il les nargue en brandissant fièrement un sac portant l'étiquette BeautiFeel.

---

116. http://www.qic-cqi.org/spip.php?article242
117. Homme-orchestre, il jouera même du banjo devant Naot le 5 novembre 2011. Je le sais, j'y étais!
118. http://www.youtube.com/watch?v=TC7-OwkpiBw&NR=1 et http://www.youtube.com/watch?v=jwlImb61ZZc&NR=1

Jean-François Lisée écrira plus tard dans *L'Actualité*: «Vouloir affamer commercialement tout un pays en commençant sa campagne par un petit commerce de chaussures relève davantage de l'incompétence militante que du fanatisme[119].»

Voire...

Je partage plutôt l'avis de Mathieu Bock-Côté: «On peut voir que les événements des derniers jours révèlent ce qu'on pourrait appeler: le visage sombre de l'ultra-gauche[120].» La suite de l'histoire nous en fournira la preuve.

---

119. http://www2.lactualite.com/jean-francois-lisee/les-chaussures-damir-khadir/6948/

120. Chez Mario Dumont au Canal V http://www.youtube.com/watch?v=_kLN9_aASOE&NR=1

CHAPITRE V

Khadir s'emmêle

Il m'a suffit de quelques minutes pour comprendre que le bonhomme est surtout un casse-pied de première. Comme tous les casse-pieds, il va réussir à emmerder bien du monde. Pendant un certain temps. Jusqu'à ce que le monde se tanne, comme cela finit toujours par arriver avec tous les casse-pieds.

Claude Picher[121]

Le « casse-pied » réplique dans *La Presse* du 27 décembre à l'article de Lysianne Gagnon dans lequel cette dernière le qualifiait de fanatique. Laissons-lui la parole :

> [...] En 30 ans d'implications sociale et politique j'ai participé à des centaines de rassemblements, de pétitions, de campagnes et de pique-tages pour défendre la démocratie et les droits humains partout dans le monde. Depuis 1980, je milite contre la dictature religieuse en Iran. J'ai pris la parole et passé de nombreuses motions à l'Assemblée nationale à ce sujet. On ne m'a jamais accusé d'être un anti-iranien ou un fanatique pour cela. En appui à la mère de Nathalie Morin, je dénonce depuis deux ans la séquestration de Nathalie et de ses enfants en Arabie Saoudite par un mari abuseur qui s'appuie sur la charia isla-mique pour perpétrer son abus. Personne ne m'accuse pourtant d'anti-islamisme.

---

121. *La Presse*, 21 mars 2009. http://lapresseaffaires.cyberpresse.ca/opinions/chroniques/claude-picher/200903/21/01-838856-tourisme-commerce-et-amir-khadir.php Voir aussi ce plaidoyer de Khadir sur le site de Québec solidaire : http://www.quebecsolidaire.net/actualite_nationale/a_propos_de_la_campagne_boycott_desinvestissement_sanctions_bds

Alors pourquoi mes interventions pour critiquer les violences pratiquées par l'armée et le pouvoir en Israël me valent-elles le qualificatif de «fanatique», avec les images terribles qu'évoque ce terme? Desmond Tutu, compagnon de Mandela, et Jimmy Carter, l'ex-président américain, seraient-ils devenus fanatiques parce qu'ils qualifient la situation vécue par les palestiniens d'apartheid? Le professeur Stephen Scheinberg, ancien dirigeant du B'nai Brith, confiait à la revue *L'Actualité* sa désapprobation envers les tactiques de ceux qui repoussent toute critique d'Israël: utilisation sélective des faits, atteinte à la réputation et culpabilité par association. «Je suis juif et sioniste, expliquait-il. Mais un sioniste n'est pas tenu de soutenir toutes les politiques et actions du gouvernement d'Israël.»

Québec solidaire souhaite une résolution pacifique du conflit israélo-palestinien, dans la justice et l'équité pour les deux peuples. Nous invitons les commerçants à appuyer la campagne BDS en manifestant leur intention de ne pas vendre de produits israéliens. Dans la lutte contre l'apartheid, le boycott du commerce avec l'Afrique du Sud a forcé ce pays à s'améliorer. Souhaitons qu'Israël retienne l'exemple[122].

Rendons grâce à Khadir d'avoir dénoncé la dictature iranienne et de se préoccuper du sort de Nathalie Morin, mais ne prenons pas au sérieux sa référence à Carter et Tutu, qu'il rabâche mécaniquement et dont nous savons déjà à quel point elle repose sur des bases contestables. Ce qu'il dit par ailleurs à propos de l'ancien dirigeant du B'nai Brith, mérite d'être catégoriquement rejeté, et nul mieux que Stephen Scheinberg lui-même ne saurait s'en charger:

Amir Khadir, dans sa défense boiteuse de son rôle dans le boycott de la boutique «Le Marcheur», cherche à m'impliquer dans sa défense. Il souligne correctement qu'à titre de Juif et de sioniste, je me réserve le

---

122 http://www.cyberpresse.ca/opinions/201012/23/01-4355157-ni-fanatique-ni-antisemite.php?utm_categorieinterne=trafficdrivers&utm_contenuinterne=cyberpresse_B13b_opinions_652_section_POS1

droit d'être critique envers Israël lorsqu'approprié. Toutefois, il confond la critique avec une action liée à un mouvement qui ne cherche pas à réformer l'État d'Israël, mais à le supprimer. Il lui aurait été aisé de consulter mes écrits contre le mouvement de boycott ou mon débat avec Omar Barghouti, dirigeant du mouvement, disponible sur Youtube.

Je suis opposé au boycott qui cible l'intégrité d'Israël en faveur de la soi-disant «solution de l'État unique», qui cherche à détruire Israël et le remplacer par un État à majorité palestinienne. Ce rêve, qui est mon cauchemar, s'inscrit catégoriquement en faux avec la solution à deux États pour deux peuples endossée par les deux parties au conflit, l'Union européenne, la Russie et les Nations unies. Shalom Akhchav (le mouvement israélien «Paix maintenant») et l'ensemble du mouvement pro-paix israélien sont opposés au boycott d'Israël.

Le boycott de Khadir contre un honnête commerçant, qui offre un produit fabriqué dans les frontières reconnues d'Israël, est loin de constituer une critique honnête de ce pays. Il s'agit d'une action vaine dans laquelle il s'aligne avec un mouvement clairement dédié à la destruction d'Israël.

Stephen Scheinberg, Ph.D.

Co-président, Amis canadiens de La Paix Maintenant

Professeur émérite, Université Concordia[123]

Françoise David, dans un texte publié le 3 juin 2010, faisait également référence aux propos de M. Scheinberg cités par Amir Khadir dans sa lettre du 27 décembre 2010. La co-porte parole de Québec solidaire se trouve donc elle aussi rabrouée par l'ancien dirigeant du B'nai Brith. Mais mérite-t-elle autant que son collègue la mercuriale servie par M. Scheinberg? Je n'en suis pas certain. On trouve en effet dans le texte de Mme David le passage

---

123. http://davidouellette.wordpress.com/2011/01/23/stephen-scheinberg-rejette-toute-association-avec-les-positions-anti-israel-damir-khadir/

suivant, qui laisse croire qu'elle ne partage pas entièrement les vues d'Amir Khadir : « Il va sans dire que nous reconnaissons à Israël et à son peuple le droit de vivre en sécurité et de disposer de son territoire. Mais nous reconnaissons ces mêmes droits à la Palestine et à son peuple[124]. » Pardon ? Ai-je bien lu « droit de disposer de son territoire » ? Savez-vous ce que vous dites, Mme David ? Vous approuvez donc (c'est incroyable ! c'est inouï !) la solution des deux États ? Et nulle part vous ne faites allusion au « droit au retour » des réfugiés, qui signerait la mort d'Israël[125] ? Mais vous êtes donc !... vous êtes donc... sioniste, par la barbe du Prophète ! Mais oui, sioniste ! Car c'est cela d'abord et avant tout être sioniste : approuver l'existence d'un État juif au Proche-Orient.

À propos de la campagne BDS, vous avez déclaré le 25 novembre 2009 : « Soyons clairs : cette campagne ne vise ni les Juifs en tant que Juifs, ni le droit à l'existence d'Israël dans ses limites reconnues par les Nations Unies. Elle vise seulement les politiques israéliennes d'occupation, de colonisation et de discrimination envers les Israéliens non-juifs[126] ». Si l'on exclut votre pieux mensonge à propos de la soi-disant « discrimination envers les Israéliens non-juifs », vos propos sont très clairs : vous approuvez l'existence

---

124. http://www.francoisedavid.com/2010/06/pour-une-paix-feconde-au-moyen-orient/

125. Basée sur une interprétation tordue du paragraphe 11 de la résolution 194, votée le 11 décembre 1948 par l'Assemblée générale de l'ONU, ce « droit au retour », un « retour hostile », jouit, comme l'écrit Michel Gurfinkiel, « d'une grande popularité dans les pays arabes vaincus ». J'ajouterais : parmi les antisionistes obsessionnels des pays occidentaux, PAJU inclus. Comme le disait si bien en 1949, le ministre égyptien des affaires étrangères, Muhamad Salah Al-Din : « Chacun sait et comprend que les Arabes, quand ils exigent le retour des réfugiés en Palestine, veulent que ces derniers rentrent chez eux en maître du pays et non en esclaves. Pour être tout à fait clair, ce retour signifie la liquidation de l'État d'Israël. » Voir Gurfinkiel, Op. cit., p. 133.

126. http://www.quebecsolidaire.net/actualite-nationale/quebec-solidaire-appuie-la-campagne-«-boycott-desinvestissement-et-sanctions-»-contre-l'occupation-de-la-pal

d'Israël. Mais qu'en pense M. Khadir ? Est-il de votre avis ? Si oui, eh bien !... il est sioniste lui aussi, lalalèreu ! Mais j'y pense !... Oui, Khadir est sioniste ! Dans une entrevue avec Benoit Dutrizac, le 17 décembre 2010, il disait bien qu'il ne voulait pas détruire l'État d'Israël, mais seulement l'améliorer ! Comme l'Afrique du Sud a été améliorée naguère grâce à un boycott !... Je n'en reviens pas ! Khadir est sioniste ! Khadir est sioniste ! Khadir est sioniste !... Non, dites-vous ?... Je ne voudrais pas semer la zizanie dans votre couple, Mme David, mais, je pense que votre co-porte-parole vous joue dans l'dos !

Après deux semaines de répit, les PAJUstes reprennent leur piquetage le 8 janvier 2011. Le soutien à la boutique Le Marcheur prend simultanément de plus en plus d'ampleur. Le vendredi 14 janvier, le député conservateur Steven Blaney vient donner son appui[127]. Il se fait photographier à l'intérieur de la boutique entre Yves Archambault, Ginette Auger et un employé de ces derniers. Yves et Ginette ne peuvent faire fi d'un tel geste de sympathie, mais souhaiteraient bien pouvoir s'en passer... et travailler en paix. Le brouhaha qui les entoure les dérange de plus en plus. Le lendemain, d'autres politiciens se présentent sur les lieux : François Bonnardel de l'ADQ, Lawrence Bergman du PLQ, Marc Garneau du PLC, Howard Liebman, chef de cabinet d'Irwin Cotler[128]. À l'extérieur, manifestants et contre-manifestants se font face. Malheureusement, les PAJUstes n'ont pas l'intention de lâcher prise.

Le 20 janvier, littéralement engueulé à la radio par Benoit Dutrizac et sommé par ce dernier de mettre fin aux manifestations de PAJU, Khadir déclare : « Quand on commence quelque chose

---

127. http://www.facebook.com/note.php?note_id=490268922040
128. http://fr.canoe.ca/infos/quebeccanada/archives/2011/01/20110115-175726.html

de cette nature, quand on se bat contre l'injustice en Israël, c'est très dur parce que le lobby israélien est excessivement fort!

— M. Archambault fait partie du lobby israélien?!?

— Oui! Mais surtout, M. Archambault a été lourdement visité...»

Impossible de reproduire intégralement ce dialogue échevelé, il faut l'écouter[129]. Je vous invite instamment à le faire.

«La gang de malades dont vous parlez, reprend Khadir, c'est des professeurs de cégep [inaudible] d'origine juive, c'est une jeune Juive des Laurentides qui a vécu toute sa vie[130]...

— Ça change rien!

— [...] Vous avez des jugements un peu faciles, un peu rapides qui sont tous taillés sur le modèle du B'nai Brith puis du Congrès juif canadien qui sont aveuglés par les millions, d'accord? Y a des millions de dollars qui sont... parce que c'est la réalité... [...] Nous boycottons les *produits* israéliens. Il faut s'assurer qu'on n'est pas complice avec l'injustice, qu'on n'est pas complice avec un système qui est raciste!»

Ouf!... Mais voici le passage de l'entrevue où Khadir laisse entendre — ou nous permet d'émettre l'hypothèse — que malgré tout, comme sa collègue Françoise David, il est peut-être... sioniste: «On ne nie pas le droit aux Israéliens en Israël qui vivent là [sic] de vivre en paix, c'est, contrairement à ce qu'une certaine presse laisse entendre, c'est justement parce que à long terme, une paix réelle pour le peuple israélien et pour le peuple palestinien n'est pas possible si on laisse les mêmes politiques se poursuivre...»

S'il ne s'agit, en utilisant l'arme du boycott — et en piquetant tous les samedis devant une boutique de la rue Saint-Denis, à

---

129. http://files.gestionradioqc.com/audio/2011/01/20/20110120020038.mp3
130. Allusion probable à Sabine Friesinger, dont une grand-mère était juive (entendu de sa bouche devant la boutique Naot le 5 novembre 2011).

Montréal, Québec, Canada — que de faire changer les politiques d'Israël tout en lui permettant d'exister comme État juif, il faut de nouveau conclure que Khadir est sioniste. Mais (un gros mais) Khadir, dont de nombreux amis sont communistes (i.e. les PAJUstes, dont il soutient l'action), entend peut-être par le mot «paix» tout autre chose que les naïfs que nous sommes, pour qui «paix» veut dire paix. Ainsi, grâce aux Khadir de ce monde, les Israéliens auront un jour la paix, mais quel genre de paix? Quand leur pays aura disparu, absorbé par une grande Palestine «démocratique et laïque» et... islamique, voire islamiste, dirigée par une coalition formée par le Fatah et le Hamas, dont l'objectif avoué est de rejeter les Juifs à la mer, on fera la faveur d'accorder aux Juifs qui n'auront pas été zigouillés le statut de dhimmis. Et Khadir sera content, car la paix régnera de la Méditerranée jusqu'au Jourdain. Peut-être après tout qu'il n'est pas sioniste, notre ami Khadir.

Peu après cette entrevue à la radio, Yves Archambault reçut, par l'entremise de l'attachée de presse de Khadir, Josée Larouche[131], une invitation à souper au restaurant. On peut se poser la question: une conversation entre les deux hommes aurait-elle influé sur le cours des événements? Aurait-elle permis d'arrondir les coins, ou au contraire envenimé le conflit? Je sais qu'Yves Archambault aurait persisté dans son refus de retirer les souliers BeautiFeel de ses étalages et je suis certain d'autre part qu'Amir Khadir n'aurait pas changé d'avis à propos d'Israël et du boycott. La rencontre n'eut pas lieu, il faut donc la retirer de la liste des causes possibles de ce qui se produisit plus tard. Il est cependant

---

131. Josée Larouche est officiellement l'attachée politique d'Amir Khadir, poste plus important que celui d'attachée de presse. Un communiqué de presse publié le 20 janvier 2011, annonçait d'ailleurs que Christian Dubois allait désormais agir comme attaché de presse du député de Mercier. Mme Larouche était déjà en 2004 attachée politique à l'UFP.

permis de croire que le refus d'Yves Archambault de répondre à son invitation causa quelque irritation au député de Mercier.

« Ça peut dégénérer », disait Dutrizac pendant son entrevue avec Khadir. Le 22 janvier, quelqu'un de peu recommandable (disent certains) vient se joindre aux membres de PAJU pour dénoncer l'apartheid israélien (et son vilain complice de la rue Saint-Denis, Le Marcheur). Il s'agit de Jean-Roch Villemaire, du Mouvement Nationaliste Révolutionnaire Québécois (MNRQ), un groupuscule d'extrême droite — Villemaire a « déjà avoué avoir des affinités avec les leaders d'extrême droite européens Jean-Marie Le Pen et Jörg Haider », peut-on lire dans le *Journal de Montréal*[132]. Au cou de Villemaire est suspendue une pancarte où l'on peut lire : « Tout est OK. Il n'y a pas de problème. Achetez des produits d'apartheid d'Israël ».

« Le MNRQ est antisioniste, il brisera l'échine de l'idéologie sioniste », a déjà écrit Villemaire. Cet extrait du manifeste du MNRQ, que l'on peut trouver sur Vigile.net[133], est cité dans le *Journal de Montréal* par Mathieu Turbide, qui ajoute : « Joint par *Le Journal*, hier soir, l'organisateur des manifs du PAJU, Bill Sloan, a indiqué ne pas connaître ce militant qui était à ses côtés. "C'est la première fois que je le voyais", a-t-il soutenu[134]. » Villemaire est un personnage plutôt marginal, voire insignifiant, en quête de publicité, mais les PAJUstes, qui se targuent de ne pas être racistes (ni antisémites, car Juifs pour la plupart), sont certes embêtés par sa présence sur leur ligne de piquetage.

A lieu ce même samedi un incident fort désagréable. Un citoyen noir venu sur les lieux pour supporter Le Marcheur, M. Tshibain Tshibungu, se fait apostropher par quelqu'un qu'il m'est

---

132. http://fr.canoe.ca/infos/societe/archives/2011/01/20110123-033000.html
133. http://www.vigile.net/Mouvement-Nationaliste
134. http://fr.canoe.ca/infos/societe/archives/2011/01/20110123-033000.html

malheureusement impossible d'identifier (je ne me gênerais pas) :
« "Puis en plus, t'es pas de la même couleur que moi, ha, ha...", a
lancé l'homme d'une cinquantaine d'années alors qu'il prenait
des photos[135].» Aucun PAJUste, semble-t-il, n'est intervenu pour
rabrouer l'insulteur.

Ça «brasse» donc de plus en plus, et les propriétaires du
Marcheur en ont de plus en plus marre. Mathieu Turbide écrit :

> Malgré l'appui qu'il reçoit, le propriétaire de la boutique, Yves
> Archambault, commence à en avoir assez. «On espère que ça va cesser,
> parce qu'on ne prend pas plaisir à ça.» Il aimerait pouvoir s'adresser aux
> tribunaux pour demander une injonction empêchant les manifestations
> devant son commerce, mais il n'en a pas les moyens. «On a vérifié, mais
> ça peut coûter très cher.» Toute la publicité qu'il reçoit en raison de la
> controverse lui attire une nouvelle clientèle, admet-il, mais son chiffre
> d'affaires n'augmente pas pour autant. «Oui, on voit une nouvelle
> clientèle qui vient nous voir, surtout pour nous appuyer, mais d'un autre
> côté, il y en a qui ne viennent plus justement à cause des manifestations[136].»

La présence de Jean-Roch Villemaire à la manifestation du 22 janvier amène finalement les PAJUstes à suspendre pendant deux
semaines leur piquetage devant Le Marcheur. Bruce Katz déclare
devant Jonathan Montpetit de la Presse Canadienne : «We are
not going to permit extreme-right elements to promote their own
racist agenda. We're certainly not going to let them discredit our
own legitimate actions[137].» Réflexion pour le moins stupide de la
part de Katz, qui ne se gêne pas pour collaborer avec la télévision

---

135. http://fr.canoe.ca/infos/societe/archives/2011/01/20110123-032100.html
136. *Ibid.*
137. «Nous ne permettrons pas à des éléments d'extrême-droite de faire la promotion
de leur programme raciste. Nous ne les laisserons pas discréditer nos actions
légitimes.» http://montreal.ctv.ca/servlet/an/local/CTVNews/20110127/mtl_shoes_
110127/20110127/?hub=MontrealHome

officielle des mollah iraniens, Press-TV, et se charge ainsi mieux que quiconque ne pourrait le faire de se discréditer lui-même.

Ce moratoire de deux semaines ne met pas fin à la controverse, qui s'envenime plutôt. Voici comment Joseph Facal interprète les derniers événements :

> Allez (ensuite) écouter les entrevues données par Amir Khadir la semaine dernière aux émissions de Benoît Dutrizac et de Christiane Charrette. Il dit lutter contre «un des lobbies les plus puissants». Le commerçant, lui, «fait partie d'un ensemble». Il dit à Dutrizac de ne pas se laisser «aveugler par les millions de dollars». Il loue aussi «l'intelligence» et le «courage» des militants du PAJU, dont la charte réclame un État palestinien, mais ne dit rien sur le droit d'exister d'Israël. Surréaliste.
>
> Femme intègre et sensible, Françoise David ne peut pas ne pas être profondément troublée. D'abord, c'est l'engagement de Khadir dans cette affaire qui a attiré l'extrême droite. Ensuite, dès qu'il est spécifiquement question d'Israël, la petite musique de son co-chef et celle de Villemaire ont un air de famille. Enfin, des membres de son propre parti ont fait un tort immense à ce commerçant[138].

Le samedi 29 janvier, les contre-manifestants, parmi lesquels je me trouvais, attendront en vain qu'apparaissent les membres de PAJU ou leur indésirable allié du MNRQ, Jean-Roch Villemaire. Surgiront plutôt sur les lieux une quinzaine d'énervés d'un groupe gaucho-anarchiste appelé ANTIFA. Certains ont la figure voilée ou masquée. Venue avec l'intention de tabasser Jean-Roch Villemaire, cette bande d'exaltés se contentera de menacer le chroniqueur Éric Duhaime[139], qu'ils haïssent, aboie la jeune porte-parole du groupe. La meute disparaît ensuite comme elle est venue. On ne

138. http://www.josephfacal.org/le-merdier/
139. Qui est l'un des plus ardents défenseurs du Marcheur, et qui vient alors presque chaque samedi contre-manifester sur la rue Saint-Denis.

la reverra plus. Le samedi 5 février, ni les PAJUstes, ni les MNRQuistes, ni les ANTIFAstes ne se présenteront sur la rue Saint-Denis. Mais les supporteurs du Marcheur, eux, sont prêts à toute éventualité et ne lâchent pas prise.

Amir Khadir profite le lendemain de la tribune que lui offre l'émission *Tout le monde en parle* (diffusée le 6, mais enregistrée le 4), pour affirmer que son parti n'est pas communiste et que lui-même n'a pas d'agenda islamiste. Questionné à propos du boycott des produits israéliens, il affirme qu'il s'agit d'un «moyen pacifique» pour forcer Israël à améliorer ses relations avec la Palestine. S'il ne s'agit que de ça, la preuve du sionisme de Khadir vient encore de nous être fournie par ses propres soins. C'est Françoise David qui doit être heureuse d'apprendre que son collègue ne lui fait pas pousser des cornes. Résumant les propos de Khadir, la journaliste Julie Rhéaume, de Showbizz.net, écrit: «Le boycott d'une boutique montréalaise a évidemment été abordé. Il ne faut finalement pas nuire aux petits commerçants mais tout simplement boycotter les produits provenant d'Israël, a-t-il répondu en patinant[140].»

Du bonbon! Mais nous verrons bientôt — notre connaissance du discours qu'il livrera le 15 mai[141] nous en fournissant déjà un très bon aperçu — à quel point Khadir se montre hypocrite en affirmant ne pas vouloir nuire aux petits commerçants.

Il a beau être (discrètement) sioniste, ainsi que semblent le démontrer sa prestation à TLMEP et certaines de ses déclarations antérieures, Amir Khadir ne perd pas une occasion de dénoncer les péchés réels ou imaginaires d'Israël. À chaque année à l'Assemblée

---

140. http://www.showbizz.net/television/«tout-le-monde-en-parle»-amir-khadir-se-defend-71706.html. Il est apparemment impossible de visionner en ligne sur le site de Radio-Canada cette apparition d'Amir Khadir à TLMEP. On ne peut davantage la voir sur YouTube, ni même sur le site de Québec solidaire.
141. Voir le début du premier chapitre.

nationale, il y va d'une déclaration sur la Nakba remplie des habituels mensonges et demi-vérités sur la création d'Israël : déclarations des 14 mai 2009, 20 mai 2010 et 19 mai 2011. En deux occasions (1er juin et 22 septembre 2010), il dépose une pétition condamnant Israël pour l'arraisonnement de l'Amara. Le texte de la pétition du 22 septembre, signée par 966 pétitionnaires, demande à Québec de « Suspendre l'entente de coopération économique entre le Québec et Israël pour faire pression sur l'État d'Israël et appuyer la campagne internationale de boycott, de désinvestissement et de sanctions économiques, notamment par le retrait des vins et spiritueux en provenance d'Israël des tablettes de la SAQ ».

Le 8 février 2011, à l'Assemblée nationale, la députée libérale Fatima Houda-Pepin présente une motion visant à « saluer le courage et la mobilisation des peuples tunisien et égyptien, qui luttent pour la démocratie ». Trois députés se prononcent sur cette motion : Monique Gagnon-Tremblay, du parti libéral, Louise Beaudoin, du parti québécois et Amir Khadir de Québec solidaire. Ce dernier trouve le moyen dans son intervention d'appui aux peuples arabes d'attaquer l'État juif, l'éternel coupable :

> [Or], une des choses que reproche le peuple égyptien à Hosni Moubarak, c'est sa politique de complaisance[142] qui permet à Israël de bafouer quotidiennement et depuis 30 ans les droits du peuple palestinien, peuple palestinien qui se soulève également et qui se soulèvera. Il ne faudra pas attendre qu'il se soit soulevé avant de l'appuyer. Ce peuple, ces organisations nous demandent de boycotter les produits israéliens parce qu'il sévit actuellement en Israël une politique de développement séparée entre les intérêts d'un autre peuple arabe. Nous souhaitons l'éveil et la démocratie du peuple arabe. La première chose en démo-

---

142. Manière peu subtile de reprocher à l'Égypte d'avoir signé avec Israël (sous la présidence de Anouar El-Sadate, à qui cela coûtera la vie) un traité de paix qui lui permit de récupérer le territoire du Sinaï. Que le successeur de Sadate, Moubarak, ait été un dictateur, la faute en revient évidemment à Israël !

cratie, c'est la liberté. Et le peuple palestinien, 1,2 million de peuple [*sic*] palestinien à Gaza, 3 millions de peuple [*sic*] palestinien sur tout le territoire occupé sont privés des libertés fondamentales[143]. Il est grand temps, si on est sincères dans nos vœux pour la démocratie au Moyen-Orient et pour le peuple arabe, qu'on appuie la campagne de boycott des produits israéliens. Merci[144].

Le lendemain, 9 février, le député de Mercier empêchera l'adoption d'une motion d'appui au Marcheur, qui avait besoin de l'accord unanime de l'Assemblée. On pouvait y lire « que l'Assemblée nationale réitère son soutien à l'Entente de coopération entre le gouvernement du Québec et le gouvernement de l'État d'Israël, laquelle a été signée à Jérusalem en 1997 et renouvelée en 2007[145]. »

Deux semaines plus tard, soit le 22 février, une motion semblable est votée au Conseil municipal de la ville de Montréal à l'initiative du maire Gérard Tremblay. Le principal parti d'opposition, Vision Montréal, s'y objecte, et la moitié des élus de Projet Montréal votent contre, mais le texte suivant est quand même adopté à 38 voix contre 16 :

> *« Il est résolu :*
>
> *Que le conseil municipal déplore la campagne de boycott qui se tient depuis plusieurs mois devant la boutique Le Marcheur de Montréal.*
>
> *Qu'en vertu des principes de libre entreprise et de libre marché, le conseil municipal appuie le propriétaire de ce commerce, Monsieur Archambault, qui a pignon sur rue dans la métropole depuis 25 ans.*

---

143. Pas par le Fatah, ni par le Hamas, bien sûr ! Dont les produits idéologiques fétides ne doivent pas être boycottés, mais plutôt consommés sans aucune retenue — mais sans avoir l'air d'y toucher, en khatimini !... afin de ne pas trop avoir l'air cave — ainsi que le font Khadir et ses khamarades PAJUstes.

144. http://www.assnat.qc.ca/fr/travaux-parlementaires/assemblee-nationale/39-1/journal-debats/20110208/30731.html#_Toc285023374

145. http://davidouellette.wordpress.com/2011/02/09/le-boycott-disrael-desavoue-a-lassemblee-nationale/

Que le conseil municipal proclame son soutien à l'Entente de coopération
entre le gouvernement du Québec et le gouvernement de l'État d'Israël,
laquelle a été signée en 1997 et renouvelée en 2007[146] *.»*

Les objections de la leader de Vision Montréal, Louise Harel, à
l'adoption de cette motion paraissent incongrues, car la motion
n'a pas pour but d'empêcher les manifestations, mais de supporter
celui qu'elles visent. Elle déclare :

> «Au dessus de la charte montréalaise, il y a la charte des droits et
> libertés de la personne. Et cette charte, elle repose sur le droit à la libre
> expression et le droit à la liberté de démonstration», a-t-elle rappelé.
> «J'ai participé activement à plusieurs campagnes de boycottage, et j'en
> suis extrêmement fière. J'ai participé entre autres à une campagne de
> boycottage des vins d'Afrique du Sud, et je suis extrêmement fière
> d'avoir convaincu René Lévesque qu'il fallait interdire ces vins dans les
> Sociétés des Alcools à travers le Québec[147].»

Une évidence s'impose : Louise Harel approuve l'action des
PAJUstes. Faut-il s'en étonner ? Mme Harel est très proche des
milieux propalestiniens et antisionistes, ce qui est parfaitement son
droit, bien sûr[148]. Mais les arguments qu'elle emploie le 22 février
pour défendre sa position ne tiennent pas la route. Les ennuis du

---

146. http://davidouellette.wordpress.com/2011/02/24/gerald-tremblay-le-boycott-du-marcheur-un-abus-de-droits/

147. Jean-Louis Fortin, «Le conseil municipal appuie la boutique Le Marcheur», *Journal de Montréal*, 23 février 2011. http://lejournaldemontreal.canoe.ca/journaldemontreal/actualites/regional/montreal/archives/2011/02/20110223- 134742.html

148. Son conjoint, Edmond Omram, est vice-président de La Fondation canado-palestinienne du Québec, président d'Aide médicale pour la Palestine (AMP) et fut le premier représentant au Québec du bureau d'information de l'Organisation de Libération de la Palestine (OLP). M. Omram entretint dès l'enfance des liens avec la famille de Yasser Arafat. http://www.radio-canada.ca/actualite/v2/tj22h/archive50_200411.shtml#

Marcheur ne comptent pour rien à ses yeux, tout ce qui compte, c'est la cause que défendent ses amis à elle. On peut lui accorder raison sur un point: le piquetage de PAJU n'est pas illégal. Mais il n'est pas davantage illégal de le dénoncer.

> Harel a toujours fortement appuyé la Palestine et condamné Israël, prenant la parole dans de nombreuses manifestations pro-palestiniennes depuis son élection à l'Assemblée nationale en 1981. En juin de l'année dernière [18 juin 2008], quelques mois avant sa démission comme représentante de la circonscription d'Hochelaga-Maisonneuve, elle a présenté à l'Assemblée une motion [en réalité, il s'agissait d'une pétition] demandant au gouvernement du Québec de « reconnaître publiquement que la Nakba (le jour de la « catastrophe », qui vit la naissance d'Israël) est une injustice historique faite aux Palestiniens et palestiniennes ». La motion de Harel décrit Gaza comme une « prison à ciel ouvert » et reproche à Israël d'enfreindre le droit international. La motion n'a pas été adoptée par le gouvernement Charest[149].

Quant au chef de Projet Montréal, Richard Bergeron, il quittera la salle au moment du vote. Le maire de l'arrondissement du Plateau-Mont-Royal, Luc Ferrandez, membre du même parti, fera comme son chef. Geste qui vaudra à chacun d'eux une amende de 100 dollars. À peu près le prix de deux bonnes paires

---

149. *«Harel has a history of strongly supporting Palestine and condemning Israel, speaking at numerous pro-Palestine rallies since she was first elected to the National Assembly in 1981. In June of last year, only months before she would resign as MNA for Hochelaga-Maisonneuve, she presented as motion in the Assembly calling that the Quebec government "recognize publically that the Nakba (the day of 'catastrophe,' when Israel was created) is a historic injustice done to Palestinians." Harel's motion goes on to describe Gaza as an "open-air prison" and chastises Israel for disobeying international law. The motion was not adopted by the Charest government».* Beryl Wajsman et Dan Delmar, «How Harel spent some public bucks», The Metropolitain, 1er octobre 2009 (traduit par nous) http://www.themetropolitain.ca/articles/view/686 On trouvera le texte de la pétition sur le site de l'Assemblée nationale http://www.assnat.qc.ca/fr/deputes/harel-louise-3597/interventions.html 38e législature, 1re session - 18 juin 2008.

de claques chez Le Marcheur. Mais sans qu'on sache trop pour quelle raison, la moitié des élus de Projet Montréal votèrent pour la motion, l'autre moitié, contre... Je présume que cette prudente division des votes fut savamment organisée pour éviter... une division.

Le 26 février, les députés François Bonnardel, de l'ADQ, Martin Lemay, du PQ (représentant de la circonscription de Sainte-Marie-Saint-Jacques, où se trouve la boutique Le Marcheur), et Lawrence Bergman, du PLQ, viendront présenter à Yves Archambault une copie de la motion sabotée par Khadir. Ce jour-là, comme lors des deux semaines précédentes, soit les 12 et 19 février, les PAJUstes ont repris leur piquetage hebdomadaire, mais selon des modalités différentes, s'arrêtant devant Le Marcheur jusqu'à 14 heures, pour ensuite traverser la rue Saint-Denis afin d'aller piqueter un peu plus au sud devant la boutique Naot, où les contre-manifestants vont également se poster, car elle aussi doit être protégée contre les harceleurs. Une entente a été conclue avec la police par les deux groupes. Pour éviter des accrochages qui troubleraient la paix publique, ils se postent l'un au sud du magasin, l'autre au nord, entre le trottoir et la chaussée afin de ne pas nuire à la circulation des piétons. Cette entente doit être respectée dans le cas de Naot comme dans celui du Marcheur et elle l'est effectivement la plupart du temps. La façade du Marcheur ou de Naot est ainsi libre d'accès, mais ce sont les commerces voisins qui se trouvent importunés.

Le jour où les trois députés viennent soutenir Le Marcheur, William Sloan déclare : « C'est dommage que le débat ne se fasse pas, alors que c'est tout ce que nous demandons. On ne peut pas nous traiter d'antisémites puisque nous sommes juifs pour la plupart et il est clair que nous continuerons nos actions aussi longtemps qu'on tentera d'étouffer notre cause dans les médias[150] ».

---

150. http://fr.canoe.ca/infos/quebeccanada/archives/2011/02/20110226-175426. html

Non antisémites parce que Juifs? L'argument est fallacieux. Il existe dans l'histoire de nombreux cas de Juifs opposés au judaïsme ou à la culture juive, voire carrément antisémites. Karl Marx et Ferdinand Lassalle en sont d'illustres exemples, de même que le poète Heinrich Heine, ainsi que les Viennois Otto Weininger, et Arthur Trebitsh (que Hitler qualifiait de «Juifs convenables[151]»), ou encore la romancière française, Irène Némirovsky, que son hostilité envers les Juifs et la culture juive n'empêcha pas d'être gazée en 1942 à Auschwitz-Birkenau[152].

De nos jours on ne parle plus de Juifs antisémites mais de Juifs antisionistes, comme Noam Chomsky ou Norman Finkelstein. Plusieurs vivent en Israël tout en militant pour la destruction de leur propre pays (Gideon Levy, Ilan Pappe, Michel Warschawski, Schlomo Sand, etc.). Ces individus sont tous d'extrême gauche, sauf certains Juifs religieux ultra-orthodoxes, que le plus virulent des antisionistes contemporains, Mahmoud Ahmadinejad, exhibe parfois devant les foules iraniennes comme des phénomènes de foire. Je n'affirme pourtant pas que les PAJUstes sont antisémites. Pas besoin! Ils sont purement et simplement antisionistes, mais ont adopté par rapport à l'État juif la même attitude que les antisémites traditionnels (Juifs ou non-Juifs) par rapport aux Juifs dans leur ensemble. Le rejet d'Israël a succédé au rejet des Juifs, devenu politiquement incorrect. Il n'en va évidemment pas de même dans les pays musulmans, ni dans les greffons islamistes implantés dans les pays occidentaux, où antisémitisme et anti-sionisme sont amalgamés. Constatons seulement que les PAJUstes

---

151. Voir P.-A. Taguieff, *La nouvelle propagande anti-juive*, p. 362.
152. Michel Epstein, son mari, qui allait être gazé quelques mois après elle, écrivit à Otto Abetz, ambassadeur du Reich en France pour expliquer à ce dernier que bien que Juive, sa femme n'avait jamais aimé les Juifs. Démarche qui ne les sauva ni l'un ni l'autre. Voir http://lettresdisrael.over-blog.com/article-irene-nemirovsky-commemorer-une-juive-antisemite-58796091.html

— et peut-être aussi leur ami Amir Khadir, dont il est décidément difficile de définir la position, n'est-ce pas Mme David? — visent les mêmes objectifs et utilisent les mêmes moyens — moins les mortiers et les bombes humaines — que leurs alliés islamistes du Proche-Orient. Le font-ils en toute connaissance de cause ou ne sont-ils que des «idiots utiles»? Nous ne nous prononcerons pas tout de suite à ce sujet.

Le Marcheur et Naot n'en ont donc pas fini avec les PAJUstes. Ni avec Amir Khadir, qui ne se présente plus sur la rue Saint-Denis, mais qui ne reste pas inactif pour autant, comme nous allons le constater.

CHAPITRE VI

Khadir au plus bas

Il est absolument indispensable qu'il y ait une entente entre les sionistes et les Arabes... Les sionistes sont nécessaires à la région: le capital qu'ils apportent, leurs connaissances, leur intelligence et l'esprit industrieux qui les caractérise contribueront sans aucun doute à la régénération de la région.

Daouk Barakat,
Éditorial du journal égyptien Al Ahram
le 19 février 1913[153]

L'identification avec les Palestiniens est un dérivatif commode et odieux[154].

Rony Brauman

Le 22 décembre 2010, soit onze jours après qu'Amir Khadir se fût joint aux PAJUstes devant le Marcheur, un certain Sébastien Robert[155] décidait de se porter à la défense du député de Mercier, son demi-chef — il paraît qu'il ne faut pas employer ce demi-mot à Québec solidaire — dont le geste avait entraîné une réprobation quasi-unanime dans les médias. M. Robert publia donc sur le web un article qu'il intitula « Lysianne Gagnon la fanatique ». Un para-

---

153. Cité par Michel Gurfinkiel, *Op. cit.*, p. 65.
154. Rony Brauman et Alain Finkielkraut, *La discorde*, p. 181-182
155. Sébastien Robert s'est porté candidat pour Québec solidaire lors de l'élection partielle du 5 juillet 2010 dans Vachon. Il récolta 5,47 % des suffrages,

graphe de cet article est particulièrement intéressant, en ce sens qu'il constituera sur le chemin de gloire d'Amir Khadir une pelure de banane sur laquelle ce dernier ne manquera pas de glisser.

> Un peu plus loin, elle [L. Gagnon] dit qu'Yves Archambault, propriétaire de la boutique familiale « est trop occupé pour avoir le loisir de faire de la politique ». Pourtant, en cherchant dans la liste des donateurs que le DGEQ rend publique, on apprend qu'un Yves Archambault a donné 5 000 $ au PLQ depuis 2000 et 1000 $ à l'ADQ en 2002. Donc, ou bien M. Archambault a du temps pour faire de la politique, ou bien Mme Gagnon considère que faire un don au PLQ ou à l'ADQ tient plus des affaires que de la politique[156]…

Le même texte parut le 11 janvier sur le site *pressegauche.org*, mais, étrangement, le paragraphe que je viens de citer ne s'y trouvait plus[157]. Ou peut-être s'y trouvait-il encore lors de sa parution, mais fut-il enlevé plus tard après qu'Amir Khadir se fût retrouvé les quatre fers en l'air. Hors cette coupure, cette seconde mouture du papier de M. Robert est absolument identique à la première. Émettons l'hypothèse qu'après avoir commis la gaffe que nous allons maintenant relater, Amir Khadir semonça le responsable de sa déconvenue et exigea de lui qu'il fit disparaître la satané pelure. Ce que M. Robert fit pour le deuxième article, mais oublia apparemment de faire pour le premier, qui circule encore sur le web pour notre plus grande édification. Mais tout ça n'est que pure spéculation…

Laissons plutôt Amir Khadir expliquer lui-même les circonstances de sa bourde. Voici le début d'une lettre datée du 4 avril 2011 portant l'en-tête de l'Assemblée nationale. Elle est

---

156. http://www.whitenewsnow.com/quebec-news/12486-lysiane-gagnon-la-sioniste-fanatique.html
157. http://www.pressegauche.org/spip.php?article6238

adressée à Yves Archambault : «Le 24 mars dernier à l'UQAM, lors d'une rencontre organisée par le groupe «Canadiens pour la Justice et la Paix au Moyen Orient» (CJPMO) et par le comité «Justice et Paix en Palestine» de l'UQAM, je donnais une conférence sur la noblesse et la force du boycott commercial comme moyen pacifique de résolution des conflits[158].»

Transportons-nous sur les lieux et écoutons les propos du conférencier. Un extrait seulement. Soyez attentif, le son est très mauvais :

> [...] le/du Marcheur. Mais le comité Québec-Israël et le B'nai Brith sont impliqués de manière systématique dans toutes sortes d'images [*sic*] pour essayer de contrer le travail de sensibilisation des militants pro-palestiniens au Québec et à Montréal ; euh... se sont saisis de cette opportunité pour essayer de mener une campagne médiatique. Dont il faudra sans doute un jour faire le bilan plus précis pour voir, oui, euh... dans le fond... si ces certaines mesures [inaudible] doit contribuer à euh... en tout cas a permis au propriétaire de la boutique Le Marcheur [inaudible]... [Attention, voici la pelure de banane!] un habitué de la caisse électorale du Parti libéral et de l'ADQ... euh Monsieur... mais je ne vais pas vous le dire parce que ce n'est pas destiné à l'information publique, donc euh, c'est un citoyen qui a une allégeance politique qui peut donner une idée donc euh... de son approche dans ce dossier-là [...].

Pas destiné à l'information publique? La belle affaire! Tout le monde sait qu'il est question du propriétaire du Marcheur et que ce dernier s'appelle Yves Archambault, devenu célèbre à son corps défendant, par la faute des PAJUstes et de Khadir. Devant un auditoire qui bâfre au même râtelier politique et idéologique que lui — le CJPMO et le comité «Justice et Paix en Palestine» de

---

158. Voir l'annonce de cette conférence sur le site Web de Québec solidaire http://www.quebecsolidaire.net/evenement/2011-03/amir_khadir_en_conference_sur_le_boycottage_disrael

l'UQAM — Khadir marche sur les eaux en accusant le propriétaire du Marcheur de ce qui représente à ses yeux et à ceux de son public de mauvaises actions qui méritent condamnation : souscrire à la caisse électorale de partis politiques de droite ou de centre-droit. Ouache! Ouache! Ouache!

Mis au courant des propos de Khadir, qui ne se doutait pas qu'ils passeraient les portes de l'UQAM, Yves Archambault publie le 31 mars le communiqué suivant :

MONTRÉAL, le 31 mars /CNW Telbec/ - Voici la déclaration de M. Yves Archambault, propriétaire de la Boutique Le Marcheur, en réaction aux propos de M. Amir Khadir.

« Le 24 mars, devant un auditoire largement acquis à sa cause et rassemblé à l'Université du Québec à Montréal, le député de Mercier à l'Assemblée nationale du Québec, M. Amir Khadir, a délibérément menti à mon sujet, cherchant de cette manière insidieuse à nuire à mon commerce encore plus que lui et ses partisans auront réussi à le faire jusqu'à présent.

Durant toute ma vie, je me suis tenu éloigné de toute association avec quelque parti politique que ce soit, pour des raisons strictement personnelles qui ne concernent ni M. Khadir, ni personne. Or, le 24 mars, M. Khadir a publiquement affirmé non seulement que j'aurais une « allégeance politique », mais aussi que je serais « un habitué de la caisse électorale » de deux partis politiques, soit le Parti libéral du Québec et l'Action démocratique du Québec.

La partisanerie étant un univers qui m'est totalement étranger, il va de soi que je n'ai jamais versé le moindre sou à quelque parti politique que ce soit. Ma plus grande préoccupation consiste à faire vivre convenablement ma famille et mes employés grâce au commerce de quartier que je tiens depuis plus de 25 ans, tout en honorant scrupuleusement mes devoirs de citoyen et de contribuable.

En proférant un mensonge aussi flagrant, M. Amir Khadir tente de me transformer en militant politique dans le but implicite d'aliéner à mon commerce une partie importante de la clientèle du quartier où il est situé. M. Khadir se montre ainsi indigne du comportement et de la probité auxquels les citoyens sont en droit de s'attendre de la part d'un membre de l'Assemblée nationale.

J'exige donc de M. Amir Khadir non seulement qu'il se rétracte publiquement et clairement, mais également qu'il s'excuse formellement du mensonge éhonté qu'il a commis à mon endroit. Je me crois aussi en droit de lui demander de faire le nécessaire pour que lui et ses partisans cessent le harcèlement dont mon commerce est la cible depuis six mois, afin que la rue Saint-Denis puisse retrouver le caractère paisible et convivial qui, depuis toujours, la caractérise et fait son succès commercial et populaire[159].»

Il n'y a qu'un seul Amir Khadir sur le sol québécois. Il vient de réaliser à ses dépens qu'il s'y trouve plus d'un Yves Archambault! Ça parle au diable! C'est Sébastien Robert qui doit s'en mordre les pouces! Que peut faire dès lors le député de Mercier, sinon s'excuser? Ce qu'il fait dans la lettre dont nous avons précédemment cité le début et dont voici la fin — l'entre-deux n'étant qu'un imbuvable vin de messe:

Lors de la conférence à l'UQAM, j'ai aussi abordé la campagne de boycott des produits israéliens au Québec et au Canada depuis 2007. Et j'ai fait allusion brièvement à la controverse entourant votre commerce, la boutique le Marcheur. J'étais à ce moment là convaincu de la validité d'informations qui avaient circulées [sic] dans des médias sur Internet et qui vous associaient à un de vos homonymes, Yves Archambault, qui a contribué à la caisse électorale du Parti Libéral du Québec et de l'Action démocratique du Québec.

---

159. «La boutique Le Marcheur dénonce les calomnies d'Amir Khadir.» http://www.cnw.ca/fr/story/816251/la-boutique-le-marcheur-denonce-les-calomnies-d-amir-khadir Également http://fr.canoe.ca/infos/quebeccanada/archives/2011/03/20110331 - 151631.html

J'ai appris par la voie de votre communiqué de mars dernier que vous aviez démenti être celui qui a contribué au PLQ et à l'ADQ. Je suis sincèrement désolé d'avoir induit en erreur les personnes présentes à la conférence de CJPMO, à qui j'envoie copie de cette lettre pour leur prier d'envoyer un rectificatif à la liste des participants. Je vous assure qu'il n'était nullement mon intention d'induire l'auditoire délibérément en erreur et j'ignorais que l'information avait été infirmée. Si on vous a rapporté mes propos, vous devez savoir que j'ai pris la peine de préciser lors de cette conférence que le boycott de petits commerces ne me semble pas l'avenue la plus prometteuse pour la campagne et que je favorise une campagne axée sur le boycott des produits israéliens, des institutions israéliennes et en cessant d'investir dans des compagnies israéliennes par le biais de nos fonds d'épargnes.

Quoi qu'il en soit, je dois dire que je suis rassuré d'apprendre que vous n'avez aucune allégeance politique et trouve déplorable que certains partis et courants politiques cherchent à manipuler la controverse qui entoure le boycott des produits israéliens vendus à la boutique le Marcheur. Cela dit, je vous invite aussi à bien vouloir rectifier de votre côté, ce qui m'apparaît des erreurs factuelles qui méritent d'être corrigées. Il est faux de dire que je cherche de « manière insidieuse à nuire » à votre commerce ou que j'ai « le but implicite d'aliéner à votre commerce une partie importante de la clientèle du quartier où il est situé » ou que je « harcèle votre commerce ». C'est me prêter des intentions qui ne sont pas les miennes et qui ne correspondent à aucun propos que j'ai pu tenir en public ou en privé. Mes intentions quant à mon implication dans la campagne BDS sont claires: agir dans le but d'aider une population qui le demande; agir de manière pacifique; tenter de convaincre qu'on peut faire du commerce sans nuire à autrui et en respectant les principes de bases d'éthique et de responsabilité sociale des entreprises.

En tout respect et sans préjudice,
Amir Khadir

À première vue, mais à première vue seulement, on peut déceler dans cette lettre un certain accent de sincérité. J'ai même failli m'y laisser prendre. Khadir en serait-il resté là, que le livre que vous êtes en train de lire n'existerait sans doute pas, ainsi que je l'ai déjà dit. Il fallait que Khadir descendît encore un peu plus bas pour que surgisse l'indignation qui fit tomber mes défenses. Mais vous vous indignez peut-être plus facilement... Dans la lettre que je viens de citer se trouve en effet un passage qui a de quoi choquer. Il faut bien lire. Je n'ai pas compris tout de suite, mais sans doute ai-je l'esprit un peu lent. Khadir écrit : « Quoi qu'il en soit, je dois dire que *je suis rassuré d'apprendre que vous n'avez aucune allégeance politique* et trouve déplorable que *certains partis et courants politiques* cherchent à manipuler la controverse qui entoure le boycott des produits israéliens vendus à la boutique le Marcheur. »

Rassuré que Yves Archambault n'ait aucune allégeance politique ? Ç'aurait été un crime ou un péché contre l'Esprit qu'il en eût une ? Il serait donc immoral de cotiser à la caisse électorale des libéraux ou des adéquistes, mais tout à fait anodin, voire louable, d'être à la fois communiste et membre de Québec solidaire ? Rappelons-nous l'entretien à V avec Mario Dumont : « Est-ce que vous avez quelque chose contre l'existence du parti communiste ? Alors de quoi on se mêle ? Que les gens qui sont communistes, laissons-les à leurs idées ! [...] Mon père, si c'est ça que vous voulez dire, a des sympathies pour les communistes parce que il en a marre que des gens les accusent de n'importe quoi. [...] Moi je suis pour la liberté d'opinion, alors je ne mêle pas de ça. Je m'en vais là avec des gens qui sont... qui sont pour une justice... » Et papati et patata !

Le même homme qui, avec une admirable grandeur d'âme, prétend laisser les communistes à leurs « croyances », se réjouit qu'Yves Archambault n'ait pas les allégeances politiques coupables qu'il soupçonnait erronément : être libéral ou adéquiste ? Mieux vaut être communiste, peut-être ? Ça, ça vous campe un homme du côté du Bien ! Si vous ne trouvez pas méprisante et répugnante cette attitude digne d'un censeur moscovite, eh bien ! moi, si !

Autre chose. Toujours dans cette même lettre, Khadir écrit : « Il est faux de dire que je cherche de "manière insidieuse à nuire" à votre commerce ou que j'ai "le but implicite d'aliéner à votre commerce une partie importante de la clientèle du quartier où il est situé" ou que je "harcèle votre commerce". C'est me prêter des intentions qui ne sont pas les miennes et qui ne correspondent à aucun propos que j'ai pu tenir en public ou en privé. » L'auteur de ce plaidoyer *pro domo* fera bientôt exactement ce qu'il dit ne pas vouloir faire.

Mais j'oubliais... Le 24 mars à l'Uqam, Amir Khadir prononça aussi des paroles qui répondent à la question que je me posais dans un chapitre précédent : Khadir accepte-t-il l'existence d'Israël, Khadir est-il sioniste ? Ne participe-t-il avec tant de zèle à la campagne BDS que pour « améliorer » l'État juif ? Voici : « On a juste à référer au système d'apartheid. À résister au sionisme raciste ! Qui gouverne ! Puis nous on est pour la disparition de cet appareil de contrôle et de domination coloniale qui s'appellent le sionisme et l'apartheid.[160] » Sachons gré à M. Khadir de mettre bas les masques, mais rappelons qu'il le fit devant un auditoire entièrement acquis à ses idées. Sans doute aurait-il tenu des propos plus prudents s'il avait été prévenu de la présence dans la salle de micros indiscrets.

Les milieux propalestiniens-antisionistes sont apparemment tissés aussi serrés que la société canadienne-française traditionnelle. Tout

---

160. http://www.youtube.com/watch?v=EWCO8v0eSkU

le monde fréquente les mêmes lieux de culte et apprend ses leçons dans le même petit catéchisme, dont plusieurs articles ont été rédigés il y a longtemps par des scribes du Kremlin et que l'on recopie à gogo comme s'il s'agissait de versets révélés.

Le 25 avril 2011 a lieu une soirée-hommage en l'honneur de Rezeq Faraj, co-fondateur de PAJU, décédé en 2009. Un diaporama-photo de cette soirée a été publié sur YouTube[161]. Ces images sont intéressantes à plus d'un égard. Loin de moi l'idée de reprocher à quiconque d'avoir participé à cette célébration tout à fait conviviale et de bon aloi, mais la participation de certaines personnalités mérite d'être soulignée. On ne s'étonnera pas de la présence du charmant petit couple Friesinger-Marouf, mais peut-être un tout petit peu de celle de Louise Harel, chef de Vision Montréal et conjointe de Edmond Omram, vice-président de La Fondation canado-palestinienne du Québec et vieil ami d'Arafat — mais comme le monde est petit! —, qui, sous le fallacieux prétexte qu'il faut respecter la liberté d'expression, s'était opposée à la motion d'appui au Marcheur présentée au Conseil municipal de Montréal le 22 février, motion qui ne mettait nullement en danger la liberté d'expression, mais qui aux yeux de l'antisioniste Mme Harel devait sans doute avoir le même degré de gravité qu'une fatwa djihadiste! Nous comprenons mieux maintenant: Mme Harel ne pouvait trahir ses amis Bruce Katz et feu Rezeq Faraj en appuyant un vulgaire marchand de chaussures, obscur commerçant de la ville qu'elle espère diriger un jour, et qui a l'outrecuidance de vendre des souliers fabriqués en Israël, pays que Mme Harel semble exécrer. Ce qui ne veut pas dire, comprenez-moi bien, qu'elle soit communiste, pas plus que ne l'est en tout cas un certain Amir Khadir — gardons-nous en effet

---

161. http://www.youtube.com/watch?v=x5hjPzxTzD0

de tout jugement hâtif et de toute condamnation gratuite. Mme Harel n'est pas communiste, c'est évident! Elle a simplement, comme Amir, adopté le mot à mot de l'antédiluvien catéchisme antisioniste des communistes.

Présent également ce soir-là, l'ex-président de la CEQ, ex-député fédéral, ex-ambassadeur à l'ONU, Yvon Charbonneau, personnage que j'ai connu naguère, sans avoir eu de contacts personnels avec lui, quand j'étais membre de l'Alliance des professeurs de Montréal, syndicat affilié à la CEQ (qui allait plus tard devenir la CSQ). En matière d'antisionisme, de complicité avec l'extrême gauche et de fidélité aux textes sacrés, M. Charbonneau n'a de leçons à recevoir de personne! Je vous invite instamment à consulter la série d'articles de David Ouellette intitulée *La dernière doctrine soviétique honorable*[162]. Les deuxième et troisième parties sont particulièrement éclairantes. Le nom de M. Charbonneau y apparaît à quelques reprises. Je ne peux me retenir d'en citer un passage:

> En 1976, de retour d'une conférence contre le racisme et le sionisme en Libye tenue sous les auspices du barreau libyen et du dictateur Mouammar Kaddafi, Yvon Charbonneau, accompagné de Michel Chartrand et de Rezeq Faraj (cofondateur 24 ans plus tard du groupe antisioniste PAJU), «déclare la guerre au racisme et au sionisme». Charbonneau, affirmera même, à l'instar des sionologues soviétiques, que les «sionistes» contrôlent non seulement les médias québécois, mais aussi les manuels scolaires: «Il faudra surmonter l'information officielle, que ce soit dans les organes d'information ou les manuels scolaires, pour combattre l'intense propagande pro-sioniste qui existe au Québec». (*Le chef de la CEQ déclare la guerre au racisme et au sionisme*, Journal de Montréal, 13 août 1976)[163].

---

162 http://davidouellette.wordpress.com/2010/11/11/la-derniere-doctrine-sovietique-honorable_partie_1/

163. *Ibid.*, partie 3, «Des syndicalistes québécois déclarent la guerre au sionisme.»

Ces articles comportent des liens qui permettent de contempler, dans un portrait de famille éloquent, les figures marquantes de la confrérie des antisionistes obsessionnels de notre Belle Province. L'article du *Journal de Montréal* auquel il est fait référence dans le paragraphe que je viens de citer — pour y accéder, il vous suffira de cliquer sur les mots soulignés « déclare la guerre au racisme et au sionisme » — est signé par le journaliste Luc Rufiange. En voici quelques lignes, où l'on trouve résumée l'une des thèses rapportées de Lybie par les délégués canadiens invités au colloque : « En établissant des distinctions entre les Juifs d'Europe de l'Ouest, ceux d'Europe de l'Est, les Juifs orientaux, les Juifs noirs et les non-Juifs de Palestine, l'État d'Israël a institutionnalisé le racisme tout comme l'Afrique du Sud, avec qui il entretient d'ailleurs d'étroites relations. » Mais ne voit-on pas apparaître en filigrane dans cet énoncé inspiré par l'infâme résolution 3379 adoptée par l'Assemblée générale de l'ONU le 10 novembre 1975[164], le fantasme arabo-soviétique d'un Israël État d'apartheid[165] ? Cueillie au pays de Khadafi il y a trente-cinq ans par Charbonneau, Chartrand, Faraj et consorts, transplantée au Québec par leurs soins diligents, cette invention géniale était destinée à une brillante floraison, n'est-ce pas M. Khadir ? Vous en êtes dorénavant le plus éminent jardinier. Mais connaîtriez-vous par hasard le nom de votre plus illustre prédécesseur ? Permettez-moi d'éclairer

---

164. Cette résolution, votée à majorité par les pays arabes et par le Bloc soviétique se terminait ainsi : « ...décrète que le sionisme est une forme de racisme et de discrimination raciale. » Elle a été révoquée en 1991, mais les antisionistes obsessionnels s'en repaissent encore. Ils s'en sont mis plein la gueule lors du festin « antiraciste » de Durban en septembre 2001.

165. Comme l'écrit Pierre André-Taguieff, cette proposition était « massivement diffusée par les pays arabes et l'empire soviétique au cours des années 1960 et 1970. La résolution 3379 l'a « fortement et mondialement légitimée. » « Les Palestiniens, ajoute Taguieff, bénéficiaient d'une majorité "automatique" à l'ONU. » *Israël et la Question juive*, p. 125.

votre lanterne: «Sioniste: l'intérêt de cette catégorie ne pouvait pas échapper à Staline, grand maître du vocabulaire pénal. À tout seigneur tout honneur: il revient au petit père des peuples d'avoir lancé la première campagne antisioniste de l'après-génocide[166].»

À la fin d'avril 2011, Chadi Marouf et Nina Amrov[167], également membre du C.A. de PAJU, créent une page Facebook annonçant la troisième intifada, qui sera lancée le 15 mai à 13 heures[168]. Les premières publications sur le mur datent du 29 avril, les dernières du 21 mai. Marouf et Amrov agissent au nom de la Fondation canado-palestinienne (dont Edmond Amram, conjoint de Louise Harel —mais comme le monde est petit! —, est vice-président). Cette fois, c'est au métro Mont-Royal que le culte sera célébré et le petit catéchisme récité. Le sermon principal sera prononcé vous savez déjà par qui. Mais ce sera une surprise, car la présence d'Amir Khadir n'est pas annoncée. J'ai dit une surprise? En réalité ce n'en

---

166. Alain Finkielkraut, *Le Juif imaginaire*, p. 186. Je recommande fortement à M. Khadir la lecture de ce petit ouvrage.

167. Nina Amrov était porte-parole en 2009 du groupe Solidarité pour les droits des Palestiniens lorsqu'eut lieu à Montréal une manifestation dénonçant l'action défensive d'Israël à Gaza (Opération *Plomb durci*), manifestation au cours de laquelle des appels au meurtre furent lancés en Arabe par des manifestants: « *Khaybar Khaybar ya Yahud, jaish-Muhammad sayaud* - Ô Juif, l'armée de Mahomet reviendra.» Voir http://www.24hmontreal.canoe.ca/24hmontreal/actualites/archives/2009/01/20090105-163852.html et http://fr.canoe.ca/infos/quebeccanada/archives/2009/01/20090105-061700.html Voir aussi sur YouTube une courte vidéo tournée lors de cette manifestation et publiée par le Comité Québec-Israël http://www.youtube.com/watch?v=Ly4SjTGIL9Y&feature=player_embedded On trouvera dans une page web du Site Point de Bascule http://www.pointdebasculecanada.ca/archives/805.html une entrevue de André Arthur avec Luciano G. Del Negro, alors directeur général du Comité Québec-Israël qui nous apprend qu'Amir Khadir assista à cette manifestation. Khadir est d'origine iranienne, il ne comprend sans doute pas la langue arabe.

168. https://www.facebook.com/event.php?eid=196783873699666

fut pas une, car notre ami est un habitué des cérémonies pro-palestiniennes et antisionistes.

Le 2 avril précédent, un samedi, il s'était adressé au même endroit à une foule que je présume composée du même genre de troupes que celle qui viendra l'entendre le 15 mai. L'activiste pro-palestinien et membre de PAJU Chadi Marouf apparaît d'ailleurs dans l'une des photos prises ce jour-là. Réunie pour l'événement *DEMONSTRATION: FREEDOM FOR / LIBERTÉ POUR LA PALESTINE*[169], la foule entendit un discours de Khadir, que je n'ai malheureusement pas retrouvé, mais dont on peut facilement deviner la teneur et le ton[170]. Cet événement du 2 avril était organisé par (et je cite) : le Comité BDS-Québec, le Syndicat des travailleurs et travailleuses des postes (STTP), la Fédération nationale des enseignantes et enseignants du Québec (FNEEQ-CSN), le Conseil central du Montréal métropolitain-CSN, la Ligue des droits et libertés , la Fédération des femmes du Québec (FFQ), l'Association pour une Solidarité Syndicale Étudiante (ASSE), Entraide missionnaire, le Centre Justice et Foi, Voix Juives Indépendantes, le collectif D'abord solidaires, Palestiniens et Juifs Unis (PAJU), le Groupe Rezeq-Faraj/Un seul État, College and University Workers United (CUWU), Parole arabe, Tadamon, Students for Palestinian Human Rights (SPHR), le Conseil musulman canadien (section québécoise), la Coalition pour la Justice en Palestine-UQAM, et... Québec solidaire![171] Une belle macédoine, où l'on retrouve autant d'idiots utiles que de fanatiques, de gauchistes que d'islamistes, de manipulés que de

---

169. http://www.facebook.com/event.php?eid=209489049077959
170. On trouvera dans cette page web des photographies de la manifestation et une analyse de Jean-Marie Gélinas, président du mouvement Amitiés Québec-Israël. http://lys-dor.com/2011/04/07/le-djihad-damir-khadir-contre-israel-de-lanti-semitisme-pret-a-porter/
171. Voir note 169.

manipulateurs. Khadir fit un triomphe. Ou qu'on me prouve le contraire.

Il existe cependant entre le discours du 2 avril, que nous ne connaissons pas, et celui du 15 mai, que nous savons par coeur, une différence de taille. Le 2 avril, les hordes excitées par Khadir n'allèrent pas dégobiller ensuite devant Le Marcheur. Il en alla autrement le 15 mai.

Retournez sur la page Facebook consacrée à la troisième intifada[172], explorez-la et vous y découvrirez trois vidéos tournées cet après-midi-là. Une quatrième, tournée au début de la manifestation — je n'ai pu déterminer si c'est avant ou après le discours de Khadir — peut être visionnée sur Youtube[173]. On y aperçoit Chadi Marouf à côté d'une femme voilée qui hurle dans un micro. On réentendra cette harpie un peu plus tard devant le Marcheur... Mais n'anticipons pas. Vous verrez dans l'une des trois vidéos mentionnées auparavant la foule défiler vers l'ouest sur Mont-Royal après le discours de Khadir à la place Gérald-Godin. Vous la verrez enfiler la rue Saint-Denis. Vous apercevrez des drapeaux, celui de l'Autorité palestinienne, celui de l'Égypte, le fleurdelysé, le drapeau des Warriors, etc. Vous apercevrez parmi la foule des Juifs ultra-orthodoxes (venus expressément de New York, paraît-il) pour qui l'existence de l'état d'Israël va à l'encontre des enseignements de la Torah, mais vous ne verrez pas la foule s'arrêter plus au sud devant Le Marcheur. Pour assister à cette scène, il faut chercher ailleurs. L'événement a été filmé par deux caméras[174].

Ne regardez-pas tout de suite! Qu'avait dit Amir Khadir dans son discours? Amir Khadir qui, dans sa lettre du 4 avril à

---

172. Voir note 169.
173. http://www.youtube.com/watch?v=9NOAUdgrfbo&feature=related
174. http://www.youtube.com/watch?v=aAv1xdXM0oA et http://www.youtube.com/watch?v=6s8d4e6AnTs Le second enregistrement nous fait assister à l'arrivée des manifestants.

Yves Archambault avait écrit noir sur blanc: «Il est faux de dire que je cherche de "manière insidieuse à nuire" à votre commerce ou que j'ai "le but implicite d'aliéner à votre commerce une partie importante de la clientèle du quartier où il est situé" ou que je "harcèle votre commerce". C'est me prêter des intentions qui ne sont pas les miennes et qui ne correspondent à aucun propos que j'ai pu tenir en public ou en privé.» Quel message le même Khadir avait-il livré à ses troupes? Il avait dit, attendez que ses mots me reviennent... ah oui!: qu'Israël avait inventé «le modèle de terrorisme appliqué aux populations civiles». Quelle idée stupide! Et cet État dont la création même fut un crime pourrait être amélioré? Amélioré, pacifiquement? Par un boycott? Par le boycott d'un marchand de chaussures de la rue Saint-Denis, Montréal, Québec, Canada?!? Amir Khadir vient de remettre le masque qu'il avait enlevé le 24 mars à l'Uqam! Vous devriez lui parler, Mme David! Posez-lui la question: «Es-tu sioniste, oui ou non, Amir?» Tiens, la conclusion de son discours me revient soudain! Il a dit: «Moi je suis ici pour qu'il y ait un lien entre l'Intifada dans la rue palestinienne et l'Intifada dans les consciences libres du Québec et en dépit de toutes les tentatives d'intimidation et de salissage, nous allons résister et nous allons dire que l'apartheid, que le commerce avec l'apartheid n'a pas sa place au Québec. Merci beaucoup!»

Le nom du Marcheur n'a pas été prononcé, mais la foule a compris et les organisateurs tout prévu. Le commerce montréalais complice de l'apartheid se trouve à cinq minutes de marche, dix tout au plus quand il s'agit d'une masse rampante. Ne pas nuire de manière insidieuse? Ne pas aliéner au Marcheur une partie importante de sa clientèle? Ne pas harceler? La masse ici mobilisée sait que les paroles que Khadir vient de «tenir en public» sont une invitation à faire exactement ce qu'il a prétendu un jour ne pas avoir fait, ne pas faire, ne pas vouloir faire... et qu'il la charge d'accomplir pour lui (en masse). Ne le cherchez donc pas dans l'écran, il n'y est pas. Il a fait ce qu'il avait à faire : il a «crinqué» son monde ! Amir Khadir s'est absenté, Amir Khadir est ailleurs, mais la masse se trouve là où il voulait qu'elle aille !

La scène a été filmée depuis l'intérieur de la boutique, où les propriétaires, les employés et les clients, estomaqués par ce qui en train de se passer, commencent à craindre pour leur sécurité. Maintenant, vous pouvez regarder...

Le hurleur, c'est Chadi Marouf. Je ne traduirai pas dans la langue de Molière pour mieux le faire comprendre, le discours de cet activiste qui ne sait s'activer... qu'en anglais, même quand il lance des imprécations contre un commerçant québécois de langue française :

MAROUF : We have an important message now for you !

UNE FEMME[175] : Aujourd'hui, le peuple de la Palestine se soulève ! Aujourd'hui, le peuple de la Palestine se soulève ! [cris de la foule] Aujourd'hui le peuple de la Palestine a dit qu'elle en a assez de vivre sous l'apartheid ! [confus] pour les un point sept millions d'habitants qui vivent dans une prison à ciel ouvert ! Ils en ont assez ! [Bruits de sirènes] Aujourd'hui, le peuple de la Palestine a dit non à l'apartheid ! Le peuple de la Palestine a dit que l'apartheid est une tumeur de cancer pour l'humanité entière[176] ! Nous devons mettre ce cancer, cet apartheid en quarantaine. Nous devons désinvestir contre l'État d'Israël. Nous devons sanctionner, nous devons boycotter l'apartheid d'Israël ! Boycottons Israël !

LES CRÉTINS : Boycottons Israël !

---

175. Celle que nous avons entendue auparavant à la place Gérald-Godin et qui fit aussi entendre sa charmante voix après le discours d'Amir Khadir. Voir chapitre un. Celle-là a du moins le mérite de parler français.

176. La fameuse métaphore du cancer ! Cette gonzesse a de brillants talents littéraires !

MAROUF: Friends! Beside up here on arm [?] my left, and your right, is the famous infamous store, Le Marcheur! This is one of the few stores on Saint-Denis that sells israëli products!

LES CRÉTINS: Hou-ou-ou!

MAROUF: After we talked to the store owner and we asked him to remove counter shoes that are made in Israël. They represent two percent of his sale and he [incompréhensible] Two percent! ... This is fine [incompréhensible] All he cares about is his shoes, is the confort of his shoes! So... at end I point my stick to million of Palestinians stucked in an open air prison in Gaza: is that worth the two percent of his sale?

LES CRÉTINS: Hou-ou-ou!

MAROUF: One point seven million!... are caught in Gaza, so this store can sell two percent more!

LES CRÉTINS: Shame! Shame! Shame! Shame!

MAROUF: We're asking Le Marcheur to replace these two percent of his lady product that he's selling with Quebec products [Ovation enthousiaste].

Arrêt sur image! Pardon?! Vous dites? Des souliers fabriqués au Québec? Ce Québec à propos duquel nous venons d'apprendre il y a quelques minutes de la bouche d'un Mohawk (assertion approuvée par Amir Khadir lui-même au début de son discours) qu'un régime d'apartheid y est imposé aux Amérindiens! Mais si cela est vrai, les souliers québécois doivent être boycottés comme le sont les souliers israéliens! Votre proposition ne tient pas debout, M. Marouf! Et ceux qui vous acclament sont aussi inconséquents que votre ami Khadir. Et c'est reparti...

MAROUF: We are absolutely sure that in Quebec, there are shoes that are just as comfortable and just as good as these [to-day] shoes! Let's just give him a big Boo!

LES CRÉTINS: Bou-ou-ou!

MAROUF: Shame! Shame! Shame!

LES CRÉTINS : Shame ! Shame ! Shame !

MAROUF : Shame ! Shame ! Shame !

LES CRÉTINS : Shame ! Shame ! Shame !

MAROUF : Shame ! Shame ! Shame !

LES CRÉTINS : Shame ! Shame ! Shame !

MAROUF : Free free Palestine !

LES CRÉTINS : Free free Palestine !

MAROUF : Free free Palestine !

LES CRÉTINS : Free free Palestine !

MAROUF : Occupation is a crime !

LES CRÉTINS (qui commencent à se diriger vers le sud) : Occupation is a crime !

MAROUF : Free free Palestine !

LES CRÉTINS : Free free Palestine !

MAROUF : Occupation is a crime !

LES CRÉTINS : Occupation is a crime !

MAROUF : Free free Palestine !

LES CRÉTINS : Free free Palestine !

MAROUF : Occupation is a crime !

LES CRÉTINS : Occupation is a crime !

Fin de l'épisode. Bravo, M. Khadir ! Vous avez bien travaillé ! Mais n'est-ce pas vous que nous apercevions devant la boutique, portant un masque et s'éloignant furtivement ? Veuillez m'excusez, je croyais... Avez-vous remarqué ? Pendant que les épais défilent en masse, une femme entre dans la boutique en compagnie d'un enfant. Bravo, madame ! Les vociférations des fanatiques ne vous ont pas intimidée. Les calomnies contre Israël, la campagne de boycott des PAJUstes et de Khadir, ça ne marche pas avec les gens qui ont une tête sur les épaules et les pieds sur terre !

Comme si les fourberies du 15 mai n'avaient pas déjà passé les bornes de la décence, une nouvelle agression de masse contre Le

Marcheur se produisit le lundi 23 mai, lors de la Journée nationale des Patriotes. Venant du Pied-du-Courant où elle s'était d'abord massée, une populace qui arborait en grand nombre non seulement le drapeau des Patriotes et le fleurdelysé, mais aussi des pancartes de Québec solidaire, remonta la rue De Lorimier jusqu'à la rue Mont-Royal, qu'elle emprunta vers l'ouest jusqu'à Saint-Denis. Vous devinez la suite... Quand une partie de la foule où s'étaient regroupés des partisans de Québec solidaire, reconnaissables à leurs pancartes — qu'on ne vienne pas prétendre qu'ils s'étaient agglutinés à cet endroit par pur hasard! —, fut arrivée à la hauteur du Marcheur, la musique s'arrêta pour permettre à des meneurs de claque de hurler des slogans et à la chorale de cracher sa haine: «Chou! Chou! le Marcheur!» Cette manifestation de bêtise collective dura plusieurs minutes, après quoi les soi-disant patriotes se remirent en marche. On me dit que les insultes lancées un plus loin devant Naot furent moins violentes et plus brèves. La fête se termina au square Saint-Louis où Khadir s'adressa aux patriotes réunis en masse[177]. Il n'empêche que ce jour-là, ce ne ne fut pas lui qui fut porte-parole de Québec solidaire, ce sont des militants de Québec solidaire qui furent les porte-parole d'Amir Khadir.

Les membres de PAJU — ils n'étaient parfois que quatre ou cinq — continuaient leur petit jeu, et à chaque samedi arboraient banderoles et pancartes et distribuaient leurs tracts, une heure devant Le Marcheur, une heure devant Naot, puis de moins en moins longtemps devant celui-là, de plus en plus longtemps devant celui-ci. Pas tout à fait «devant», en réalité, car les contre-

---

177 Voir   http://www.quebecsolidaire.net/evenement/2011-05/la_marche_des_ patriotes_2011, l'article de Charles Lecavalier de l'Agence QMI http://fr.canoe.ca/ infos/quebeccanada/archives/2011/05/20110523-175341.html et celui de Catherine Handfield de La Presse http://www.cyberpresse.ca/actualites/regional/montreal/ 201105/24/01-4402140-les-patriotes-defilent-a-montreal.php.

manifestants ne lâchaient pas le morceau, et par leur présence obligeaient les PAJUstes à se tenir un peu à l'écart, soit au nord soit au sud, comme je l'ai expliqué dans un précédent chapitre.

Le 18 juin, un événement inattendu se produisit. Alors que les PAJUstes s'installaient pour leur petit rituel hebdomadaire, qui ne durait désormais plus que vingt minutes, une voiture stoppa au feu rouge à quelques pas du Marcheur sur la rue transversale. Au volant : Amir Khadir ! Qui fut aussitôt repéré et reconnu (évidemment !), et que quelques personnes photographièrent ou filmèrent. L'une d'elle, Ginette Auger, annonça au député de Mercier, tout en le filmant lui et l'ensemble de la scène, y compris les manifestants et la façade du magasin, qu'elle était l'épouse d'Yves Archambault, le propriétaire du Marcheur, et qu'elle allait le dénoncer sur le web, vidéo à l'appui, s'il continuait de les harceler, elle et son mari. « Vous nous avez assez fait de trouble ! » Des témoins de la scène affirment qu'Amir Khadir changea de couleur. C'est possible, mais je ne peux l'affirmer. Quant au feu, il passa au vert... avec les conséquences que l'on devine : Khadir, ses passagers et sa voiture disparurent vers le nord sur Saint-Denis.

Au regard des personnes présentes ce jour-là, et à celui de Ginette Auger plus particulièrement, l'apparition d'Amir Khadir en même temps que celle des PAJUstes ne pouvait être qu'intentionnelle. Il venait sur les lieux du combat, croyaient-ils, pour inspecter ses troupes tel un général d'armée. L'hypothèse est plausible, mais une autre interprétation est également crédible. Amir Khadir habite dans le quartier, cette intersection se trouvait sur sa route, il fut le plus étonné de tous quand, se trouvant soudain coincé au feu rouge, il fut apostrophé. Simple coïncidence peut-être, mais qui, tout autant qu'une rencontre planifiée, eut d'heureuses conséquences. Car après cet incident, les PAJUstes ne revinrent plus manifester devant Le Marcheur. Au moment où j'écris ces lignes (début novembre), les manifestations continuent cependant devant Naot. Elles y rencontrent toujours la même opposition.

Nous ne saurons jamais si Khadir et ses amis de PAJU se sont concertés, si c'est lui qui les a convaincus qu'il valait mieux pour son bien qu'ils laissent Le Marcheur tranquille ; mais la question qui se pose maintenant est la suivante : serait-il indiqué de passer par l'intermédiaire d'Amir Khadir pour convaincre les PAJUstes que le petit manège a assez duré, et qu'il faut cesser de faire chez Naot ce qu'on a déjà cessé de faire chez Le Marcheur ?

Je réponds à cette question par la négative. Car si le boycott du Marcheur a nui à la popularité et à la réputation d'Amir Khadir, celui qui se poursuit devant Naot ne semble pas l'affecter, d'autant plus qu'il n'en est plus question dans les médias, sinon de manière très sporadique[178]. Si c'est la crainte d'une publicité trop négative qui a poussé Khadir à éloigner les PAJUstes du Marcheur, service que ses khamarades auraient accepté de lui rendre pour ne pas nuire à sa carrière politique, cette menace n'existe plus maintenant. Et contrairement à ce que prétendent les dirigeants montréalais du CIJA (The Center for Israeli & Jewish Affairs), qui ont décidé d'abandonner Naot à son sort, la lutte est loin d'être terminée. PAJU manifeste toujours chaque samedi devant la boutique, mais y rencontre à chaque occasion l'opposition de vrais amis d'Israël, qui eux considèrent qu'il ne faut pas céder le terrain aux extrémistes[179].

---

178. Cet article de Éric Duhaime dans son blogue du *Journal de Québec* fait exception à la règle. http://blogues.canoe.ca/ericduhaime/general/un-an-de-terreur-sur-st-denis/#.TokYUa-OQvc.facebook
179. Voir David Solway, *These Shoes Were Made for Walking* http://frontpagemag.com/2011/12/05/these-shoes-were-made-for-walking/2/

Les événements que nous venons de raconter jettent sur l'action et la pensée politiques d'Amir Khadir un éclairage inquiétant. À un point tel, que nous sommes tentés de rembobiner le film dans l'espoir qu'une seconde projection des mêmes scènes nous fasse meilleure impression et nous rassure... Ne s'agit-il pas, dirions-nous, à mesure que la pellicule défile devant nos yeux, d'un incident de parcours, d'un simple dérapage (incontrôlé?) dans une carrière par ailleurs presque sans tache — oublions un instant le lancer du soulier et les divagations sur les manœuvres de la CIA. Après tout, nous avons affaire à un homme de gauche dont l'image de marque est pétrie de bonnes intentions et qui manipule avec adresse dans ses discours les mots paix, démocratie, justice, égalité et *tutti quanti*. Oui mais, les faits sont les faits!... Il s'est comporté d'une manière si cauteleuse et si révoltante dans l'affaire du Marcheur, il a soutenu mordicus des thèses si manifestement mensongères qu'il nous est impossible de considérer ce moment particulier de son parcours comme une vulgaire incartade, une regrettable maladresse — encore faudrait-il d'ailleurs qu'il reconnût avoir commis une erreur et manifestât quelque regret —, mais plutôt comme LA clé de voûte, qui soutient l'ensemble de l'édifice. Ce que nous laisse entrevoir l'affaire du Marcheur est trop important. Nous devons en toute conscience et en toute équité examiner soigneusement l'ensemble de l'œuvre. Peut-être y trouverons-nous matière à réhabilitation.

DEUXIÈME PARTIE

Amir Khadir et l'ultra gauche
Portrait de famille

Il n'y a pas de position plus amusante, plus séduisante, plus originale — et finalement mieux récompensée — que celle de dissident au sein d'une société tolérante, stable et prospère.

Simon Leys
Le bonheur des petits poissons

CHAPITRE VII

La smalah à deux têtes

Il y a des sottises bien habillées comme il y a des sots bien
vêtus.

Chamfort

Le parti Québec solidaire est une réunion de famille qui semble vouloir durer sans qu'il y ait pour le moment de grosses chicanes dans la cabane. Cette bonne entente tournera inévitablement à la foire d'empoigne quand Québec solidaire aura pris le pouvoir (Hi! Hi! Hi!). En attendant ce grand soir mirifique prévu pour la semaine des quatre jeudis, ils ont d'autant plus de mérite à si bien cohabiter, les groupes et individus qui forment cette grande famille, qu'elle fut longtemps divisée et dispersée. Désormais réconciliée, chacun ayant apparemment décidé il y a quelques années de mettre un peu d'eau dans son vin, la famille socialiste, dont le rassemblement sous le chapiteau de Québec solidaire est le couronnement d'un long processus, est même représentée à l'Assemblée nationale par son plus flamboyant ténor! C'est une première dans l'histoire politique du Québec. Plusieurs facteurs expliquent cette réconciliation et cette mini-victoire. Je recommande à qui veut les connaître et les comprendre, la lecture d'une étude de Pascale Dufour, parue en anglais en 2009, à laquelle je me référerai un peu plus loin[180]. Qu'on me permette auparavant d'y aller de quelques réflexions personnelles.

---

180. Pascale Dufour, « From Protests to partisan Politics : When and How collective Actors Cross the Line. Sociological Perspective on Québec Solidaire. » *Cahiers canadiens de sociologie* 34 (1) 2009. p. 55-81.
http://ejournals.library.ualberta.ca/index.php/CJS/article/view/591/5150

Le plus petit commun dénominateur des aïeux, parents, oncles, tantes, enfants, beaux-frères, belles-soeurs, cousins, cousines de cette famille élargie traditionnellement chicanière (qui emploie pour se décrire l'épithète flatteuse de «progressiste»), c'est d'abord et avant tout le rejet de ce qu'ils appellent le «capitalisme», mot fourre-tout, représentation fantasmée du Mal absolu, qui offre à qui a quelque motif de plainte une vaste cible mouvante qu'on atteint même en tirant au hasard ou les yeux bandés. Quels que soient vos motifs d'indignation et quelles qu'en soient les justifications réelles, les mots que vous emploierez pour pleurer sur votre sort ou sur celui d'autrui, la gauche les rassemblera tous, si vous ne le faites vous-même au préalable pour lui faire épargner du temps, dans un pigeonnier étiqueté «méfaits du capitalisme»! Un conseil: n'usez pas de détours, ne pleurez plus sur vos ulcères variqueux, vos cataractes, les fuites d'eau dans le sous-sol de Montréal, les profits des banques ou le coût trop élevé des écrans plasma, dénoncez simplement le capitalisme, «cause de toutes nos misères», disait déjà en 1949 l'archevêque de Sherbrooke, Mgr Desranleau, en deux mots, indignez-vous —surtout ne réfléchissez pas: indignez-vous! — et, heureuses conséquences, double bénéfice, en plus d'être pris au sérieux ou pris en pitié par la gent journalistique, vous serez approuvés, applaudis, acclamés, par tout ce qui scribouille à gauche ou grenouille à l'extrême gauche et vice-versa!

Réunis à Québec solidaire, les «progressistes» mènent donc un combat dont l'objectif ultime est le remplacement de l'économie de marché par une économie planifiée mais apparemment — si on lit bien leur programme — hyper-consultationniste (quadrature du cercle), de même que la fin de la croissance pour la fondation d'une société écologiste, féministe et égalitaire (écosocialiste) où chaque citoyen et chaque citoyenne pratiquerait avec enthousiasme une simplicité volontaire devenue inévitable ou obligatoire. L'idée n'est pas nouvelle : quand les socialistes ont fini par admettre il y a une quarantaine d'année que le collectivisme, sous toutes ses formes, est incompatible avec la croissance et absolument incapable d'assurer aux populations un accès régulier et suffisant aux denrées les plus essentielles, ils ont viré capot et se sont mis à dénoncer la société de consommation. Si Québec solidaire prenait un jour le pouvoir et réalisait son programme politique, il ne serait plus question de redistribuer les richesses, mais simplement de partager la pauvreté de manière plus équitable.

Programme de rupture avec le système économique actuel (acceptons d'employer, pour simplifier, le mot « capitalisme »), mais comment, par quels moyens ? D'abord en installant des barrières plus ou moins étanches entre l'économie du Québec et celle de nos voisins immédiats (Canada et États-Unis), pour nous protéger des méchants capitalistes de Bay Street et de Wall Street dans notre petite enclave coopérative propre, propre, propre, au nord-est de l'Amérique du Nord, tout en établissant par ailleurs des ponts économiques et culturels avec des contrées éloignées, comme, par exemple, les pays membres de l'ALBA, entre autres avec le Venezuela d'Hugo Chavez, le Cuba des frères Castro. Tiens, il y a des pays observateurs à l'ALBA : l'Iran, Haïti, la Russie, l'Uruguay. Pourquoi ne pas nous joindre à eux et permettre à Amir Khadir d'occuper un strapontin entre ces deux grands démocrates : Ahmadinejad et Poutine ?

Un bref coup d'oeil sur leurs publications passées et présentes nous convainc donc que les groupes et les individus qui se sont réunis en 2006 lors de la fondation de Québec solidaire semblaient et semblent toujours d'accord pour rompre les traités de libre échange auquel adhère le Canada (ALENA et ZLEA), et que le Québec répudierait après l'indépendance, car nos « progressistes » sont tous pour l'indépendance, paraît-il, du genre d'indépendance qui vous fait tomber en pâmoison devant les défauts les plus rédhibitoires du fédéralisme canadien, qui deviennent par comparaison des dons du ciel. Au secours ! Mieux vaut le Canada, aussi imparfait soit-il, que le Québec suffocant qui nous est proposé par Khadir, David et leurs khamarades.

Mais se trouverait-t-il par miracle une voix discordante à Québec solidaire ou parmi ses collectifs radicaux (Parti communiste du Québec, *Gauche Socialiste, Masse critique, Socialisme International, Tendance marxiste internationale*) pour récuser ces perspectives d'avenir déprimantes et pour viser d'autres objectifs pour le Québec et les Québécois(e)s qu'un socialisme monacal, où nous, les moines-citoyens, serions continuellement en réunion de prière dans l'un ou l'autre des milliers de comités consultatifs et d'instances décisionnelles qui auront pour mission particulière de répandre dans les moindres interstices de nos cervelles dociles la bonne-parole de maman l'État, et pour mission générale de construire le socialisme ? Apparemment, non[181]. Ainsi, en 2004, l'article 1.a du programme de l'Union des forces progressistes (UFP) (dirigée par Amir Khadir) se lisait ainsi : « Opposition aux privatisations, aux déréglementations et à la libéralisation des marchés, et rejet des traités de libre-échange tels l'ALENA et la ZLEA[182]. » En 2008, après la fusion deux ans

---

181. *Tendance marxiste internationale*, groupe trotskyste, rêve cependant d'une révolution pan-canadienne. Voir : http://www.marxiste.qc.ca/analyses/14-dernieres/261-perspectives-pour-la-revolution-perspective-canadienne-2011 « QS n'est pas un parti ouvrier. L'atmosphère, l'analyse et les perspectives du parti sont imprégnées de l'attitude du petit-bourgeois. Ils n'ont pas une vue de classe. Un coup d'œil sur le méli-mélo des positions adoptées au dernier congrès de QS suffit pour voir le caractère confus du parti. La classe ouvrière, à la lecture de la plupart de ces choses aura un moment difficile à démêler ce qui est de ce qui n'est pas. »
182. Plate-forme politique de l'UFP - septembre 2004 http://web.archive.org/web/20070309104913/http://www.ufp.qc.ca/article.php3?id_article=1125

auparavant de l'UFP et d'*Option citoyenne,* la même tendance isolationniste (ou autarcique) est reprise avec quelques adoucissements — l'influence de Françoise David? — dans le programme électoral de Québec solidaire: «(8. 2. 3) Viser le remplacement des pactes libre-échangistes tels que l'ALÉNA, la ZLÉA ou le PSP, et proposer de nouveaux traités internationaux fondés sur les droits individuels et collectifs, le respect de l'environnement et l'élargissement de la démocratie (par exemple l'ALBA).» L'ALBA! quelle joyeuse perspective progressiste, Mme David!

Mais poursuivons notre examen. Une autopsie plus poussée du poumon gauche de Québec solidaire, i.e. l'UFP (fondée en 2002[183]), nous permet d'en extraire le RAP (Rassemblement pour l'Alternative Progressiste, fondé en 1998) dont on apprend, en braquant notre microscope sur un prélèvement de tissus qu' «un gouvernement mené par le RAP [...] aurait réévalué la participation du Québec au sein de traités internationaux n'allant pas dans le sens des valeurs défendues par le parti[184].» De quelles valeurs s'agissait-il? Réponse: «Le programme politique du nouveau parti est axé sur la social-démocratie, l'indépendance nationale et l'égalité entre les hommes et les femmes.» Du bonbon! Mais je parierais ma chemise que l'expression social-démocratie est employée ici comme écran de fumée pour dissimuler ce qui s'appelle tout simplement le socialisme.

Tout près des bronches où le nodule du RAP s'est implanté, notre analyse anatomique déniche une autre tumeur, le Parti communiste du Québec (PCQ), dont voici une proposition adoptée lors de trois congrès consécutifs, en 2008, 2009 et 2011:

---

183. Deux-tiers de des membres de l'UFP provenaient de partis et de groupes de gauche, un tiers était composé d'individus, en majorité de jeunes activistes, qui adhéraient pour la première fois à un parti politique. Dufour, p. 66.
184. http://fr.wikipedia.org/wiki/Rassemblement_pour_l'alternative_progressiste

Une renégociation de la place du Québec, au sein de l'ALENA, ainsi que de tous les autres traités que le Canada aura signé en notre nom, devra également faire partie des priorités d'un tel gouvernement [formé par Québec solidaire] au sein duquel le PCQ œuvrerait. Le maintien d'une quelconque dépendance vis-à-vis d'un partenaire, quel qu'il soit, ne peut que grandement nuire à la quête d'une réelle indépendance — et donc du socialisme — au Québec. Dans la première phase, les banques seront nationalisées et les caisses populaires seront mises sous tutelle gouvernementale. Les banques états-uniennes qui opèrent à l'intérieur de nos frontières ne seront plus autorisées à prendre de nouveaux clients et les comptes des utilisateurs existants seront fermés après une période déterminée. Les secteurs de l'énergie, de la santé et de l'éducation, opérant sous contrôle privé, seront nationalisés en totalité. Un effort particulier sera fait, à ce titre, afin de développer nos relations avec les pays membres de l'ALBA, ainsi que du MERCOSUR[185].

Il ne s'agit certes pas là du programme politique de l'entité Québec solidaire, mais seulement de l'un de ses collectifs radicaux, qui, si on l'extrait du corps qu'il contamine, n'est tout au plus qu'un groupuscule. Ça vous rassure? Moi, au contraire, ça me rend de plus en plus en plus réfractaire. Tiens, nous apercevons, mêlée aux tissus environnants, une métastase microscopique mais virulente, *Gauche socialiste*:

---

185. http://www.pcq.qc.ca/Dossiers/PCQ/Congres/Congres2011/DocumentsOfficiels/ ProgrammeVersion2011.pdf Fondé en 1991, le Mercosur, littéralement Marché commun du Sud, est la communauté économique qui regroupe plusieurs pays de l'Amérique du Sud: l'Argentine, le Brésil, le Paraguay, l'Uruguay, le Venezuela. http://fr.wikipedia.org/wiki/Mercosur L'idée est excellente d'établir des liens de libre-échange avec ces pays. Mais pourquoi faudrait-il pour cela couper nos liens avec les États-Unis? Tout simplement parce qu'aux yeux des communistes (et les membres non-communistes de Québec solidaire partagent cette vision), les États-Unis sont le Grand Satan.

Ensemble, à GS, nous nous situons dans la perspective, non d'une simple réforme du système capitaliste, mais de confrontations sociales prolongées, pour une rupture révolutionnaire. Il s'agit de construire un autre mode d'organisation de la société dont la condition première est l'appropriation collective des principaux moyens de production et la fin de l'oppression systémique des femmes dans la sphère privée de la famille[186].

Libérer les femmes tout en étatisant les moyens de production ? Félicitations pour votre beau programme ! Les femmes d'affaires devront renoncer à leurs activités (ou s'enrôler dans la nomenklatura), mais seront dans leur cuisine les égales de leurs maris ! On a bien compris à *Gauche socialiste* que le meilleur moyen d'atteindre ces deux objectifs — dont on se demande lequel nécessiterait les mesures les plus répressives —, c'est de militer à Québec solidaire. L'unanimité, vous dis-je ! Ils sont tous d'accord, et leurs porte-paroles sont les perroquets des pitoyables songe-creux de *Gauche socialiste*, dont ils ne répètent cependant à haute voix que des énoncés soigneusement caviardés. L'attachée politique d'Amir Khadir, Josée Larouche, est membre de *Gauche socialiste* et occupe l'un des seize postes du Comité de coordination national de Québec solidaire. On se demande lequel ou laquelle des deux est le ou la porte-parole de l'autre...

Disséquons maintenant le poumon droit de Québec solidaire : *Option citoyenne*. Je dis poumon droit, mais en réalité, les deux vessies natatoires de ce parti se trouvent à gauche — comme chez le poisson plat. Comment *Option citoyenne* est-il né ?

Dans son étude sur la formation de Québec solidaire, Pascale Dufour nous rappelle qu'une rupture se produisit en 1996 entre certains groupe sociaux (et plus particulièrement des organisations féministes) et le Parti Québécois dirigé alors par

186. http://www.lagauche.com/lagauche/spip.php?article1612

Lucien Bouchard. Le gouvernement avait convoqué en mars une Conférence socio-économique et en novembre un Sommet économique, dont le but était de dégager un large consensus social sur la nécessité de diminuer le déficit budgétaire de l'État jusqu'à pouvoir le réduire à zéro en 2000. Lors de ce sommet, le gouvernement refusa par ailleurs la demande d'«appauvrissement-zéro» faite par des groupes de femmes et des organismes anti-pauvreté. «Cette rebuffade, écrit Mme Dufour, rompit le consensus qui avait prévalu pendant le sommet et amena la présidente de la Fédération des femmes du Québec, Françoise David, à quitter la table de négociation.[187]» Des délégué(e)s de la *Coalition nationale des femmes contre la pauvreté* et de *Solidarité populaire Québec* quittèrent également le sommet. Un nom ressort: François Saillant, qui, nous dit Mme Dufour, devait jouer plus tard un rôle important dans la création d'*Option citoyenne*[188].

Le lien de confiance entre le P.Q. et les «groupes sociaux» venait, semble-t-il, d'être rompu. Mais avait-il vraiment déjà existé, ce lien? On peut le supposer, puisque François Saillant, par exemple, fut membre du Parti québécois avant de passer au marxisme-léninisme, auquel il se convertit pour des raisons qui le regardent, mais dont je présume qu'elles touchent au fait qu'à ses yeux le P.Q. n'était pas assez à gauche. Puis-je faire également remarquer que lorsqu'elle militait, comme M. Saillant, au sein du groupe maoïste En lutte!, de 1977 à 1982, Mme David ne montrait aucune affinité avec le Parti Québécois, parti bourgeois défendant

---

187. «*This refusal was the breaking point in the consensus that had prevailed during the summit and let to the departure of the president of the Quebec Womens's Federation, Françoise David, from the bargaining table.*» Dufour, *Op. cit.*, p. 67.
188. Membre du parti québécois de 1969 à 1973, Saillant a ensuite milité en même temps que Françoise David dans le mouvement En lutte! Il est depuis presque 30 ans coordonnateur du «FRont d'Action Populaire en Réaménagement Urbain» (FRAPRU), fondé en 1978.

les intérêts de la bourgeoisie, alors que pour sa part elle travaillait à l'avènement de la Révolution et à la prise du pouvoir par le Prolétariat, c'est-à-dire par les apparatchiks de son parti? Soit, Mme David a depuis longtemps renoncé à ce passé pour le moins douteux et s'est convertie aux règles de fonctionnement sinon aux principes fondamentaux de la société libérale pluraliste. En un mot : elle s'est acceptée comme bourgeoise. Sauf que... n'obtenant pas de l'État bourgeois en 1996 ou en 2000 ce qu'elle quémandait au nom des femmes (mais lesquelles?), elle a contribué à fonder un parti qui réunit en son sein tous les révolutionnaires frustrés des années 70 et 80, ses amis d'antan. Et que veut tout ce beau monde? Certes pas la Révolution armée — sauf, apparemment, à *Gauche socialiste* — mais à peu près, sans tirer un seul coup de fusil et par la voie électorale, le même genre de société «égalitaire» qu'aurait produit la Révolution si elle avait été possible. Société égalitaire dont sont gommés dans le discours des David, Khadir et consorts tous les inconvénients et magnifiés les prétendus avantages, le but étant de nous faire mordre à l'hameçon afin de nous hisser pour notre Bien hors de l'enfer capitaliste et nous étouffer ensuite dans l'atmosphère irrespirable d'une société écologiste, féministe et égalitaire, mon oeil!

Grâce à ses fabuleux dons d'organisatrice et de rassembleuse — tout ce qui souffre et se languit dans notre société semble vouloir s'agglutiner autour d'elle —, Mme David donne l'impression de réunir dans sa seule personne toutes les qualités essentielles d'un organisme de bienfaisance. Mais si elle a beaucoup à offrir, elle a surtout énormément à réclamer.

Mme David était toujours, en 2000, présidente de la Fédération des femmes du Québec (FFQ). Elle organisa alors une marche: *la marche mondiale des femmes contre la pauvreté et la violence faite aux femmes* (objectifs louables, s'il en est), à laquelle participèrent 6 000 groupes de 161 pays différents. Cette marche débuta le 8 mars, *Journée internationale des femmes*, pour se terminer le 17 octobre, *Journée internationale pour l'élimination de la pauvreté* (décrétée par l'ONU). Plusieurs propositions visant à éliminer la violence faite aux femmes et la pauvreté résultèrent de ce formidable accomplissement. Malheureusement, « le refus du gouvernement Bouchard de s'attaquer aux problèmes soulevés lors de la marche de Québec provoqua une amère déception.[189] » Le gouvernement se contenta d'augmenter de 10 cents le salaire minimum, au grand dam de Mme David. Une crise éclata alors au sein de la FFQ. La plupart des dirigeantes quittèrent l'organisation, ce qui, explique Pascale Dufour, les rendit disponibles pour un autre genre d'activisme : l'action politique directe.

Le 27 janvier 2003, fut annoncée en conférence de presse la création du *Collectif D'abord solidaire,* qui réunissait les personnes suivantes : Françoise David, Lorraine Guay, François Saillant, Michèle Asselin, Alexa Conradi, Linda Denis, André Gobeil, Claudette Lambert, François Larose, Marc-André Larose, Véronique Levesque-Arguin, Manon Massé, Esther Paquet, Jean Proulx et Eric Shragge. L'*Appel pour un Québec d'abord solidaire* fut publié le lendemain dans *Le Devoir* et reçut l'appui de 1400 signataires[190].

Avant de poursuivre, un mot sur Lorraine Guay, qui est membre de PAJU (paraît-il) et de Québec solidaire (ça c'est sûr). Ce que cette dame écrit à l'occasion sur Israël et la Palestine est du même acabit que les propos irresponsables de son demi-chef Amir Khadir[191]. Mme Guay participait le 31 octobre 2011 à une journée d'étude organisée par le Centre international de solidarité

---

189. « *The Bouchard government's refusal to address almost all of the 10 issues raised by the march in Quebec was a bitter disappointment.* » P. Dufour, *Op. cit.*, p. 67.
190. Dufour, *Op.cit.*, p. 69.
191. On en aura un bel échantillon dans le texte suivant : http://www.pressegauche.org/spip.php?article3176.

ouvrière (CISO) en collaboration avec le Conseil régional du Montréal métropolitain de la FTQ. Sujet à l'étude : le conflit israélo-palestinien. Nombre de participants : une trentaine. Autres conférenciers : Rachad Antonius et Bruce Katz. Qui a prononcé le mot de bienvenue ? Michèle Asselin, ex-présidente de la Fédération des femmes du Québec (FFQ). Un compte-rendu de cette journée d'étude a été publié[192]. Mme Guay s'y montre tout à fait à la hauteur de ses collègues Antonius et Katz, c'est-à-dire qu'elle parvient à ne pas tomber plus bas qu'eux dans l'affabulation et la distorsion des faits[193].

Je poursuis... Le but avoué de *D'abord solidaire* était de contrer la montée de la droite, qui, avec l'ADQ comme principal véhicule[194], menaçait ni plus ni moins que l'avenir du Québec — j'exagère à peine. Mais alors que depuis déjà plus de six mois, l'UFP met de l'avant des propositions de rupture radicale avec le capitalisme, *D'abord solidaire* gémit beaucoup et rêvasse presque autant, donnant la bizarre impression que les auteurs passent d'un paragraphe à l'autre d'une phase dépressive à un épisode maniaque. Tout va mal, mais rien n'est impossible, mais que ça va donc mal !

> [...] La dénonciation du «lobby misérabiliste de la pauvreté» par un ministre péquiste nous a indignés-es ; la proposition libérale de geler tous les budgets ministériels, sauf la santé et l'éducation, nous a fait frémir. [...] en octobre 2000 (nous) avons exprimé notre indignation devant la médiocrité des réponses gouvernementales aux revendications sur la pauvreté et la violence faite aux femmes. Nous avons

---

192. Voir http://www.ciso.qc.ca/wordpress/wp-content/uploads/compte-rendu.pdf
193. Nous savons à quoi nous en tenir en ce qui concerne Bruce Katz, mais pour mieux connaître Rachad Antonius, il faut lire le portrait qu'en trace Jean-Jacques Tremblay : http://www.pointdebasculecanada.ca/archives/732.html
194. Les sondages annonçaient que l'ADQ aurait pu récolter 32 % des votes à l'élection de 2003. (Dufour, p. 69.)

manifesté au Sommet des Amériques contre la ZLEA, dénonçant un libre-échange profondément inégal et réclamant des Amériques solidaires, égalitaires, écologiques et démocratiques [un muffin avec ça?]. La vie vaut bien un combat résolu et pacifique afin que chacune et chacun trouve dans cette société sa part de rêve, à la fois de quoi vivre et des raisons de vivre Un combat qui exclut cependant les raccourcis dangereux, les explications simplistes et toutes les «lignes justes» sur l'état du monde. Surtout quand la ligne juste est édictée par les grands propriétaires de la planète! [...] Les gouvernements doivent être à l'écoute des citoyennes et citoyens et assumer avec les forces collectives issues de la société civile la responsabilité du respect des droits individuels et collectifs dans toutes les sphères de la vie en société. [...][195]

Fort bien, mais quelle action est proposée?

Nous allons analyser les programmes, plates-formes et prises de position de cinq partis politiques (PQ, PLQ, ADQ, UFP et Vert), en nous demandant si leurs propositions renforcent le sens du bien commun au Québec. [...] Nous serons présents-es dans tous les débats publics, dans les médias, dans les assemblées politiques; chaque fois que nous considérerons le bien commun menacé, nous interviendrons[196].

Pascale Dufour affirmera que ces interventions de *D'abord solidaire* expliquent en bonne partie les insuccès de l'ADQ, qui ne récolta aux élections que 18,2 % du vote et seulement quatre sièges: «une victoire pour DS», écrit-elle en effet[197].

L'avenir nous aura fourni la preuve qu'au yeux de *D'abord solidaires*, c'est l'UFP qui se préoccupait le plus en 2003 du susdit bien commun. Pourquoi alors ne pas adhérer au parti d'Amir

---

195. http://www.lagauche.com/lagauche/spip.php?article313
196. *Ibid.*
197. Dufour, *Op. cit.*, p. 70.

Khadir? Manon Massé, interviewée en 2004, et Françoise David, interviewée en 2006, auraient expliqué à Pascale Dufour qu'elles voulaient former un parti féministe, porteur de valeurs féministes et doté d'une structure organisationnelle ... féministe [bien sûr!], ce qui n'était pas le cas pour l'UFP. Il vaut la peine de citer la suite : «Les personnes qui ont fondé le RAP avaient en commun des caractéristiques qui devaient nuire au progrès de l'UFP : il s'agissait d'activistes venant de syndicats ou de partis politiques, ils vivaient à Montréal, et étaient majoritairement des hommes [En note : Paul Cliche, Michel Chartrand et Pierre Dubuc][198] Le RAP s'était pourtant prononcé dès sa transformation en parti politique, en novembre 2000, en faveur de la parité homme-femme à l'Assemblée nationale, et avait également imposé la parité homme-femme au sein de ses structures, y compris à la direction, assurée par Suzanne Lachance et Pierre Dostie. Mais ce n'était sans doute pas suffisant pour rassurer les féministes vétilleuses de *D'abord solidaire...*

Plutôt que de se joindre à l'UFP, des membres de *D'abord solidaire,* avec à leur tête Françoise David et François Saillant, fondèrent donc *Option citoyenne* au printemps 2004 et publièrent à la même époque un petit livre intitulé *Bien commun recherché : une option citoyenne.* «Option citoyenne vise une société juste, égalitaire, solidaire fondée sur la recherche du bien commun. Nos valeurs sont de gauche, féministes, écologistes et altermondialistes et elles inspirent nos décisions politiques et économiques[199].» Mais encore? «Option citoyenne veut intervenir dans la sphère politique partisane et présenter des candidates et candidats aux

---

198. *Ibid.,* p. 68. «*The individuals who founded the RAP had three characteristics in common, which would hinder the developpement of the UFP : they were activists from partisan parties or unions, they resided in Montreal, and they consisted mostly of men.*»
199. http://web.archive.org/web/20061112001212/http://optioncitoyenne.ca/index. php Les citations qui suivent proviennent de la même source.

prochaines élections québécoises.» Par ailleurs, les prises de position d'*Option citoyenne* sur la mondialisation et l'économie correspondent tout à fait à celles de l'UFP. Leurs bêtes noires sont les mêmes: «Le processus de mondialisation est organisé par des financiers, des spéculateurs, de grands propriétaires terriens et industriels, tout ce beau monde étant appuyé par des gouvernements complices et par de grandes organisations internationales, telles l'Organisation mondiale du commerce, le Fonds monétaire international, la Banque mondiale.» Leonid Brejnev n'aurait pas dit mieux... Mais ensuite? «Option citoyenne affirme que l'économie est au service des personnes et que le bien commun réside dans la sécurité économique de chaque personne, c'est-à-dire un accès équitable aux ressources nécessaires pour se loger, se vêtir, se nourrir, s'éduquer, se soigner et développer ses potentialités et ce, sur toute la planète[200].» Derrière cet écoeurant coulis de bonnes intentions se profile la machine à malaxer les humains que les socialistes ont remisée dans leur arrière-cuisine depuis vingt ans, mais tiennent en réserve — c'est la seule «patente» dont ils sachent se servir — pour nous homogénéiser dès que nous nous serons coincé les phalanges, phalangines, phalangettes dans leur grille marxiste.

Après de chastes fréquentations et des négociations serrées mais courtoises quant aux clauses du contrat de mariage, les grandes épousailles ne devaient pas trop tarder. Le 23 octobre 2005, 300 délégués[201] d'*Option citoyenne* votèrent leur appui à la fusion avec l'UFP pour former un parti de gauche écologiste, souverainiste et féministe. Le 5 novembre, les délégués de l'UFP

---

200. On trouve moins d'idées originales et créatives dans ce ramassis de lieux communs bonasses qu'on n'en trouve dans deux petites minutes du film *Illusion tranquille* de Joanne Marcotte. La gauche aurait, paraît-il, le monopole du coeur ? Si tel est le cas, ne nous étonnons pas que l'intelligence soit forcée de se réfugier à droite.
201. En un an, le mouvement était passé de 300 à 2000 membres. Dufour, *Op. cit.*, p. 71.

rendirent la pareille à leur prétendante et votèrent à l'unanimité en faveur de la fusion des deux mouvements. Les noces seront célébrées le 4 février 2006. Aucun des deux époux ne renonçant à son propre patronyme pour adopter celui du conjoint, le nouveau couple prit le nom de Québec solidaire, chacun entrant dans le nouveau domicile conjugal avec ses propres impedimentas. On pourrait presque parler d'un mariage collectif entre polygames et polyandres. Pourtant l'image d'une union incestueuse entre consanguins ne convient pas pour décrire l'événement. Car si au plan de l'idéologie, les deux clans avaient presque tout en commun, la méthode et le ton différaient, l'UFP amenant dans ses bagages des beaux-frères bien plus enragés que les « matantes » plaignardes d'*Option citoyenne*. Comme il ne s'agissait pas de faire des enfants, mais de s'entendre sur un programme politique, cette joyeuse partouze n'eut pas de conséquences trop tragiques.

Ainsi le poumon gauche (UFP) et le poumon droit (*Option citoyenne*) purent-ils respirer d'un même souffle au sein du nouvel organisme et nous faire oublier — tout ce chapitre n'a pour but que de nous rafraîchir la mémoire pour mieux nous faire comprendre l'action politique d'Amir Khadir, qui est après tout le sujet de ce livre —, que nous avons là une espèce de monstre digne du célèbre docteur Frankenstein, et plus repoussant encore avec sa direction bicéphale.

Veut-on une preuve que cet hymen est une réussite exemplaire et que les conjoints font bon ménage ? Aux élections provinciales de 2007, le Parti communiste du Québec n'a pas présenté de candidats afin d'appuyer ceux de *Québec solidaire*. Le chef du parti, André Parizeau, de même que Francis Gagnon-Bergmann et Jocelyn Parent ont d'ailleurs été candidats pour QS dans les circonscriptions de l'Acadie, Blainville et Mirabel. À l'élection suivante, en 2008, cinq membres du PCQ se sont présentés sous la bannière de Québec solidaire : Francis Gagnon-Bergmann, nouveau chef du PCQ, dans Blainville, André Parizeau dans l'Acadie, Sabrina Perreault dans Terrebonne, Jean-Nicolas Denis dans Bellechasse et notre amie Marianne Breton-Fontaine dans Jacques-Cartier[202]. Cette liste n'est sans doute pas exhaustive.

Mais c'est'y pas merveilleux ! Les électeurs des circonscriptions de Mirabel, de Blainville, de l'Acadie, de Terrebonne et de Bellechasse on pu voter en toute innocence pour des communistes dissimulés derrière le camouflage de Québec solidaire. « Je ne veux pas trop que l'on parle du PCQ », déclarait devant un journaliste du *Devoir* le nouveau chef du PCQ et candidat dans Blainville, Francis Gagnon-Bergman[203]. « Je ne veux pas rentrer dans ce débat-là[204] ! » Bien sûr que non ! Le grand méchant loup étant travesti en mère-grand, le petit Chaperon rouge n'a même pas le loisir de s'émerveiller à la vue de ses grandes dents. Le fait est que les communistes ne possèdent plus de crocs depuis belle lurette et ne peuvent plus avaler que du « manger mou », qu'ils régurgitent ensuite dans un sachet étiqueté Québec solidaire afin que nous le déglutissions à notre tour en croyant consommer du foie gras plutôt que de la viande à chien ! Et cette manière de faire passer des vessies pour des lanternes, cette entourloupette, ce minable tour de passe-passe, cette supercherie, ne soulèvent aucune indignation ? Vous direz que je m'énerve pour rien : les candidats communistes de Québec solidaire n'ont récolté tous ensemble

202. http://fr.wikipedia.org/wiki/Parti_communiste_du_Québec. Un doute subsiste cependant quant au parti communiste auquel Mme Breton-Fontaine appartient.
203. Qui a quitté le PCQ en janvier 2011 et fondé le groupe Unité communiste en mars de la même année. Il est toujours membre de Québec solidaire. http://fgbergmann.blogspot.com/2011/03/lunite-des-communistes-premiers-pas.html
204. Fabien Deglise, « Francis Gagnon-Bergmann dans Blainville - Une brique à la fois vers la victoire ». *Le Devoir*, 17 novembre 2008. http://www.ledevoir.com/politique/quebec/216694/francis-gagnon-bergmann-dans-blainville-une-brique-a-la-fois-vers-la-victoire

que quelques centaines de votes[205]. N'empêche!... Quel scandale ç'aurait été si quelque jeune néo-nazi s'était présenté aux élections sous la bannière de l'Action démocratique du Québec!...

Mme David n'est plus marxiste-léniniste, mais elle abrite sous son aile protectrice un ramassis de m.-l. et de trotskistes recyclés, pour ne pas trop se faire remarquer, dans l'écologisme féministo-altermondialiste! Et elle n'est même pas leur chef, que non! Pas leur chef, car ce n'est pas elle qui mène!... seulement leur porte-parole! Ceux qui en doutent encore devraient peut-être lire son dernier bouquin:

> Le parti n'a pas de chef! Plusieurs en doutent, mais c'est vrai. Notre direction collégiale compte 13 personnes dont une majorité de femmes. C'est là que se prennent les décisions stratégiques qui orientent mon travail et celui d'Amir. Les membres du comité de coordination nationale tiennent de vrais débats, ils et elles ne sont pas là pour entériner simplement des décisions déjà prises par les porte-parole. Bien sûr, Amir et moi avons une certaine influence dans les discussions. [J'en saute un bout] La direction du parti n'a pas le pouvoir de renverser une décision prise en congrès. Les porte-parole doivent s'y plier[206].

C'est t'y assez clair?... Quand Amir Khadir pose un geste, c'est Québec solidaire qui s'exprime. Lui, il barbotte dans ces eaux troubles comme un dipneustes dans une mare. Ami de tout le monde, doté de branchies et de poumons, il se sent à l'aise dans tous les milieux! Ces articles du programme de l'UFP, où se trouvent mêlés le meilleur et le pire — qui peut être contre la protection des enfants? — font d'ailleurs toujours partie du bagage génétique qu'il a implanté à Québec solidaire:

---

205. Aux élections de 2008, un total de 3621 voix sur les 138 656 bulletins déclarés valides dans les cinq circonscriptions, soit 2,61 % des suffrages exprimés. Pas tout à fait assez pour construire le socialisme.
206. Françoise David. *De colère et d'espoir*, p. 189.

1.h Prise de position sans équivoque pour la paix et le désarmement par le gouvernement du Québec, y compris le déminage complet des zones victimes de guerre et la protection des enfants contre l'enrôlement dans des conflits armés[207]; retrait de sa participation au sein de l'OTAN et de NORAD.

1.j Soutien au peuple palestinien, incluant le droit de celui-ci de vivre dans un État indépendant et souverain avec Jérusalem-Est comme capitale; retrait immédiat et sans condition de toutes les forces armées israéliennes des territoires occupés palestiniens; démantèlement des colonies et droit de retour pour les réfugiés[208].

Dans le programme de Québec solidaire (édition 2008), il n'est pas fait mention d'Israël ou de la Palestine. Peut-être Françoise David ne voyait-elle aucune raison d'inscrire cette question au programme du parti. Mais son collègue voit les choses autrement. Depuis son élection comme député du comté de Mercier, le 8 décembre 2008, Amir Khadir n'a cessé de travailler d'arrache-pied à la cause qui lui est la plus chère. La défense des intérêts de ses électeurs de la circonscription de Mercier? Qu'alliez-vous donc imaginer? Ai-je besoin de vous faire un dessin? «Au fil de toutes les discussions, écrit Françoise David, nous découvrons, Amir et moi, que nous nous complétons à merveille. Lui il "trippe sur les mines" et autres ressources naturelles. On appuie sur le bouton "Loi sur les mines" et il démarre! De même pour la lutte contre la corruption, les compagnies pharmaceutiques, la politique internationale, surtout

---

207. Sauf quand il s'agit d'enfants palestiniens utilisés comme boucliers humains et destinés aux attentats suicides par les terroristes du Hamas, du Hezbollah ou de la Brigade des martyrs d'Al-Aqsa, auquel cas il vaut mieux faire comme si de rien n'était. Après tout, il ne s'agit que d'enfants musulmans défendant la bonne Cause. Ne sont-ils pas éduqués dès leur plus jeune âge dans l'amour de la mort plutôt que dans celui de la vie?
208. http://web.archive.org/web/20070309104913/http://www.ufp.qc.ca/article.php3?id_article=1125

le Moyen-Orient[209].» Ah ça! le Moyen-orient, il s'en occupe beaucoup! Je le verrais très bien comme maire de Ramallah ou de Bethléem.

Il a fait des petits, notre ami Khadir. L'une des fondatrices de *D'abord solidaire* et d'*Option citoyenne* — et l'un des plus solides piliers de Québec solidaire —, Manon Massé, voguait l'été dernier vers Gaza dans un esquif, le Tahrir, prétendument affrété pour apporter de l'aide humanitaire aux Gazaouis, mais voué en réalité à appuyer le Hamas dans son entreprise de destruction. Une féministe lesbienne alliée à des théocrates misogynes et homophobes, quel dévouement suicidaire!

---

209. David, *Op. cit.*, p. 188.

CHAPITRE VIII

Toujours dans la voie de gauche !

Les gens sentent aussi que Québec solidaire apporte un vent nouveau, quelque chose qui est différent, une manière différente de penser la société, d'agir sur le plan politique. Les gens aiment la liberté qu'on prend, par exemple, de s'attaquer aux icônes.

Amir Khadir[210]

Amir Khadir ne craint pas, en effet, de s'attaquer aux « icônes », fut-ce de manière symbolique contre des cibles faciles, comme il le fit le 20 décembre 2008, douze jours après son élection comme député de Mercier, un mois après celle de Barack Obama, en lançant une chaussure sur une effigie de George W. Bush, dont le moins qu'on puisse dire, c'est qu'il n'était pas une icône[211]. Dénoncer Bush est sans doute dans les salons du Plateau ou les coquetels outremontais une opération aussi convenue que rentable — cette dépense de salive fait office de moyen de reconnaissance, un peu comme le fameux signe des Chevaliers de Colomb —, mais constitue essentiellement une simagrée de tout repos sans la moindre pertinence, le crachoir dans lequel on bave débordant déjà depuis des années d'autant de futiles injures que de reproches

---

210. Dans une entrevue avec Abdou Zirat et Christiane Dupond à M Télé, le 26 avril 2011. http://www.youtube.com/watch?v=CVVR8ajaXz8

211. « Bush assassin, Harper complice », criaient une vingtaine de manifestants. http://www.24hmontreal.canoe.ca/24hmontreal/actualites/archives/2008/12/20081220-154004.html Aussi http://www.cyberpresse.ca/actualites/quebec-canada/national/200812/21/01-812258-et-lance-la-chaussure.php

justifiés à l'encontre de l'ex-président des USA. Qui décoche à Bush le coup de pied de l'âne prouve qu'il en est un.

Que Khadir ait choisi comme premier geste public après son élection de s'associer à une vingtaine d'hurluberlus pour lancer des godasses sur un poster ne constituait point un faux pas mais plutôt un rite de passage, une sorte de sacrement de confirmation pour le plus éminent fidèle de l'Église antiaméricaine. Vous savez, ces contestataires professionnels qui se montrent le museau dans toutes les manifs afin d'y pratiquer rituellement une sorte de reniflement mutuel des arrières-trains accompagné de clabaudages rabâchés, manies qui ne changent rien à rien mais qui assurent périodiquement la cohésion de la meute. Ne retrouvait-on pas ce jour-là à la cérémonie, parmi les audacieux dénonciateurs de Bush et de Harper, l'inévitable, le sempiternel, le folklorique Jaggi Singh ?

Verrons-nous un jour Amir Khadir lancer des cothurnes, des babouches ou des sabots sur une effigie d'Ahmadinejad, de Bachar el-Hassad ou de Mouammar Kadhafi — qui, monté au paradis des soixante-douze vierges, est dorénavant tout aussi inoffensif qu'un Bush ? N'y comptez pas trop. Ne vous attendez même pas à ce qu'il monte un jour en chaire ou sur une tribune — à la place Gérald-Godin, par exemple, pourquoi pas ? — pour y pourfendre devant ses anciens khamarades éberlués des malfaiteurs qui ne seraient pas israéliens ou états-uniens. Car dans l'ordre des aversions d'Amir Khadir, Benjamin Netanyahou, ses prédécesseurs et ses successeurs démocratiquement élus passent bien avant les trois salopards que je viens de nommer, qui ont bien des défauts, mais pas celui de diriger le pays que M. Khadir voudrait « améliorer ». « Amir Khadir se contente de lancer des souliers contre Bush parce que, comme tous ses camarades de la gauche tofu, Monsieur le député a la révolte sélective[212].»

Apparemment loufoque, le geste posé par Amir Khadir dans cette affaire du soulier ne déborde pas des ornières politiques déjà creusées par ses engagements antérieurs qui, si on les examine avec soin, nous montrent qu'il suit toujours à la lettre les indi-cations fournies par un GPS (Global Political Sensitivity) dont lui seul et ses khamarades peuvent capter les signaux, comprendre la logique et respecter les instructions. Qu'il roule sur une autoroute à six voies, une piste de course ou un chemin de campagne, Amir Khadir conduit donc toujours dans la voie de gauche, quitte à provoquer des face à face qui nous semblent suicidaires. Tant pis pour nous, c'est ça qui est ça, on a juste à se tasser! Un simple coup d'oeil sur sa feuille de route publiée dans le site de l'Assemblée nationale nous permet d'ailleurs de constater, si ce n'est déjà fait, que nous avons affaire à un homme qui a toujours été très proche de l'extrême gauche, au point à certaines occasions de se fondre dans ses composantes les plus idéologiquement et politiquement sclérosées. Sous la rubrique «Engagement communautaire et politique», on peut lire qu'il a été de 1998 à 2008, collaborateur à *Aide médicale à la Palestine*[213] et à *Caravane d'amitié Québec-Cuba*. On peut présumer qu'il a dû renoncer à ces deux activités pour mieux se consacrer à sa tâche de député.

La *Caravane d'amitié Québec-Cuba* est membre avec vingt-trois autres organisations québécoises de la *Table de*

---

212. Richard Martineau, «Esprit de bottine», *Canoe.ca* 24/12/2008 http://www.canoe.com/infos/chroniques/richardmartineau/archives/2008/12/20081224-092200.html

213. Le véritable nom de cet organisme est *Aide médicale POUR la Palestine* (AMP). L'AMP est présidée par Edmond Omram. Voir note 149, p. 63.

concertation de solidarité Québec-Cuba[214], dont le site web est très instructif. On y trouve la description suivante:

> La Caravane existe depuis 1993. Elle est une coalition d'individus qui soutien [*sic*] activement le droit à l'autodétermination du peuple cubain, dont le droit pour son gouvernement d'établir des relations commerciales avec qui bon lui semble, et initie et s'engage dans des actions visant la fin du blocus économique des États-Unis contre Cuba. Nous participons aux caravanes d'amitié avec Cuba organisées par les Pasteurs pour la paix des États-Unis pour dénoncer le blocus. La Caravane d'amitié Québec-Cuba est un moyen particulier de sensibiliser la population québécoise à la situation générée par le blocus contre Cuba[215].

Tout le monde sait qu'il n'y a pas de blocus — peuvent en témoigner les milliers de touristes québécois qui débarquent chaque année à Cuba sans être interceptés par la marine ou l'aviation américaines —, mais l'emploi de ce mot (traduit de l'espagnol *bloqueo*), répété *ad nauseam* sur le site de la *Table de concertation de solidarité Québec-Cuba* est, dans la bouche des amis de Fidel et de Raul, tout à la fois un mantra et un mensonge. En français, le mot juste est embargo. Il y a autant de différence entre un blocus et un embargo qu'il y en a entre l'infarctus et la constipation. L'embargo commercial que les États-Unis imposent à Cuba ne concerne d'ailleurs plus depuis 2000 ni les produits alimentaires, ni les médicaments. Wikipedia, qui est une source de renseignements beaucoup plus fiable que les à-peu-près des prétendus amis de Cuba, nous apprend que « les États-Unis sont les premiers fournisseurs de produits alimentaires de Cuba et assurent entre 35 à 45 % des importations de nourriture de l'île[216] ». En 2007, le

---

214. http://www.solidaritequebeccuba.qc.ca/index.php
option=com_content&task=blogsection&id=5&Itemid=13
215. *Ibid.*
216. http://fr.wikipedia.org/wiki/Embargo_des_États-Unis_contre_Cuba

montant des exportations américaines vers Cuba aurait été de 500 millions de dollars. « En 2002 et en 2006 [sous la présidence de W. Bush] le gouvernement américain a fait des propositions pour arrêter l'embargo, à la condition d'une transition démocratique dans l'île. Ces propos furent alors jugés très provocateurs par le gouvernement cubain, indiquant que George W. Bush était "mal placé pour donner des leçons de démocratie"[217] ». Nul doute qu'Amir Khadir et ses amis de la *Table de concertation de solidarité Québec-Cuba* sont d'accord avec les dirigeants de La Havane : Bush était un vulgaire dictateur, Castro est depuis toujours un vibrant démocrate. Cuba n'est-elle pas d'ailleurs la plus parfaite démocratie des Amériques (à l'exception, peut-être, du Venezuela de Hugo Chavez) ? Vous osez en douter ? Une brève séance de rééducation administrée par la *Table de concertation de solidarité Québec-Cuba* vous remettra les idées en place.

Dans une conférence tenue à Québec le 23 septembre 2008, l'écrivain et journaliste montréalais Arnold August[218] expliquait que le système électoral cubain est « à la fois simple et complexe. Sa simplicité, par exemple, bien remarquée par le fait que l'inscription est automatique pour tous et pour toutes, dès l'âge de 16 ans. De l'autre côté, sa structure un peu complexe qui permet par-dessus tout une réelle démocratie, appelée démocratie participative, qui veut que chaque pâté de maisons soit impliqué directement dans le processus électoral, tant municipal, que pro-

---

217. *Ibid.*
218. L'« écrivain et journaliste » Arnold August est (ou a été) membre du PMLQ. Il fut candidat de ce parti dans Mercier en 1989. Il a alors récolté 0,46 % des voix (108 votes) Il faut croire que le comté de Mercier comptait à l'époque 108 admirateurs des régimes castriste et nord-coréen. Arnold August est membre du Réseau Voltaire, il y a publié 17 articles. Le Réseau Voltaire (qui porte si mal son nom) a été fondé en 1994 par Thierry Meyssan, le fumiste de *L'Effroyable imposture*. En plus de son célèbre libelle, Meyssan est l'auteur de 686 articles.

vincial et national[219].» Et que chaque citoyen soit étroitement surveillé par les autres locataires de son immeuble... Voilà qui nous rappelle, dans une version tropicale un peu plus déhanchée, les activités d'espionnage de la Stasi et le système de délation qui pourrissait de l'intérieur la société est-allemande.

Au-dessus de la *Caravane d'amitié Québec-Cuba* et de tous les groupes similaires ailleurs dans le monde trône une organisation américaine appelé *Pastors for Peace*[220]. En général, c'est assez sympathique, un pasteur. Mais ces pasteurs-là n'attirent pas que des éloges:

> Ils se font appeler «Pasteurs pour la paix» mais en réalité ils ne sont rien d'autre que des *Pasteurs pour les meurtriers*. Sous le prétexte d'apporter de l'aide aux Cubains victimes des ouragans, ils ne sont rien d'autre qu'un groupe de propagande communiste. Si cette bande de partisans éhontés de la meurtrière dictature cubaine profite de l'exemption de taxe accordée aux mouvements religieux, elle doit être révoquée immédiatement [...] Il est révoltant de voir ces sycophantes immoraux, se draper sous le manteau de la religion pour promouvoir l'une des plus diaboliques dictatures de l'histoire moderne. La vie sur terre prendra fin un jour et ces répugnants lécheurs de bottes devront éventuellement répondre de leurs moqueries devant l'Éternel [221].

---

219. http://www.solidaritequebeccuba.qc.ca/index.php?option=com_content&task=view&id=206&Itemid=38
220. Dont voici l'adresse internet: http://www.ifconews.org
221. «*They like to call themselves "Pastors for Peace," but in reality they are nothing more than Pastors for Murderers. Under the guise of supposedly trying to help Cubans on the island suffering after the hurricanes, they are nothing more than a communist propaganda group. If this group of shameless shills for Cuba's murderous dictatorship has a religious group tax exemption, it should be revoked immediately.[...] It is sickening to watch these immoral sycophants hide behind the cloak of religion to promote one of the most evil dictatorships in modern history. In the end, life on this earth is temporal and these loathsome jackboot-lickers will eventually have to answer to the God they mock*». Traduit par nous et tiré de: http://babalublog.com/author/albertodelacruz/

Et vlan! Je me demande ce qu'Amir Khadir pense vraiment de cette fameuse «démocratie» cubaine. Peut-être est-il à ce propos un peu plus circonspect que M. August, mais quels que soient ses doutes il se garde bien de les exprimer à haute voix. Au contraire, les gestes qu'il pose publiquement font de lui un allié objectif du régime cubain, «une des plus diaboliques dictatures de l'histoire moderne». Un socialiste approuvant le socialisme, rien de plus naturel en effet. Amir Khadir conduit toujours dans la voie de gauche.

Sous le patronage de la *Table de concertation de solidarité Québec-Cuba,* avait lieu le 6 août 2008, c'est-à-dire un mois et demi avant la conférence d'Arnold August à Québec, et quatre mois avant l'élection d'Amir Khadir comme député de Mercier, la 4e Journée montréalaise d'amitié avec Cuba[222]. Que s'est-il passé ce jour-là?

> Plus de 400 personnes ont participé aux activités entourant la 4e édition de la Journée montréalaise d'amitié avec Cuba. La Table de concertation de solidarité Québec-Cuba a encore une fois souligné son amitié avec Cuba en organisant des kiosques, en présentant des films et des reportages photos. Cela a permis à tous de se familiariser avec la réalité cubaine et avec le large éventail d'activités organisées par les différents groupes oeuvrant dans la solidarité avec Cuba. Dans la soirée, les centaines de personnes présentes ont pu entendre les salutations des personnalités publiques, tout en dégustant des spécialités cubaines et se désaltérant avec les fameux mojitos, concoctés par nos merveilleux bénévoles amoureux de Cuba! Le tout, animé avec art et chaleur par Marie-Célie Agnant, écrivaine renommée et grande amie de Cuba. De plus, nous avons eu la chance d'avoir avec nous les représentants des organisations suivantes:
>
> Rosa Adela Mejilla, directrice générale de l'Office de tourisme de Cuba,
> Pierre Chénier, du Parti marxiste-léniniste du Québec,
> le premier Consul du Venezuela Adolfo Figueroa,

---

222. http://www.solidaritequebeccuba.qc.ca/index.php?option=com_content&task=view&id=221&Itemid=1

Amir Khadir, de Québec Solidaire,

André Parizeau, du Parti communiste du Québec,

Yuri Pedraza, directeur général de la Communauté cubaine au Canada,

Sandra Smith, du Parti communiste du Canada (M-L)[223].

Charmante liste d'invités, n'est-ce pas? C'est gravé dans le roc: des communistes ne peuvent être que de francs admirateurs du *Lider Maximo* et de son frangin. Mais quelle mouche a piqué Amir Khadir? Côtoyer André Parizeau, c'est un pis-aller, mais dériver, fut-ce dans les eaux territoriales cubaines, dans une galère lestée par la présence de Sandra Smith du PCC (M-L) et de Pierre Chénier du PMLQ, c'est vraiment de la folie furieuse! Que la Smith soit une fan de Castro, ça se comprend, elle est déjà une grande admiratrice de Kim Jong Il et du régime nord-coréen[224], qui n'a certes rien à envier aux prouesses accomplies à Cuba par le régime castriste! «La RPDC est aujourd'hui, affirment Mme Smith et les autres diplodocus du PCC (M-L), un pays de plus en plus industrialisé et prospère, et ce malgré les machinations continuelles des impérialistes américains et des autres puissances mondiales[225].» C'est bien beau l'amitié avec Cuba, mais comment Amir Khadir a-t-il pu endurer, en cette belle journée du mois d'août 2008, les relents de fond de cale dégagés par Mme Smith? Peut-être s'est-il tenu loin... Osons l'imaginer. Mais quelqu'un de vraiment sensé aurait sauté par-dessus bord et tenté d'atteindre à la nage la rive cubaine, voire celle de la Floride! Tout, mais pas la Corée du Nord en compagnie de Mme Smith!

On m'accusera d'instruire un procès par association. Je répondrai à cela par la formule que j'employai naguère pour

223. *Ibid.*
224. Voir Introduction, p. 15.
225. http://www.cpcml.ca/francais/Lmlq2011/Q410315.HTM

tancer l'une de mes vieilles connaissances : « Cesse de fréquenter des Hell's Angels et on ne te soupçonnera plus de faire partie d'la gang ! » Khadir aura peut-être suivi en 2008 un conseil semblable à celui-là en cessant de collaborer à la *Caravane d'amitié Québec-Cuba,* dont le discours est un tissu de mensonges, mais dont l'action peut avoir une certaine utilité, puisque tout en soutenant la dictature castriste, elle apporte une aide réelle au peuple cubain en recueillant au Québec des médicaments, du matériel d'hôpital, des fournitures scolaires, des bicyclettes, des vêtements, etc., qu'elle achemine ensuite vers Cuba, dont le peuple vit vraiment dans le besoin, non pas à cause de l'embargo américain mais plutôt à cause des restrictions provoquées par le régime économique absurde imposé par les fossiles du Parti communiste cubain. Il n'est pas nécessaire d'être allé cent fois à Cuba pour réaliser que les Cubains forment effectivement un peuple fier et courageux. J'ajouterais admirable et créatif. Le jour où disparaîtra la chape-de-plomb socialiste qui lui pèse dessus, l'économie cubaine deviendra l'une des plus prospères des Amériques, et cela grâce au dynamisme et à l'intelligence des Cubains, non à cause des secours venus des États-Unis après la fin de l'embargo.

Notons en passant que le père d'Amir Khadir, Jafar Khadir, était membre en 2002 de l'*Association québécoise des amiEs de Cuba* (AQAC) qui au moins jusqu'en 2004 — les dernières publications sur leur site web[226] datent de cette année-là — était associée à la *Table de concertation de solidarité Québec-Cuba* et participait aux *Caravanes d'amitié pour Cuba.* En 2002, Jafar Khadir a été détenu pendant plusieurs heures à la frontière canado-américaine de Coburn Gore près du Lac Mégantic, ses compagnons de l'AQAC ayant pour leur part récupéré leurs papiers et obtenu

---

226. http://www.aqac.ca/cadres.htm

l'autorisation d'entrer aux États-Unis. Un article du *Soleil* est cité sur le site de l'AQAC. On y lit que « le groupe voulait acheminer une cargaison de matériel médical à des collègues américains de l'organisation *Pastors for Peace* qui allaient eux envoyer le tout aux hôpitaux de Cuba. » La journaliste du *Soleil*, Isabelle Mathieu, souligne le fait que Jafar Khadir est un « Montréalais arrivé d'Iran il y a 30 ans et portant la double citoyenneté canadienne et iranienne. »

> Menotté, Jafar Khadir a dû répondre aux questions des agents d'immigration durant près de huit heures. « Ils m'ont demandé qui était mon père, mon grand-père, qui je fréquentais et aussi ce que j'avais fait lorsque j'étais étudiant en Iran », résume le militant, qui a participé à de nombreuses manifestations depuis son arrivée au Canada. « Je suis contre la guerre et pour la paix », ajoute M. Khadir. Les agents d'immigration américains ont longuement interrogé le militant, qui se déclare athée, sur la signification de termes comme moudjahidin et Alqaida. Les agents ne comprenaient pas non plus pourquoi il s'intéressait à la cause des Cubains victime de l'embargo américain. [...] La situation a traîné en longueur du fait que les agents d'immigration n'arrivaient pas à accéder au dossier d'immigrant de Jafar Khadir à partir de leurs terminaux. Ils ont finalement réussi, après deux heures d'effort, mais en sont venu à la décision de ne pas permettre au Montréalais de traverser la frontière. « Ils m'ont dit qu'aux États-Unis, je n'étais pas un homme désirable pour eux, dit M. Khadir. Ils m'ont conseillé de ne pas me réessayer. »[227]

À la perplexité des douaniers américains — dont la candeur nous étonne — quant à l'intérêt de Jafar Khadir pour la cause des Cubains, il est facile de répondre : toute personne qui s'intéresse à la cause des Cubains n'est pas communiste, mais tout communiste s'intéresse à la cause des Cubains — ou du moins à la cause du socialisme à Cuba. Or Jafar Khadir est communiste — il l'était du moins officiellement

---

227. http://www.aqac.ca/pdfs/tx0051.pdf

jusqu'en 2007. Pourquoi par ailleurs Jafar Khadir était-il indésirable aux États-Unis — j'ignore s'il l'est encore? Parce qu'il est communiste? Je ne crois pas, ses compagnons de voyage l'étant sans doute autant que lui, ce qui ne les a pas empêchés de passer la frontière. La réponse la plus plausible c'est qu'il sympathisait à l'époque avec l'Organisation des moudjahiddines du peuple iranien (OMPI), mouvement de résistance armée au régime de la République islamique d'Iran. Or, l'OMPI est placée sur la liste officielle des organisations terroristes du Canada et des USA et l'a été par le Conseil de l'Union européenne de 2002 à janvier 2009 et par le Home office jusqu'en juin 2008. Voilà qui pourrait expliquer l'attitude des douaniers américains en 2002. Mais un doute demeure, car l'OMPI n'a été désignée au Canada comme organisation terroriste qu'en 2005. Quoi qu'il en soit, la biographie d'Amir Khadir à laquelle je me réfère affirme que «le service canadien du renseignement de sécurité (SCRS) a surveillé l'OMPI, Amir Khadir et sa famille à cause du soutien apporté par ceux-ci[228].» Soutien et liens qui, aux dires du député de Mercier, ont cependant été rompus dès le milieu des années 1980. Ses propos à ce sujet sont rapportées dans un article de L'Actualité: «Une culture de guérilla s'installait, ainsi qu'une régression idéologique. Nous, on ne se préoccupait pas de savoir si nos membres s'abstenaient de boire de l'alcool, de manger du porc ou d'avoir des relations amoureuses en dehors du mariage. Mais l'organisation me demandait d'instituer ces règles[229].» Communiste donc, ou du moins socialiste, mais pas islamiste... Nous y reviendrons.

La journaliste de L'Actualité trace un portrait fort vivant d'Amir Khadir et de sa famille: «Amir Khadir passe peut-être

---

228. http://fr.goldenmap.com/Amir_Khadir
229. Noémie Mercier, «Amir Khadir, un rebelle au salon bleu», L'Actualité, 21 mars 2011 http://www.lactualite.com/politique/amir-khadir-un-rebelle-au-salon-bleu?

pour un original à l'Assemblée nationale, mais parmi ses proches, il n'a rien d'un rebelle. Quand on lui demande d'où vient son inépuisable capacité d'indignation, il répond simplement : "C'est dans ma culture familiale." Chez les Khadir, le militantisme gauchiste se transmet de génération en génération, héritage du destin mouvementé de leur pays d'origine[230]. »

Reçue par les Khadir dans le bungalow de Jafar à Saint-Lambert, Noémie Mercier écrit :

> Jafar Khadir garde un souvenir idyllique d'une brève période de son enfance où un régime socialiste, soutenu par l'Union soviétique, a contrôlé sa région natale, l'Azerbaïdjan iranien... avant d'être chassé par les forces de l'ordre iraniennes, avec l'aide des États-Unis. [...] L'amertume contre l'impérialisme américain, les sympathies socialistes, ça fait partie du patrimoine familial. Dans la bibliothèque du salon, à côté des portraits de famille et des photos du vénéré Mossadegh, on trouve des ouvrages de Marx et d'Engels, quatre tomes des Œuvres choisies de Lénine, deux épais volumes des écrits de Kim Il-sung, le défunt dictateur nord-coréen[231]. Jafar Khadir, qui se dit aujourd'hui simple sympathisant, a déjà été membre du comité central du Parti communiste du Québec (PCQ). « Je les considère comme des gens honnêtes, concernés par les malheurs des autres. » D'ailleurs, depuis plusieurs années, le stage de formation du Parti se tient à son chalet des Cantons de l'Est, pendant une fin de semaine de l'été. En 2009, Amir est même allé y faire un tour et s'est mêlé aux discussions[232].

---

230. *Ibid.*
231. C'est Sandra L. Smith qui doit être contente !
232. Noémie Mercier, *Op. cit.* Des photos prises lors de la séance de formation tenue à l'été 2010 apparaissent sur le site suivant: http://nodogsoranglophones.blogspot.com/2010/08/communists-frolic-at-khadir-chalet.html À propos de la même formation, Éric Duhaime écrit : « De retour de Turquie, Jafar Khadir présentait "un topo sur la situation au Moyen Orient ainsi que sur la lutte du peuple palestinien". Il s'agissait sûrement d'une autre séance d'Israël bashing. » http://blogues.canoe.ca/ericduhaime/politique-partisane/qs/khadir-chez-les-communistes/

Voilà donc pourquoi Amir Khadir conduit toujours dans la voie de gauche! C'est à cause de son éducation, qui lui proscrit d'aller au centre ou à droite. Souvent à l'encontre du bon sens le plus élémentaire... Françoise David avait donc raison quand elle écrivait, à la suite de l'incursion de son co-porte-parole sur la ligne de piquetage des PAJUstes le 11 décembre 2010 et de la controverse qu'elle avait soulevée: «Amir Khadir n'est pas responsable de ce que son père fait ou ne fait pas. On a tous des parents et des enfants, et je pense qu'un moment donné, il ne faut pas imputer à Amir des choses que son père fait.[233]» Nous sommes d'accord, mais l'inverse ne pourrait-il pas être vrai? Il n'est pas nécessairement insensé d'imputer au père ce que le fils fait...

L'ornière approfondie par Amir Khadir pourrait donc avoir été creusée à son intention et lui avoir été léguée bien avant qu'il ne collabore à la *Caravane d'amitié Québec-Cuba* et à *Aide médicale POUR la Palestine*, dont il faut maintenant dire quelques mots.

---

233. Citée par l'agence QMI dans un article publié le 22 janvier 2011, « Le boycottage d'une boutique de chaussures "L'incident est clos" »: http://tvanouvelles.ca/lcn/infos/ regional/archives/2011/01/20110122-180218.html Nous savons que Mme David se trompait (ou nous trompait) lourdement et que l'incident n'était pas clos, mais pas du tout!

CHAPITRE IX

En toute connaissance de cause et de ferme propos

De nos jours, les Arabes et les Musulmans sont beaucoup plus francs dans la proclamations de leur intention géno-cidaire envers les Juifs que les Nazis le furent jamais.

Richard Landes[234]

Nous y voilà encore ! Pourquoi, me demanderez-vous, consacrer autant de temps et d'espace à Israël et à la Palestine, dans un livre portant sur Amir Khadir, co-porte-parole d'un parti politique québécois, représentant à l'Assemblée nationale du Québec d'une circonscription montréalaise et citoyen canadien ? À cette question je dois répondre que nous n'avons pas le choix, que le Sieur Khadir est l'unique responsable des pénibles efforts que nous nous imposons. Notre filature nous amène là où il s'égare, là où il se cache, là où il s'exhibe. Je ne le traque et ne décris son parcours que parce que lui, co-président d'un parti politique québécois, représentant à l'Assemblée nationale du Québec d'une circonscription montréalaise, et citoyen canadien, nous impose le spectacle de ses sinistres pitreries. Mais je répète que s'il n'avait pas fait déborder le vase dans son discours du 15 mai 2011, je ne me donnerais pas la peine que je me donne en ce moment.

---

234. Dans un entretien avec Manfred Gerstenfeld. http://www.jcpa.org/phas/phas-fr-24.htm

Aide médicale pour la Palestine (AMP) a été fondé en 1982 en vue « d'alléger les souffrances de la population civile palestinienne, lors de l'invasion du Liban par l'armée israélienne. » Voici comment l'AMP définit son action :

> Depuis le début de l'Intifada en décembre 1987, l'AMP a aidé presque exclusivement les organismes impliqués dans le domaine de la santé en Cisjordanie et à Gaza. Depuis 1995, les projets de l'AMP visent des secteurs tels que l'éducation, la santé, la formation, la place des femmes et des jeunes dans le développement, l'environnement et les droits humains. Depuis la deuxième Intifada (septembre 2000), l'AMP dirige ses efforts d'aide vers les enfants et les jeunes adultes en Palestine et au Sud Liban[235].

Amir Khadir mérite certes nos plus sincères félicitations pour avoir apporté pendant plus de dix ans sa modeste contribution — dommage qu'il ne s'en mêle plus depuis son élection — à une entreprise aussi méritoire. L'aide aux enfants palestiniens, de quelque source qu'elle provienne, est un devoir, une nécessité. On sait en effet de quelle manière ces enfants sont traités, plus particulièrement à Gaza, où ils ne sont que de la chair à canon, et leurs mères des fabriques de martyrs. Comme le dit si bien Pierre-André Taguieff : « S'il y a bien une "Gaza-strophe", la responsabilité en revient aux fanatiques islamistes inaptes à gouverner, n'ayant cure du bien commun, et dont la seule préoccupation est de tuer des Juifs tout en faisant appliquer de plus en plus strictement la charia, construisant ainsi à Gaza, progressivement, un émirat islamique[236] ». Aussi ne faut-il pas tarir d'éloges envers Amir Khadir, Françoise David et leurs khamarades de Québec solidaire ; et plus particulièrement envers la valeureuse Manon Massé, qui au

---

235. http://mapcan.org/francais.html
236. Taguieff, *Op. cit.*, p. 270-271.

risque de se voir imposer le port du hidjab, voire du niqab, si elle échappait à la protection de la marine israélienne et parvenait à destination, s'est quand même courageusement embarquée sur le Tahrir à l'été 2011 afin d'apporter de l'aide humanitaire aux Palestiniens opprimés par le Hamas. Dommage seulement que Mme Massé ne se soit pas avisée que le meilleur moyen de faire parvenir ces secours aux malheureux Gazaouis eût été d'accoster au port d'Ashdod, d'où les denrées généreusement apportées par ses soins eussent été acheminées à Gaza par les Israéliens après vérification par ces derniers que la représentante de Québec solidaire ne transportait dans ses bagages aucune arme destinée à attenter à la vie des tortionnaires du Hamas, envers lesquels elle a toujours manifesté la plus grande hostilité. Cette bizarre erreur d'aiguillage dans l'itinéraire idéologique habituellement infaillible des flottilleux de la paix n'enlève cependant rien au mérite insigne de Mme Massé, dont les bonnes intentions méritent d'être applaudies.

Le sort des enfants palestiniens du Sud-Liban (eux aussi secourus par l'AMP) n'est guère plus enviable que celui des petits Gazaouis. Ces pauvres enfants, leurs parents, leurs grands-parents et leurs arrières-grands-parents, réfugiés aux Liban depuis quatre générations sont traités d'une manière infâme. Le gouvernement libanais leur impose un véritable régime d'apartheid, auprès duquel le sort des Arabes demeurés en Israël s'apparente à des vacances au *Club Med.*

> Dehors [en dehors du camp de Chatila], il y a les lois libanaises qui interdisent l'achat de propriétés immobilières à «tous les étrangers originaires de pays non reconnus par le Liban». Une formule tarabiscotée pour désigner les Palestiniens. Dehors, il y a d'autres lois: celles qui interdisent aux Palestiniens d'exercer quelque 73 métiers, ou celles qui empêchent un Palestinien de détenir un passeport, de voyager, d'essayer d'oublier la terre promise en échange d'une vie normale. [...] Les camps font partie de Beyrouth. Au sud, ils constituent un corps

étranger que l'armée libanaise contrôle comme s'il s'agissait de prisons à ciel ouvert. On fait la queue pour en sortir, et on se fait contrôler au retour : il est interdit d'introduire du matériel de construction, fût-ce une porte, une lampe ou un pot de vernis[237].

Pire qu'à Hebron ou Ramallah, ma parole! Qu'attend donc Desmond Tutu pour verser une larme? Qu'attend Jimmy Carter pour dénoncer l'apartheid libanais? Et quand donc une campagne BDS sera-t-elle déclenchée contre un pays qui traite les Palestiniens avec autant de cruauté? Soyons patients, nul doute que PAJU, Amir Khadir et leurs khamarades n'appliquent bientôt au Liban le boycott qui ne vise actuellement qu'Israël. Ouais... Le problème, c'est qu'Israël est un État... juif!... et que le Liban est tout ce qu'on voudra, sauf juif. Non sans raison, d'ailleurs. Il y avait environ 10 000 Juifs au Liban en 1948[238], ils ne sont plus que quelques centaines. Un des plus éminents représentants de cette communauté, le médecin Élie Hallak, fut enlevé par le Hezbollah en 1985 — en même temps que le Français Michel Seurat. Parce que juif, il fut exécuté par ses ravisseurs. «Aucune mobilisation, aucune caméra, aucun "reporter sans frontière", écrit Jacques Tarnéro, n'a rappelé au monde le sort de cet homme, victime de ce qu'il croyait être son devoir: soigner le petit peuple de Beyrouth[239].» Les Libanais peuvent bien faire ce qu'ils veulent de leurs Juifs, n'est-ce pas? De leurs Juifs comme de leurs Palestiniens! Ne nous

---

237. http://www.france-palestine.org/article446.html Qu'on ne vienne pas me dire qu'il s'agit là d'un site pro-sioniste ! Pour comprendre les tenants et aboutissants du sort des Palestiniens au Liban, en Syrie et en Égypte voir cette vidéo (pro-sioniste) : http://www.youtube.com/watch?v=TlrYVB8XzQQ
238. Certaines sources disent 20 000.
239. Tarnéro, *Op. cit.*, p. 200. Plusieurs autres Juifs libanais furent victimes d'enlèvement et/ou d'assassinat entre 1984 et 1986. L'histoire des Juifs du Liban est succinctement racontée sur le site suivant. http://www.juifsdislam.net/articles.php?id=30&rub=3 On y apprend que les Juifs sont présents au Liban depuis l'Antiquité.

préoccupons donc pas du Liban! L'AMP ne s'en soucie d'ailleurs nullement, pas plus qu'elle ne s'en souciait quand Amir Khadir y avait encore son mot à dire!

L'AMP n'est évidemment pas morte quand Khadir s'en est allé à Québec. En 2011 elle exerce toujours ses activités. Voici ce qu'elle dit faire au Canada: «L'Aide médicale pour la Palestine (AMP) ne se concentre pas uniquement sur les projets internationaux. Nous voulons également faire connaître notre mission sur la scène locale. Pour cela, diverses activités sont mises en place chaque année dans le but de promouvoir la cause de la population palestinienne à travers le projet AMP-Commerce solidaire[240].» Comme disait l'autre: «Quand j'entends le mot *solidaire*, je vaporise du DDT». Me retenant à deux mains, je poursuis mon examen des activités de l'AMP au Canada et tombe sur ceci:

Tournée de Gideon Levy au Canada

Quand: 20 septembre [2011]

Où: Auditorium Leacock, salle 132, Pavillon Leacock, Université McGill [...]

Heure: 19h30

Coût: L'admission générale est de 15$, 10$ pour les étudiants sur présentation d'une pièce d'identité.

Description: Le 20 septembre prochain, l'écrivain Gideon Levy entreprendra une tournée de conférences organisée par CJPMO dans sept villes du Canada. La tournée débutera à Montréal et se terminera à Vancouver, le 26 septembre. Cette conférence constitue une occasion unique pour les Canadiens d'entendre cet «Israélien consacré à sauver l'honneur de son pays» (The Guardian).

---

240. http://mapcan.org/francais.html

Gideon Levy!? Gideon Levy sauvant «l'honneur de son pays»? Elle est bonne celle-là! Gideon Levy qui est l'incarnation même de ce qui s'appelle la «malhonnêteté intellectuelle?»

> On s'interroge sur ce qui peut conduire un citoyen israélien, un «intellectuel» au sens sociologique du terme, éditorialiste au quotidien *Haaretz*, à sombrer ainsi dans le pathos et le verbiage sloganique. Est-il vraiment stupide, a-t-il l'esprit embrumé par les effluves de son «coeur», est-il mû principalement par la haine qu'il éprouve pour ses compatriotes? [...] Ces dénonciateurs publics de leur nation se flattent d'incarner les «voix dissidentes» en Israël, d'être à «contre-courant», de pratiquer la «résistance» dans les médias, de s'opposer au «consensus». C'est pourquoi ils font figure de héros aux yeux des ennemis d'Israël. Ils incarnent le type du «bon Juif», et à ce titre, sont régulièrement invités ou cités en exemple par la nouvelle «bonne presse» [...] Leurs textes sont mis en valeur dans les revues «antisionistes», repris sur tous les sites pro-palestiniens et une multitude de sites ou de blogs d'extrême gauche[241].

Mais bien sûr, se dit l'antisioniste obsessionnel dès que l'idée surgit d'inviter au Canada un ennemi d'Israël, c'est Gideon Levy qu'il nous faut! Il possède toutes les qualités!

Le truc appelé CJPMO[242], qui organise les conférences de ce «Juif convenable» (aurait dit Adolf Hitler), rassemble en son sein un certain nombre d'idiots utiles en qui il est difficile de reconnaître des extrémistes de gauche[243]. Car ces gens-là sont apparemment pétris de bonnes intentions. CJPMO n'a-t-il pas fourni la preuve de sa grande humanité en organisant la conférence du 24 mars 2011 à l'Uqam, au cours de laquelle Amir Khadir

---

241. Taguieff, *Op. cit.*, p. 504-505.
242. Voir le site WEB : http://www.cjpmo.org/
243. Warren Allmand, trois fois ministre sous Trudeau, siège au Conseil d'administration !

plaida en faveur du boycott d'Israël, moyen pacifique de lutter contre le sionisme, puis glissa sur une pelure de banane en accusant Yves Archambault de souscrire aux caisses électorales du Parti libéral et de l'ADQ?... Du bien bon monde!... Pas étonnant qu'Amir Khadir soit l'un de leurs favoris... Tiens!... la prochaine tournée de conférences (écrit le 12 décembre 2011) mettra en vedette en janvier 2012 Norman Finkelstein, un autre «bon Juif», qui viendra expliquer aux Canadiens de Toronto, d'Ottawa, de Montréal et de Moncton «comment résoudre le conflit israélo-palestinien» Hi! Hi! Hi! La paix au Moyen-Orient expliquée par un bon Juif qui dit que les mauvais Juifs ne devraient même pas se trouver là où ils sont! Tout à fait rigolo! Il faut cependant accorder à Finkelstein un beau A+ pour sa franchise. Il reproche au BDSistes de ne pas reconnaître que leur campagne (qu'il approuve) a pour but la disparition d'Israël. Ils cachent leur véritable objectif et mentent en prétendant remporter des victoires. «It's a cult[244]!», dit-il.

CJPMO possède son propre centre de boycottage. Boycottage de quoi, de qui? Devinez... Dans sa page sur le boycott culturel[245], CJPMO distribue des félicitations et des blâmes. Des félicitations aux sept artistes ou groupes d'artistes qui, en 2010 ou 2011, ont annulé un spectacle ou une tournée de spectacles en Israël[246], des blâmes... aux autres, qui ne se sont pas laissés intimider[247]. Car CJPMO ne se contente pas de nommer les artistes, il

---

244. http://www.youtube.com/watch?v=iggdO7C70P8&feature=player_embedded
245. http://www.cjpmo.org/TabbedEnhancedItemList.aspx?EITID=6&MNITEM=1000000365
246. Natacha Atlas, Kareem Abdul-Jabbarest, Andy McKee, Vanessa Paradis,, Tindersticks , Mike Leigh, Elvis Costello..
247. Paul Anka, Roxette, Riverdance, Wikimania (conférence annuelle de Wikipedia), Duran Duran, Bon Jovi, Coldplay, The Fall, Jeff Beck, Missy Elliott, Ozzy Osbourne, LCD Soundsystem, Public image Ltd., Thirty seconds to Mars, Diana Krall, Suzanne Vega, Rod Stewart, Les Ballets Jazz de Montréal.

incite ses membres et les visiteurs de son site à faire pression sur eux. Voici, par exemple, ce qui était suggéré dans le cas des Ballets Jazz de Montréal :

> Courriel d'appel à l'action :
>
> Participez à l'appel à l'action de CJPMO pour faire savoir à BJM que vous ne voulez pas qu'ils se produisent en Israël.
>
> Lettre de CJPMO à BJM :
>
> Cliquez sur ce lien pour voir la lettre que CJPMO a envoyée à BJM pour l'encourager à ne pas se rendre en Israël.
>
> Envoyez votre propre lettre à BJM
>
> Envoyez votre propre lettre à BJM en cliquant sur ce lien pour ouvrir le document (MS Word). Personnalisez la lettre avec votre adresse, imprimez-la, signez-la et envoyez-la dès aujourd'hui.

J'ignore combien de personnes ont répondu à l'appel de CJPMO et à quelles pressions les Ballets Jazz de Montréal ont été soumis, mais ils n'y ont pas cédé. On aura cependant un bon aperçu de ce qu'ils ont dû subir en prenant connaissance de ce commentaire de CJPMO à propos d'une autre artiste : « [...] malgré la réception d'une centaine de lettre et de milliers de courriels, la rappeuse américaine Missy Elliott a présenté son spectacle en Israël. »

Les Ballets Jazz de Montréal se sont donc produits à Jérusalem, à Beer Sheva, à Haïfa et à Tel-Aviv (trois soirs), du 1er au 7 juin 2011 ! Eh bien, bravo ! Non, hélas ! CJPMO ne les ayant pas incités à s'y rendre, ils n'ont pas présenté à Beyrouth, à Gaza, à Damas, au Caire, à Amman, à Tripoli, voire à Islamabad ou à Kaboul, les chorégraphies de Annabelle Lopez Ochoa et de Aszure Barton. Les boycotteurs obtus de CJPMO se cantonnent en effet dans leur rôle de censeurs et d'éteignoirs, la promotion de l'art occidental dans les pays arabes et/ou musulmans, ils s'en balancent comme de leur premier keffieh. De toute façon... Vous imaginez Les Ballets jazz de Montréal se déhanchant à l'ombre des Pyramides sous l'oeil horrifié des Frères musulmans? Non, les artistes occidentaux ne sont pas les bienvenus dans ces contrées, seul Israël, «the last colonialist entity that exists on the earth» (dixit Bruce Katz), est disposé à les accueillir. Ainsi, le jour où l'OSM partira en tournée au Moyen-Orient, où donnera-t-il ses concerts? À Jérusalem, Haïfa, Tel-Aviv? Mais non, le CJPMO s'y opposerait... Où, alors? Mais bien sûr! À Téhéran! Oui, à Téhéran! Bonne idée! Des oeuvres de Mendelssohn, Milhaud et Mahler, trois Juifs! Je vois d'ici la gueule d'Ahmadinejad!

Mais quel rapport tout cela peut-il bien avoir avec Amir Khadir, demande en fronçant les sourcils l'une de mes lectrices. Un rapport étroit, madame. Car malheureusement tout se tient et tous se tiennent. Les liaisons pernicieuses de notre héros ne sont pas des amuse-gueules, mais le plat de résistance! Le CJPMO comme l'AMP — et comme *Caravane d'amitié Québec-Cuba* et *Pastors for Peace* — ça rampe à la queue-leu-leu dans l'ornière profonde où Khadir et ses khamarades de Québec solidaire exercent leurs propres activités (de bienfaisance et de bien-pensance).

Officiellement, Amir Khadir ne collabore plus à l'*Aide médicale à la Palestine*, ce qui ne l'empêche cependant pas d'être invité aux conférences de CJPMO, d'y prôner le boycott d'Israël, d'appuyer le harcèlement d'un marchand de chaussures de la rue Saint-Denis et, à la moindre occasion, de prendre la défense des ennemis d'Israël. Amir Khadir et CJMPO vont main dans la main. «Aimer ce n'est pas se regarder l'un l'autre, c'est regarder ensemble dans la même direction», disait Saint-Exupéry.

Ainsi, le 26 mars 2009, trois mois après le lancer de la chaussure, Amir Khadir, y allait de la déclaration suivante à l'Assemblée nationale:

Mme la Présidente, je sollicite le consentement de la Chambre pour débattre de la motion suivante:

«Que l'Assemblée nationale demande à l'honorable Jason Kenney, ministre de la Citoyenneté, de l'Immigration et du Multiculturalisme et à l'honorable Peter Van Loan, ministre de la Sécurité publique, de reconsidérer la décision de l'Agence des services frontaliers du Canada et de garantir la libre entrée au Canada à M. George Galloway, député [du] Parlement britannique, qui comptait visiter le Québec.»

Dégueulasse! Condamner la tournée des Ballets Jazz de Montréal en Israël, mais plaider pour la venue de George Galloway au Québec? Galloway, l'ex-député britannique qui est pour la guerre... mais du côté de l'ennemi? Galloway, l'admirateur du Hezbollah, qui selon lui n'est pas un groupe terroriste? Galloway l'ami de Saddam Hussein[248]? Galloway, qui a déclaré que la disparition de l'Union soviétique avait été le plus grand désastre de sa vie? Oui, ce type-là. Ce qui s'est passé, c'est que l'Agence des services frontaliers du Canada a décidé d'interdire l'entrée au pays à ce sinistre individu soupçonné d'être un bailleur de fonds du Hamas. Le ministre Jason Kenney a ensuite décidé de ne pas renverser cette décision. Finalement, le juge Luc Martineau de la Cour fédérale a expliqué qu'il n'était pas prêt à exempter Galloway de l'application des lois canadiennes.

Évidemment, écrit Point de Bascule, plusieurs acteurs politiques, dont le député bloquiste Serge Ménard et la néo-démocrate Olivia Chow, ont dénoncé une très grave atteinte à la liberté d'expression. La lumineuse Françoise David, de son côté, a vertement critiqué un «geste disgracieux et inacceptable», tandis qu'Amir Khadir écrivait, d'une main cette fois déchaussée, une lettre au ministre canadien de l'immigration, lui demandant tendrement de reconsidérer sa position. [...]

---

248. Voir http://www.pointdebasculecanada.ca/actualites/10001756.html

La non-venue de George en fait pleurer plusieurs. Le journal Sada El Mashrek est triste. Les organisateurs du happening Yvonne Ridley[249] 2008, auquel avaient assisté Alexa McDonough et Thomas Mulcair sont eux aussi très peinés. De même, Laith Marouf, l'individu ayant autrefois organisé, à l'Université Concordia, la manifestation ayant violemment censuré l'allocution de Benyamin Netanyahou, est lui aussi particulièrement chagriné. Il était d'ailleurs l'un des organisateurs de ce qui aurait pu être, à Concordia, la prochaine conférence de Galloway. Tous, bien évidemment, préparent la contre-attaque et se recueillent pour l'instant, indignés, devant le tombeau de nos libertés libérales[250].

«Pour être juste, écrit Terry Glavin, du *National Post*, il faudrait chercher longtemps pour trouver une tyrannie ou un dictateur fasciste d'obédience islamiste ou baasiste sur les bottes desquels Galloway n'a pas bavé[251].» Un salaud, quoi. Un modèle pour l'extrême gauche et l'extrême droite!

La feuille de route fasciste de Galloway est longue, nous pouvons donc nous arrêter ici. Mais avant de nous détourner pour de bon de l'admiration de Galloway pour le régime syrien, abordons son affection particulière pour la faction la plus ouvertement fasciste au sein de la coalition au pouvoir en Syrie qui a une connexion canadienne spécifique. Il y a quatre ans ce mois-ci, Galloway est venu au Canada pour assister à une célébration du 74e anniversaire de la fondation du Parti social nationaliste syrien à Ottawa. Le PSNS a sa propre croix gammée, ses propres uniformes de style nazi et un hymne qui est chanté sur l'air

---

249. Journaliste britannique enlevée par les talibans en 2001. Convertie à l'islam et devenue propagandiste islamiste, elle est correspondante à Press TV, la chaîne télé iranienne, et animatrice sur Islam Channel en Grande-Bretagne.
250. http://www.pointdebasculecanada.ca/archives/1026.html
251. http://www.postedeveille.ca/2010/11/canada-les-fascistes-sur-nos-campus.html Voir le texte original en anglais http://fullcomment.nationalpost.com/2010/11/23/terry-glavine-canada-in-palestine-fascists-on-campus/

de Deutschland, Über Alles. Voilà les gens avec lesquels George Galloway aime faire la fête[252].

Ça vous étonne, vous, qu'Amir Khadir se soit fendu d'une déclaration à l'Assemblée nationale en faveur de cette ordure? Eh bien, pas moi! Surtout, n'allons pas accorder à Amir Khadir l'excuse de l'ignorance ou de la naïveté, car le co-porte-parole de Québec solidaire est parfaitement informé des opinions, faits et gestes de George Galloway. C'est d'ailleurs pourquoi il souhaitait, et souhaite sans doute encore, de ferme propos et en toute connaissance de cause, sa venue au Canada et au Québec.

Réflexion faite, je suis pourtant du même avis que Christopher Hitchens[253]: il aurait été préférable de laisser Galloway entrer au Canada. La censure n'est jamais la bonne solution. Galloway aurait prononcé son discours devant un auditoire hostile rassemblé à l'université Concordia, puis, enduit de goudron et de plumes, aurait été raccompagné à la frontière à grands coups de pieds au cul — idée qui ne vient pas de Hitchens, mais de moi — après quoi, un Amir Khadir scandalisé se serait fendu d'une solennelle déclaration à l'Assemblée nationale, dénonçant le discours haineux de l'ex-député britannique ami des islamo-fascistes, tout en déplorant du même souffle, n'est-ce pas, la brutalité avec laquelle on l'aurait expulsé du pays. «Ces méthodes sont dignes du Hamas ou du Hezbollah!», se serait-il écrié.

Mais je rêve. Cette embardée vers le centre du député de Mercier eut étonné tout le monde mais surtout... eut détonné. Fidèle à lui-même et à sa «manière différente de penser la société,

---

252. *Ibid.* Allez contempler l'affiche reproduite sur le site. C'est très éloquent.
253. Dont j'apprends le décès ce matin-même... Christopher Hitchens, «Let them in», *Slate*, 30 mars 2009. http://www.slate.com/articles/news_and_politics/fighting_words/2009/03/let_them_in.html

d'agir sur le plan politique» — quelle blague! —, il recevait à l'Assemblée nationale le 11 mars 2010, Jamal Zahalka, député arabe à la Knesset depuis 2003. M. Zahalka est sans doute un personnage un peu moins haïssable que George Galloway, mais on aura compris que si Amir Khadir se fit son hôte, c'est que Zahalka partage les vues du député de Mercier à propos du Moyen-Orient: deux États pour commencer, puis le coup de grâce asséné à Israël par le retour au bercail de quatre générations de réfugiés[254]. À propos de cette visite de Zahalka au Canada le *Jérusalem Post* écrivit: «Un membre du parlement [qui] se rend au Canada pour dire qu'Israël est un État d'apartheid est non seulement un hypocrite et un menteur, mais cause un tort énorme aux intérêts de ses propres électeurs arabes. Si Israël est un État d'apartheid, que fait donc cet Arabe au parlement? L'apartheid ne signifie-t-il pas que personne comme député ne pourrait même se présenter à une élection[255]?»

Après être venu au Canada et avoir été reçu par Amir Khadir, M. Zahalka s'est rendu en Lybie le 24 avril 2010 pour y plaider dans la tente de Mouammar Khadafi la cause des citoyens arabes d'Israël. M. Zahalka, cinq autres membres de la Knesset et trente-trois représentants de la communauté arabe israélienne ont été emmenés de Amman à Tripoli dans l'avion personnel du potentat lybien. Passant de Khadir à Khadafi, on peut dire que Zahalka prit alors du galon! Cette visite en Lybie causa bien sûr tout un émoi en Israël — bien plus que la rencontre Zahalka-

---

254. Pour vérifier en quels termes la visite de Zahalka était annoncée sur le site du gouvernement du Québec, voir http://www.communiques.gouv.qc.ca/gouvqc/communiques/GPQF/Mars2010/11/c8857.html?slang=en Un site canadien-anglais pro-palestinien présente cette visite sous un jour favorable: http://www.canpalnet-ottawa.org/Knesset_Quebec.html
255. Cité par Éric Duhaime à CHOI-FM, le jour même de la visite de Zahalka à l'Assemblée nationale http://www.radioego.com/ego/listen/4375

Khadir au Québec. Un écrivain druze israélien, Salman Masalha, a écrit à ce sujet:

> Toutes les personnalités publiques arabes qui ont été en Libye y furent comme des mercenaires politiques au service de Kadhafi le tyran. Ils devraient désormais exprimer publiquement leur remords et demander pardon, d'abord au peuple libyen et ensuite aux citoyens arabes qu'ils prétendent représenter.
>
> Rendre des comptes publiquement n'est pas seulement nécessaire, mais montrerait qu'ils ont appris leur leçon et comptent s'amender. Sinon, les citoyens arabes d'Israël devraient leur tourner le dos et les jeter aux poubelles tout comme les nations arabes se soulèvent contre leurs dirigeants corrompus[256].

Que Jamal Zahalka ait inscrit sur sa liste d'amis le nom d'Amir Khadir auprès de celui de Mouammar Khadafi ne prouve certes rien, sinon que Khadir se comporte à l'occasion en véritable idiot utile, ce qu'on ne peut reprocher à Khadafi. Amir Khadir, s'il n'est pas responsable des mauvaises fréquentations de Zahalka, fait preuve néanmoins d'un grave manque de jugement, faute courante chez les gens qui roulent à tombeau ouvert dans la voie de gauche. Le député de Mercier connaît-il la feuille de route de M. Zahalka autant qu'il connaît celle de George Galloway? A-t-il été mis au courant de cette déclaration de la présidente de l'association pour l'égalité sociale et le Service Civil, Karnawi Attaf, qui, s'adressant à M. Zahalka, déclara: «En dix ans, vous n'avez absolument rien fait à la Knesset (si, il a insulté Israël [écrit l'auteur de l'article])! Votre programme est de marier les filles à 17 ans, qu'elles restent à

---

256. Salman Masalha. «Arab MKs Must Beg Forgiveness for Libya Visit», *Ha'aretz*, 27 décembre 2011. Voir http://davidouellette.net/2011/03/01/un-invite-de-khadir-somme-de-sexcuser-aupres-du-peuple-libyen/

la maison et qu'elles fassent 10 enfants! Regardez ce qui se passe dans les pays arabes, on tue les gens dans les rues! Nous sommes fiers de l'État d'Israël![257]» Marier les filles à dix-sept ans pour qu'elles restent à la maison à fabriquer des bébés, voilà qui ne fait pas partie des «valeurs» de Québec solidaire — Françoise ne le prendrait pas! — mais Amir Khadir, du moment qu'il s'agit de combattre l'État juif, n'y regarde pas de si près.

Si jamais l'auteur de l'article que je viens de citer, Shraga Blum, ou le poète Salman Masalha ou Karnawi Attaf viennent au Québec, seront-ils reçus à l'Assemblée nationale par M. Khadir? Poser la question c'est y répondre. Amir est l'ami de tout le monde, mais à une condition: il faut être un ennemi d'Israël. Il peut bien se vanter de s'attaquer à des icônes! Ces attaques, parfois justifiées, souvent futiles, ne comptent pour rien auprès des courbettes auxquelles le co-porte-parole de Québec solidaire se livre devant des personnages comme Zahalka ou Galloway — sans compter Levy, dont il baisera les pieds sitôt qu'il en aura l'occasion. Que valent en effet auprès de ces gestes politiques fondés sur le mensonge, les tirades moralisatrices — et parfois grotesques — dénonçant (ou adressées à) Henri-Paul Rousseau, Lucien Bouchard, William et Kate, le maire Labeaume et PKP, le «vroum vroum» de la F1, Pierre-Marc Johnson? Je sais: ça fait plaisir au petit peuple de gauche... et à quelques «indignés» bien nantis en idées reçues! Ces succès de tribune n'étonnent pas, Amir Khadir manie la démagogie pédante avec la virtuosité d'un prestidigitateur. Son haut-de-forme percé donne sur une cage à lapins: plus il en sort, plus on applaudit... et moins on le prend au sérieux! Sauf dans les rares occasions où, traitant de sujets qu'il maîtrise, il ne jette pas de poudre aux yeux. Ainsi en est-il de ses

---

257. Shraga Blum, «Jamal Zahalka se ridiculise». http://www.israel7.com/2011/06/jamal-zahalka-se-ridiculise/

prises de position sur l'exportation du chrysotile ou la vaccination contre la grippe H1N1, moments de grâce où le représentant élu de la circonscription de Mercier, à défaut de convaincre tout le monde, utilisa éloquemment et sans effets de manche le langage de la raison. Ce qui d'ailleurs m'incite à penser, étant donné que ces dossiers touchent au domaine de la santé, qu'Amir Khadir rendrait de bien meilleurs services au Québec en quittant la politique pour se consacrer à la médecine.

CHAPITRE X

Rives et dérives

Le PQ et les libéraux d'aujourd'hui font partie de la même classe politique qui gère le Québec depuis quarante ans. Plus ils restent longtemps au pouvoir, plus ils peuvent être facilement corrompus. Aucun renouveau ne s'est produit depuis des décennies. Nous sommes prisonniers de la question nationale.

Amir Khadir[258]

Mais de qui êtes-vous donc solidaire, monsieur Khadir?

Louise Mailloux[259]

Bonne question. Louise Mailloux me pardonnera sûrement de me la poser aussi, mais sans m'attaquer, pour le moment, à la question du voile islamique.

Il ne fait aucun doute qu'Amir Khadir est solidaire du peuple palestinien ou du moins des dirigeants de ce dernier. Solidarité inconditionnelle et sans scrupule, comme nous avons pu le constater. Il est plus difficile de se prononcer de manière caté-gorique à propos de Cuba. Khadir est-il solidaire du peuple cubain

---

258. Cité par Martin Patriquin, « Quebec : The most corrupt province », Macleans, 24 septembre 2010. « *Today's PQ and the Liberals are of the same political class that has governed Quebec for 40 years. The more they stay in power, the more vulnerable to corruption they become. There hasn't been any sort of renewal in decades. We are caught in the prison of the national question.* » http://www2.macleans.ca/2010/09/24/the-most-corrupt-province/

259. Louise Mailloux, *La laïcité, ça s'impose !*, p. 111. Cet ouvrage est un recueil d'articles publiés entre 2007 et 2011. Celui d'où est tirée cette citation porte le titre *Voile islamique : Québec solidaire et le pari de sœur Françoise*. Il date de juin 2008.

ou plutôt du régime castriste ? Logiquement, j'oserais même dire moralement, qui est solidaire du premier ne peut pas l'être du second, et vice-versa, mais pour un homme de gauche comme Khadir, maître en contorsions intellectuelles et en pieux mensonges, l'exploit est tout à fait réalisable. J'ose par ailleurs affirmer, en me basant sur sa déclaration du 15 mai 2011 à la place Gérald-Godin, qu'Amir Khadir est solidaire des Amérindiens. À un point tel d'ailleurs, qu'il n'hésite pas à proférer contre le Québec les calomnies les plus insensées.

Amir Khadir n'est pas le seul à juger que nous imposons aux populations autochtones un régime d'apartheid. Le seul élu de l'Assemblée nationale assurément, le seul chef d'un parti aspirant au pouvoir, mais pas le seul... je cherche le bon terme... pas le seul bipède. En fouillant bien, on découvre en effet que cette idée saugrenue est partagée par quelques enfiévrés, dont la plupart, comme par hasard, croient aussi à l'existence d'un apartheid israélien. Une sottise en entraîne une autre. Nous connaissions déjà le nom de l'activiste Clifton Nicholas, en voici d'autres.

Un journaliste du *National Post*, Richard Klagsburn, citait dans un article du 14 mars 2011 une déclaration d'une organisatrice torontoise d'*Israel Apartheid Week*, Chadni Desai[260] :

> Nous, en tant qu'organisateurs de la Semaine de l'apartheid israélien à Toronto, ne pouvons parler de manière sensée de l'apartheid israélien

---

260. «*We as the organizers of Israeli Apartheid Week in Toronto believe that we cannot speak meaningfully about Israeli apartheid without speaking first about the realities of apartheid here in Canada. Canada's reservation system and the treatment of indigenous peoples is (sic) closely studied by the planners of apartheid in South Africa, although this is a hidden chapter of our history. From its very foundations, Canada has been based on the theft of indigenous land and the genocide and displacement of indigenous peoples. In crucial ways, the Canadian state's treatment of indigenous peoples, historically and currently, can be described as an apartheid system.*» (Traduit par nous) http:// fullcomment.nationalpost.com/2011/03/14/richard-klagsbrun-anti-israel-group-denounces-canada-as-apartheid-state/#more-31278 .

sans parler d'abord des réalités de l'apartheid qui existe ici au Canada. Le système canadien des Réserves, et la manière de traiter les peuples indigènes est [*sic*] étudié de près par les organisateurs de l'apartheid sud-africain, bien que ce soit un chapitre oublié de notre histoire. Dès le départ, le Canada s'est construit grâce au vol des territoires autochtones, et au génocide et la déportation des Amérindiens. Sous plusieurs aspects, le traitement des autochtones par l'État canadien peut être décrit comme un système d'apartheid.

Se moquant, Klagsburn écrit (traduction libre) :

Ironiquement, ce sont les mêmes groupes de personnes représentées par Mme Desai qui veulent faciliter l'immigration (i.e. la poursuite et l'aggravation du vol des terres appartenant aux Premières Nations). Tout nouvel immigrant contribue en effet au crime commis contre les premiers habitants du territoire et ajoute à l'apartheid. Est-ce que ces hypocrites du mouvement contre l'apartheid israélien, poursuit plus loin Richard Klagsburn, ont posé le moindre geste concret pour mettre fin à l'apartheid canadien ? Apparemment, non. Réclament-ils un boycott, un désinvestissement et des sanctions contre le Canada comme ils le font contre Israël ? Non, car ce serait faire la preuve que leurs vues sont absurdes. Ils se contentent donc de lancer à la sauvette des propos vides de sens pour ensuite s'attaquer aux Juifs[261].

Une autre qui croit dur comme fer à l'apartheid canadien, c'est la journaliste israélienne (et anti-sioniste) Amira Hass. Apartheid partout, apartheid nulle part, pourrions-nous dire. Cette dame effectua en octobre 2011 une tournée canadienne organisée par *Canadians for Justice and Peace in the Middle East*, qui l'avait recrutée afin qu'elle vienne dénoncer chez nous l'apartheid israélien. Une sorte de Gideon Levy en jupon, quoi, — mais apparemment moins hystérique, quoique... elle publie dans le même

---

261. *Ibid.*

journal gauchiste que le susdit, *Haaretz*. À la question suivante posée par un journaliste de Hamilton : « Voyez-vous un parallèle entre ce qui s'est produit au Moyen-Orient et les conditions de vie imposées aux Premières nations du Canada ? », Madame répondit ce qui suit :

> Bien sûr. J'en parle dans chacun de mes discours. Ça me frappe. Je vois des parallèles... le mécanisme de la colonisation et celui qui vise à oblitérer l'existence des premiers habitants du territoire. Je demande aux Canadiens qui participent au combat pour la Palestine... Je leur dis : « Vous êtes impliqués dans cette cause, mais que faites-vous dans votre propre société ? De quelle manière luttez-vous dans votre pays pour les droits des Premières nations ? » Plusieurs personnes ne veulent pas en entendre parler, mais d'autres, bien sûr, participent au combat. Quand ma tournée de conférences sera terminée je vais visiter plusieurs communautés amérindiennes. Je ne veux pas visiter le Canada tout en fermant les yeux sur le fait que des territoires on été volés aux Premières nations et que, de multiples façons, la discrimination continue[262].

Il ne servirait à rien de faire remarquer aux illuminé(e)s qui croient aux soucoupes volantes, pardon !... je veux dire au susdit apartheid, que les autochtones du Canada, et par conséquent ceux du Québec, ne sont pas tenus de vivre dans des Réserves, où trop souvent en effet — mais pas toujours — leurs conditions de vie sont difficiles voire misérables, et qu'ils peuvent s'installer

---

262 « *Of course. In every talk, I mention this. I am struck by it. I see parallels ... the mechanism of colonization and mechanism of attempting to obliterate the existence of the original people. I ask Canadians who are involved in the struggle for Palestine ... I say: "You are involved in this, but what about your society? What are you involved with here for rights for First Nations peoples?" Some people don't like this question and others are, of course, involved in the struggle. After I finish the speaking tour I will tour several communities of First Nations. I don't want to be in Canada and overlook the fact that land was stolen from First Nations peoples and in many ways the discrimination continues to this day.*» (Traduit par nous) http://www.thespec.com/news/local/article/604733--five-questions-with-amira-hass

n'importe où au pays, pratiquer le métier de leur choix, épouser qui ils veulent, participer à la vie civique, payer des impôts, se présenter aux élections, etc. Apartheid quand même? Drôle de manière de corriger les injustices commises dans notre histoire contre les Amérindiens que d'employer pour les décrire un terme qui n'a aucun rapport avec ce qui s'est vraiment passé. Appeler, par exemple, «politique d'apartheid», les pensionnats qui avaient pour mission de détacher les enfants autochtones de leur culture ancestrale, est un non sens. Ces pratiques étaient injustes, voire criminelles, mais elles avaient pour but d'intégrer, non d'isoler. À ce propos, voici un extrait des excuses présentées en 2008 par le premier ministre Stephen Harper:

> Le traitement des enfants dans ces pensionnats est un triste chapitre de notre histoire. Pendant plus d'un siècle, les pensionnats indiens ont séparé plus de 150 000 enfants autochtones de leurs familles et de leurs communautés. Dans les années 1870, en partie afin de remplir son obligation d'instruire les enfants autochtones, le gouvernement fédéral a commencé à jouer un rôle dans l'établissement et l'administration de ces écoles. Le système des pensionnats indiens avait deux principaux objectifs: isoler les enfants et les soustraire à l'influence de leurs foyers, de leurs familles, de leurs traditions et de leur culture, et les intégrer par l'assimilation dans la culture dominante. Ces objectifs reposaient sur l'hypothèse que les cultures et les croyances spirituelles des Autochtones étaient inférieures. D'ailleurs, certains cherchaient, selon une expression devenue tristement célèbre, «à tuer l'Indien au sein de l'enfant». Aujourd'hui, nous reconnaissons que cette politique d'assimilation était erronée, qu'elle a fait beaucoup de mal et qu'elle n'a aucune place dans notre pays[263].

---

263. http://www.aadnc-aandc.gc.ca/fra/1100100015644/1100100015649

Qualifier d'apartheid une politique d'assimilation, alors que l'apartheid est essentiellement une politique de séparation et de ségrégation, est donc une bêtise que j'attribuerai, pour ne pas les accuser de crétinisme, à la fainéantise intellectuelle de ceux qui l'énoncent. Dans leur entreprise de salissage, ces gens-là n'hésitent jamais à puiser leurs projectiles merdiques dans n'importe quelle chiotte.

Sans doute sera-t-il également inutile de rappeler à ces tristes plaisantins que le budget de dépenses du ministère des Affaires autochtones et du Développement du Nord canadien fut de 7,4 milliards de dollars en 2009-2010, de 8,3 milliards en 2010-2011, oboles insignifiantes, broutilles à peine supérieures aux sommes versées naguère par l'Afrique du sud pour venir en aide à sa majorité noire[264]. Le Canada, quel radin! On me permettra de citer ici, comme pièce à conviction, un document du gouvernement fédéral, qui — ça nous glace le sang — décrit ainsi notre régime d'apartheid[265] :

> Le mandat du Ministère et les nombreuses responsabilités dont il est investi sont façonnés par des siècles d'histoire et par des défis démographiques et géographiques uniques. Ils sont régis par la Constitution canadienne, la *Loi sur les Indiens*, la *Loi sur le ministère des Affaires indiennes et du Nord canadien*, les lois territoriales, les traités, les ententes sur le règlement des revendications globales et sur l'autonomie gouvernementale ainsi que de nombreuses autres lois qui concernent les Autochtones et le Nord.
>
> La majorité des dépenses du Ministère servent à financer les programmes ministériels, dont la plupart sont exécutés dans le cadre de partenariats avec les collectivités autochtones et d'ententes fédérales-provinciales ou fédérales-territoriales. Le Ministère collabore égale-

---

264. Selon Statistique Canada, la population autochtone pourrait représenter à peu près 4,1 % de la population du Canada d'ici 2017 : 971 200 Indiens d'Amérique du Nord, 380 500 Métis et 68 400 Inuits. http://www.statcan.gc.ca/daily-quotidien/050628/dq050628d-fra.htm Les noirs forment 75 % de la population d'Afrique du Sud, les blancs 15 %, les métis et les Asiatiques 10 %.
265. http://www.tbs-sct.gc.ca/rpp/2011-2012/inst/ian/ian01-fra.asp

ment avec les Autochtones vivant en milieu urbain, les Métis et les Indiens non inscrits (dont bon nombre habitent en région rurale) par l'entremise du Bureau de l'interlocuteur fédéral AINC est l'un des 34 ministères et organismes fédéraux à offrir des programmes et des services aux Autochtones et dans le Nord.

Le Québec, pour sa part, débourse de plus en plus d'argent en faveur des nations autochtones : 13 % d'augmentation en 2009-2010, c'est-à-dire 1,32 milliards comparativement à 1,17 milliards en 2008-2009. « Le gros de l'argent, explique André Dubuc dans *La Presse* du 8 février 2012, va aux Cris, aux Inuits et Naskapis avec qui Québec a signé la Convention de la Baie James et Nord québécois et d'une série d'autres ententes, notamment la Paix des Braves […]. En vertu de ces ententes, Québec paie les services en santé, éducation, justice et police, tandis que le gouvernement canadien ramasse la note pour les autres premières nations. » Le chroniqueur économique de *La Presse* nous apprend une nouvelle stupéfiante : « Réalité méconnue, les Cris disposent d'un revenu personnel disponible supérieur aux Québécois de 16 % en moyenne, 30 172 $ en 2009 comparativement à 26 031 $ pour la moyenne provinciale d'après l'Institut de la statistique du Québec[266]. »

Et dire que ce terrible système de discrimination et d'oppression est approuvé (et financé) par les citoyens du Canada... et du Québec ! — sauf évidemment par les électeurs du comté de Mercier qui ont voté pour Amir Khadir, notre futur co-premier ministre, qui, sitôt que son « pays de projet » aura vu le jour, va vous abolir ça en deux temps trois mouvements, l'apartheid.

Par ailleurs, outre la souveraineté et la laïcité, les militants et militantes de Québec solidaire réunis en congrès [les 20, 21 et 22 novembre 2009]

---

266. André Dubuc. « Les sommes versées aux autochtones explosent », *La Presse*, 8 février 2012, cahier affaires, p. 12.

ont adopté le principe d'une reconnaissance du droit à l'autodétermination des peuples autochtones. «Québec solidaire estime que les nations autochtones ont le libre choix de leur avenir et qu'il s'agit d'un droit fondamental. Nous devons repenser les relations entre les peuples autochtones et celui du Québec sur la base du respect et de la confiance mutuelle», a plaidé Françoise David[267].

Ce qui étonne dans cette déclaration de Mme David, c'est l'absence du mot préféré d'Amir Khadir. Les deux co-porte-parole de Québec solidaire émettent sur la même longueur d'onde mais ne parlent pas la même langue. Elle semble d'ailleurs aimer ça : « Il ne parle pas la langue de bois, écrit-elle, il prend des risques.[268] » « Amir est plus fougueux, plus incisif[269]. » Je la trouve bien indulgente, Mme David. Elle était plus sévère il y a quelques années. Expliquant pourquoi elle ne voulait pas se joindre à l'UFP en 2003, elle écrivait : « Parce que le langage, le discours, le fonctionnement de l'UFP me paraissent parfois rébarbatifs, si l'on veut convaincre et rallier la population à un projet social et politique[270]. » Partagez-vous le projet social et politique de M. Khadir d'abolir l'apartheid québécois, Mme David ? Êtes-vous d'accord avec l'emploi de ce mot pour décrire la situation actuelle ? Ou au contraire ne le trouvez-vous pas un peu trop fougueux, un peu trop incisif... un peu trop irréfléchi, votre ami Khadir quand il nous accuse de pratiquer l'apartheid, propos rébarbatifs autant que fallacieux ? Je me demande quel sera votre pouvoir de négociation, Mme David, quand, forts de l'aveu préalable de votre co-premier ministre, les Mohawks lanceront contre le Québec une

---

267. http://www.quebecsolidaire.net/actualite-nationale/quebec-solidaire-appuie-la-campagne-«-boycott-desinvestissement-et-sanctions-»-contre-l'occupation-de-la-pal
268. *De colère et d'espoir*, p.171.
269. *Ibid.*, p. 193.
270. *Bien commun recherché*, p.19.

campagne BDS ayant pour but de nous forcer à évacuer le centre-ville de Montréal afin qu'ils puissent y reconstruire Hochelaga...

Je blague, évidemment, mais je ne me fais aucune illusion : Amir Khadir est beaucoup plus drôle que votre humble serviteur. Nous pisserions de rire si sa déclaration du 15 mai 2011 sur l'apartheid n'était si injurieuse pour le Québec et les Québécois. Mais rassurons-nous et consolons-nous : ce bonhomme-là n'accédera jamais au poste de premier ministre, voire à celui de ministre sans portefeuille ou de préposé à l'entretien des idées reçues au caucus de Québec solidaire, car il serait étonnant que Mme David puisse l'endurer encore longtemps. Quoique... on se demande lequel des deux se débarrassera de l'autre. Khadir développe, explique Mathieu Bock-Côté, « une stratégie de polarisation en occupant la fonction tribunicienne contre une classe politique relativement homogène malgré ses distinctions partisanes. C'est ainsi qu'il est parvenu à inscrire Québec solidaire dans le jeu politique et à déclasser Françoise David, dont le progressisme soporifique ne parvenait pas à interpeller au-delà de la gauche communautaire et féministe[271]. »

Revenons à la question principale : de qui Amir Khadir est-il solidaire ?

Officiellement, il est souverainiste. Françoise David itou : « Québec solidaire veut impliquer tout le Québec dans l'atteinte de notre souveraineté nationale. L'engagement de l'ensemble du peuple dans la définition de nos institutions et de notre organisation sociale est la stratégie que Québec solidaire propose pour nous mener vers ce pays à construire. Pour Québec solidaire, notre projet de société et notre projet de pays sont intimement liés et la démocratie repose au coeur de ces deux volontés. Notre démarche vers la souveraineté se fera dans le respect des nations autochtones. »

---

271. http://bock-cote.net/Le-chef-de-l-opposition-officieuse

Admettons... Mais la façon dont on compte procéder est relativement complexe. Qu'il nous suffise de noter que le processus débuterait avec la création d'une Assemblée constituante élue, qui tracerait la voie que les Québécois seraient emmenés à suivre[272]. On trouve à ce propos l'explication suivante sur le site web de *Masse critique* qui, je le rappelle, est l'un des collectifs radicaux abrités dans le sac marsupial de Québec solidaire :

> La façon de réaliser la souveraineté du Québec est une question essentielle pour nous. La formation d'un nouveau pays et la rédaction de sa constitution ne doivent pas être laissées entre les mains d'une élite gouvernante. La seule démarche légitime pour atteindre la souveraineté dans la sérénité et la confiance est de laisser à un corps de citoyens et de citoyennes élus, non partisan et extra-parlementaire, le soin de rédiger une constitution pour un Québec souverain. C'est sur la valeur d'une proposition claire de ce qui les attend au lendemain de la souveraineté que les Québécois et les Québécoises devraient se prononcer[273].

Trois des seize membres du Comité de coordination national de Québec solidaire sont membres de *Masse critique*, qui est donc le collectif le plus fortement représenté — et peut-être aussi le plus influent — au sein de l'exécutif de Québec solidaire. La stratégie souverainiste n'est d'ailleurs pas le seul sujet à propos duquel Québec solidaire et *Masse critique* tiennent le même discours. Il en va de même en ce qui concerne l'anticapitalisme :

> Notre analyse nous pousse à faire la critique du système économique en place, système qu'il importe d'identifier et de nommer par son nom : le capitalisme. Les façons de comprendre, d'étudier et de criti-

---

272. Le lecteur est invité à consulter le site web du parti http://www.quebecsolidaire. net/engagements_2008#Peuple_du_Quebec

273 http://www.massecritique.org/pages/quest-ce_que_masse_critique
Pour entendre Amir Khadir s'exprimer sur le même sujet, voir http://www.youtube. com/watch?v=cPyCguHA4lw

quer ce système sont multiples, et nous sommes en faveur d'une diversité des grilles d'analyses qui permettent de l'aborder. Cela dit, pour nous, il est essentiel, tant pour la préservation de la vie et de la dignité humaine que pour la préservation de notre écosystème en entier, de dépasser ce système et de le remplacer. Les méthodes et les voies pour réaliser ce dépassement et les systèmes qui pourraient venir ensuite sont sujets à discussion et à réflexion. Mais le constat et la critique demeurent : il faut aller au-delà du capitalisme[274].

Retenons donc l'idée que le projet de société est pour Québec solidaire intimement lié au projet de pays. Les souverainistes avec qui j'ai discuté de la question sont pour leur part persuadés — il faudrait être aveugle pour ne pas voir qu'ils ont raison — qu'à Québec solidaire le premier projet a priorité sur le second. C'est assurément le cas en ce qui concerne Amir Khadir, qui en a fourni des preuves sur lesquelles je vais revenir un peu plus loin. Le Québec sera donc un pays socialiste ou ne sera pas. Pas la peine de faire l'indépendance en dehors du socialisme.

Et si une catastrophe se produisait, demande un empêcheur d'étatiser en rond. Si, quel désastre ! un parti de droite ou du centre reprenait le pouvoir quelques années après l'indépendance réalisée par l'intercession de Québec solidaire ? Devrions-nous dire adieu au socialisme ? Pas sûr ! Quand les socialistes s'emparent des commandes d'une société ou d'un pays, ils ne lâchent pas prise. Ainsi, des mesures prophylactiques pourraient être appliquées et la menace d'un retour au capitalisme écartée dès le départ, la constitution du Québec proposée par l'assemblée constituante et adoptée à majorité par le peuple québécois — je fais de la politique-fiction — pouvant éventuellement interdire l'existence de partis

---

274. *Ibid.*

qui ne seraient pas de gauche. «Pousse, mais pousse égal!», s'esclaffent mes lecteurs.

D'accord! D'accord! Notre beau et bon Québec est vacciné contre de telles ignominies. Mais il faudrait quand même poser la question à Josée Larouche, l'attachée politique d'Amir Khadir. Cette dame est membre de *Gauche socialiste*, collectif qui se situe «dans la perspective, non d'une simple réforme du système capitaliste, mais de confrontations sociales prolongées, pour une rupture révolutionnaire[275].» Par ailleurs, d'autres membres de Québec solidaire, les communistes du PCQ, veulent nationaliser les banques et mettre les caisses populaires sous tutelle. Seraient aussi nationalisés en totalité les secteurs de l'énergie, de la santé et de l'éducation, opérant sous contrôle privé. Vous vous imaginez que des «totalitariens» de cet acabit hésiteraient ne fut-ce qu'une seconde à exercer des mesures répressives contre quelque forme d'opposition? Auprès de ces durs de durs du PCQ et de *Gauche socialiste*, *Masse critique* et Roger Rashi, autrefois chef du PCO, sans parler de la très consensuelle Françoise David, apparaissent comme des modérés, des mous, des roseaux. «En résumé, écrit Rashi, ma thèse est que Québec solidaire est non seulement de facture semblable aux formations politiques à «gauche-de-la-gauche» qui se développent dans maints pays d'Europe occidentale mais qu'il partage également les mêmes défis.» C'est quoi la gauche-de-la-gauche? Explication de Rashi:

> Ces partis partagent quelques traits communs: ils sont basés sur un rejet affirmé de la gauche institutionnelle de leurs pays respectifs, s'inspirent en bonne partie du mouvement altermondialiste de l'après-Seattle et prennent la forme d'une coalition composée de militants et militantes provenant de plusieurs mouvements sociaux et politiques

---

275. Voir ci-haut, p. 137.

(féministe, écologique, antiguerre, extrême gauche, libertaires, groupes communautaires)[276].

Voilà qui décrit à merveille les passagers du radeau Québec solidaire sur lequel s'entassent des navigateurs dont le moins qu'on puisse dire c'est qu'ils ne sont pas fait pour s'accorder — sauf sur un point : le rejet de l'économie de marché. Ainsi, tant qu'il ne s'agit que de chiâler contre le système, l'harmonie règne à bord de l'esquif, mais quand viendra le temps, non pas de définir une politique — rien de plus facile ! —, mais d'en appliquer une et de mettre toutes voiles dehors, mutinerie à bord, ou que le grand Crique me croque !

Il faut prendre au sérieux les textes de Rashi, qui sait mieux que quiconque nous expliquer d'où vient et où veut nous mener Québec solidaire — qui, bien sûr, ne nous mènera nulle part, mais il vaut quand même la peine de savoir ce qui se profilerait à l'horizon du Grand Sware :

> Ces diverses expériences de la gauche-de-la-gauche doivent être replacées dans le contexte historique plus large de la reconstruction de la gauche après l'effondrement du socialisme soviétique et la faillite de la troisième voie social-démocrate. Le philosophe radical français Alain Badiou affirme que nous sommes au seuil d'une «troisième séquence de la politique d'émancipation.» En gros, il avance que la première séquence a vu la montée du mouvement ouvrier au 19ᵉ siècle. La deuxième séquence, celle des partis de style bolchevik et des tentatives finalement infructueuses de construire le socialisme au 20ᵉ siècle. Alors que la troisième séquence, dans laquelle nous entrons peut-être, verra de nouvelles formes d'action politique qui transcenderont les expériences et échecs du passé. Bien que je ne puisse être d'accord avec sa proposition d'expérimenter de nouvelles formes de pratique poli-

---

276. http://www.massecritique.org/articles/quebec_solidaire_une_formation_a_la_gauche_2

tique «à distance de l'État» et «en dehors de la forme parti» (ce qui est beaucoup trop postmarxiste à mon goût, et de surcroît, quelque chose que la gauche a expérimenté pendant deux décennies avec finalement peu de gains tangibles), je pense que l'idée que nous soyons à l'orée d'une troisième séquence de la politique émancipatrice est particulièrement féconde et donc hautement intéressante à explorer. Dans cette perspective, les expériences à «gauche-de-la-gauche» dans les pays occidentaux et celles du «socialisme du 21e siècle» en Amérique latine, prennent une nouvelle dimension et importance historique[277].

Nous ne sommes pas beaucoup plus avancés, mais nous avons compris que l'expression rassurante «politique émancipatrice» constitue une terrible menace. Quoi qu'il en soit, les articles de Rashi demeurent très instructifs... et bien écrits[278]. Je ressors de leur lecture avec l'impression que l'ex-chef du PCO, aujourd'hui membre de *Masse critique,* est l'idéologue le plus écouté à Québec solidaire, et que s'il exerce son magistère à l'ombre des figures de proue que sont Amir Khadir et Françoise David, c'est qu'on y est sans doute très conscient qu'il ne faut pas faire peur au monde, mille sabords! Quoique... Qui se souvient du PCO et des activités pré-révolutionnaires de Roger Rashi? Amir Khadir, sans doute, puisque Roger Rashi, est porte-parole de *Québec solidaire Mercier*[279] et membre de la commission politique nationale du parti. Peut-être quelques rares électeurs de Mercier se souviennent-ils aussi qu'en 1981, Rashi se présenta pour le PCO dans leur comté et recueillit 250 voix (0,84% des votes)[280], Gérald Godin 13 450. Le PCO a coulé à pic en 1983, mais Rashi a survécu au sabordage et trouvé sa

277. *Ibid.*
278. http://www.massecritique.org/authors/roger_rashi
279. Porte-parole... homme! Car il y a aussi une porte-parole... femme: Amélie-Shuka Gadbois-Blanchette.
280. On trouve dans le livre de Jean-Philippe Warren, *Ils voulaient changer le monde,* p. 130, une photo de l'affiche électorale du PCO.

revanche en 2008. Simple matelot peut-être, mais qui a l'oreille de l'un des deux capitaines ! Voilà bien une solidarité des plus... solides !

Sérieusement, je ne pense pas qu'il soit dans les intentions d'Amir Khadir, de Françoise David ou de la majorité des membres de leur parti, ni même de leur éminence grise, d'instituer un régime de parti unique. Car ces gens-là sont certes très dogmatiques, mais aussi, mais surtout — si l'on fait exception des plus fanatiques, qui seraient prêts à coller les gens d'affaires au poteau — mais surtout, disais-je, très naïfs. Ils n'auront pas à imposer des mesures répressives, ils n'y ont même jamais songé, étant persuadés que ça se fera tout seul, naturellement, écologiquement, presque sans douleur. Mais oui, voyons ! Québec solidaire nous aura ouvert les portes du Paradis !... Nous aurons une société écologique, féministe et égalitaire. Nous nous débarrasserons de nos voitures et ferons le tour de la Gaspésie ou du lac Saint-Jean dans des autobus scolaires appartenant à l'État ; les femmes se maquilleront à peine, car les produits de beauté seront surtaxés ; pour la même raison, les gars n'iront plus aux danseuses ; l'argent économisé par nos parents sera confisqué par l'État après leur mort ; nous travaillerons moins et gagnerons... moins, mais ça n'aura aucune importance car nous aurons librement choisi, pour sauver la planète, une saine politique de décroissance économique ; le Produit intérieur brut (PIB) s'étant écroulé, nous nous consolerons en mesurant notre Bonheur intérieur brut (BIB), évidemment bien supérieur à celui de nos voisins demeurés bassement capitalistes ; appauvrie, ascétique, la classe moyenne deviendra quand même la classe riche, car de véritables riches, il n'y en aura plus ; les grands centres commerciaux ayant disparu, nous sous-louerons nos sous-vêtements dans des friperies ; il y aura des péages sur tous les ponts et toutes les autoroutes, mais personne ne s'en formalisera, car l'automobile privée aura presque disparu. N'est-ce pas merveilleux ? Quelles joyeuses perspectives ! À l'exception de quelques attardés du Parti libéral, du PQ ou de la CAQ, qui voudra retourner en enfer ? Vous ne comprenez pas ?... L'enfer : le capitalisme ! La société de consommation !

Mais je reviens aux solidarités successives et fluctuantes d'Amir Khadir, dont l'appui donné au NPD lors des élections fédérales de 2011 a convaincu les souverainistes du PQ et du Bloc québécois que le député de Mercier est un visage à deux faces. Préalablement à la campagne électorale de mars et avril 2011, bien des péquistes et des bloquistes s'étaient fait quelques illusions à propos des convictions nationalistes de Khadir, qui avait été invité et avait participé le 14 août 2010 à un dîner conférence tenu dans le cadre de l'Université d'été des jeunes souverainistes organisée par le Forum jeunesse du Bloc québécois. Le Bloc annonça cet événement dans les termes suivants :

> Montréal, 4 août 2010 – L'Université d'été des jeunes souverainistes, organisée par le Forum jeunesse du Bloc Québécois (FJBQ), qui aura lieu du 13 au 15 août prochains au Pavillon Sherbrooke de l'Université du Québec à Montréal, réunira des centaines de citoyens, artistes, politiciens, professeurs, constitutionnalistes et étudiants de tous les horizons. Il s'agira du plus grand rassemblement jeune du genre depuis 1995. En effet, une quarantaine de conférenciers se joindront aux 300 jeunes souverainistes venus de partout pour assister à l'événement[281].

Le nom d'Amir Khadir apparaissait dans la liste des conférenciers, mais bien d'autres personnalités devaient participer à l'événement : Raymond Archambault, futur président du conseil exécutif national du Parti québécois ; Daniel Paillé, député bloquiste du comté d'Hochelaga (et maintenant président du Bloc) ; Jean Royer,

---

281. http://www.blocquebecois.org/dossiers/univ-ete-2010/

ancien chef de cabinet de Jacques Parizeau; Gérald Larose, président du Conseil de la souveraineté; Mario Laframboise, député d'Argenteuil-Papineau-Mirabel et organisateur en chef du Bloc Québécois; Mario Beaulieu, président de la Société Saint-Jean-Baptiste de Montréal; Yves Beauchemin, écrivain; Vivian Barbot, vice-présidente du Bloc québécois; Jonathan Valois, président du Parti québécois; Pierre Paquette, député de Joliette et leader parlementaire du Bloc; Gilles Duceppe, chef du Bloc québécois et député du comté de Laurier-Ste-Marie, qui reçut le prix de Grand bâtisseur (1995-2010) remis par l'Université d'été des jeunes souverainistes.

Le 14 août, Amir Khadir participa donc à un dîner conférence en compagnie de Jonathan Valois et de Pierre Paquette. Il y expliqua, partant de l'exemple du Venezuela de Hugo Chavez, l'utilité d'une Assemblée constituante, qui servit au Venezuela et pourrait servir au Québec de levier politique — au Venezuela, il s'agissait d'abord de nationaliser l'industrie des hydrocarbures — pour brasser la cage, rompre avec «l'ordre social établi, sur lequel s'assoit le régime fédéral actuel avec ses liens avec les milieux d'affaires québécois [le marché, les détenteurs de capitaux, venait-il de préciser à propos du Venezuela] qui maintiennent cet État qui empêche le peuple québécois d'accéder à son indépendance[282]. »

Il revint ensuite sur les résultats obtenus au Venezuela après la formation de la constituante et l'imposition d'une nouvelle constitution:

Ils ne se sont pas satisfaits uniquement des hydrocarbures, ils ont mis là-dedans la forêt, le réseau de distribution de l'électricité, puis deux ou trois autres trucs que j'oublie, comme étant propriété collective par constitution. Par la suite, Chavez s'est retourné contre le milieu d'affaire puis là il avait le rapport de force qui lui manquait depuis si longtemps.

282. http://www.blocquebecois.org/bloc.aspx?bloc=f932d5e5-5daf-471a-b290-4e9ea512e63a

Il a dit : «Écoutez, c'est pas moi qui peux décider là, c'est pas moi qui veux ça, c'est dans la constitution, comme président, je suis supposé le respecter». Or imaginez dans un contexte, dans un carcan où le fédéral avec ses alliés du milieu des affaires, son allié américain, ses alliés aux niveaux internationaux, c'est-à-dire même le gouvernement français, où on a neutralisé le travail qui avait été fait par le mouvement souverainiste depuis 40 ans avec l'abandon du principe de non-ingérence non-indifférence, qu'est-ce qui reste au mouvement indépendantiste sur le plan international comme rapport de force ? Notre seul rapport de force c'est justement, cette mobilisation populaire, ce levier politique dont le Québec a besoin à travers un mécanisme, que nous on appelle assemblée constituante, mais ça peut s'appeler autrement[283]...

Prenant ensuite la parole, Pierre Paquette admit d'emblée que Khadir avait raison : oui, le «grand capital», nous impose ses choix grâce à sa capacité de se «déplacer selon les conjonctures politiques». Mais, nuance, pour contrôler ces nouvelles forces, soutint-il, il faut faire partie des grands forums internationaux qui sont seuls capables de «civiliser le grand capital». Or ces forums, dit Paquette, sont composés de pays souverains !...

> Donc, la meilleure façon de pouvoir dire non, comme Amir dit, c'est d'abord de se dire oui à nous pour devenir un pays souverain et être assis dans ces forums internationaux, que ce soit l'Organisation mondiale du commerce, que ce soit l'ONU, que ce soient tous les forums qui peuvent exister, aux plans, par exemple, environnementaux, pour être capables de dire non avec les autres nations à ces forces qui n'ont qu'un seul intérêt, le leur ! Et donc moi je pense qu'avant d'être capable de pouvoir dire non avec force, le Québec doit se dire oui avec force, et c'est pour ça que moi ma priorité [Khadir applaudit, le public approuve]... ma priorité comme militant, c'est l'indépendance du Québec ! Une fois qu'on aura fait l'indépendance, on sera capable

---

283. *Ibid.*

comme toutes les sociétés matures d'avoir les débats entre nous, gauche-droite. Ceci dit, je ne veux pas les mettre sous le tapis, je pense qu'on doit avoir ces débats-là, et c'est pour ça que la venue de Québec solidaire est salutaire d'une certaine façon, même si, évidemment, pour nous, il est très clair que le Parti québécois est le véhicule majeur de cette idée d'indépendance nationale, mais ça ne nous empêche pas de débattre et de travailler avec nos amis de Québec solidaire[284].

Paquette ajoutera un peu plus loin — voulait-il se faire pardonner ? — que les valeurs québécoises étant « progressistes », et les partis politiques ne pouvant être à la fois de gauche et de droite, les partis souverainistes n'ont pas le choix : ils doivent être de centre-gauche et faire valoir des programmes politiques « progressistes ».

La faille essentielle de l'argumentation de Pierre Paquette saute aux yeux. Nous ferions l'indépendance pour participer à des forums internationaux qui, grâce à notre pouvoir de persuasion, feraient fléchir le grand capital ? C'est présumer, d'une part, que les Québécois voudraient d'une société qui correspondrait au modèle socialiste prôné par Québec solidaire et que, d'autre part, notre présence dans les grands forums internationaux serait d'un poids tel que nous pourrions convaincre les autres nations de « civiliser le grand capital » dans le sens que nous voulons, et qui, surtout, ferait l'affaire d'Amir. Si tel est l'objectif recherché par le Bloc, on est plus conséquent à Québec solidaire, où l'on affirme que pour dépasser le capitalisme et mater les gens d'affaire il faudra isoler le Québec (retrait de l'Alena et de la Zlea, sortie de l'Otan et du Norad, nationalisations, etc.).

Quoi qu'il en soit, le centre-gauche de Pierre Paquette — qui affirme sans preuve que les valeurs des Québécois sont pro-

---

284. http://www.blocquebecois.org/bloc.aspx?bloc=6b24a702-0ce8-4aaa-8fb9-f76b86481b53

gressistes, comme s'il n'existait pas de Québécois conservateurs rêvant aussi de construire un pays — demeure malgré tout aussi distant de l'extrême-gauche d'Amir Khadir que la souveraineté-association souhaitée par René Lévesque l'était naguère du « Québec impossible » fantasmé par Pierre Vallières. La très grande majorité des indépendantistes québécois veulent certes sortir du Canada, mais ne souhaitent nullement rompre avec « l'ordre social établi ». Le dépassement du capitalisme, surtout tel qu'envisagé par les extrémistes de Québec solidaire, apparaît à la plupart comme une chimère, pire : comme un cauchemar. Comme naguère le délire de Pierre Vallières. Ce dernier écrivait en 1977, propos qu'Amir Khadir aurait pu reprendre en 2010 pour répondre à Pierre Paquette : « [...] au Québec, l'État est perçu comme l'unique outil collectif de développement par ceux qui préconisent la souveraineté. Mais, pour que cet outil soit efficace, il lui faut d'abord devenir socialiste. Autrement, il demeure lui aussi dominé et contrôlé de l'extérieur par l'impérialisme[285]. » Plus fort encore, Vallières écrit plus loin : « Jamais l'indépendance du Québec ne se réalisera si elle ne procède pas d'une action socialiste, anti-impérialiste, autogestionnaire et écologique[286]. » Ici, c'est Françoise David, qui vient de parler. Et Vallières-Khadir de lancer à la figure de Paquette : « Il n'y a pas moyen de changer la vie sans casser l'ensemble du système. »

La tentative du Forum jeunesse du Bloc québécois de réunir sous la bannière du souverainisme des visions politiques, économiques et sociales par ailleurs inconciliables, incarnées dans trois partis indépendantistes dont l'un est idéologiquement à des années-lumière des deux autres, était vouée à l'échec. À

---

285. Pierre Vallières. *Un Québec impossible*, p. 95.
286. *Ibid.*, p. 99.

moins de faire fi de tout principe et de toute conviction, il est impossible au Bloc québécois et au Parti Québécois de s'entendre avec Québec solidaire. Cela serait-il possible, que ce ne serait pas souhaitable. Pas plus que ne le serait une alliance avec un quatrième parti indépendantiste, d'extrême droite celui-là, qui voudrait faire du Québec une dictature militaire. Il est sans doute possible d'unir les indépendantistes, mais pas TOUS les indépendantistes. Car tout le monde il n'est pas beau, tout le monde il n'est pas gentil. Mais comme il est plus rassurant de voir la vie en rose! Faisant le bilan de ces trois journées, une jeune journaliste du journal étudiant *Impact Campus* recueillit les impression de deux participants, qui malgré quelques réserves tentèrent de demeurer positifs, voire enthousiastes:

> D'après une déléguée de Québec Solidaire à l'événement, Émilie Guimond- Bélanger, certaines tensions étaient palpables, mais ce n'est pas ce qui l'a principalement marquée: «Oui il y a eu des tensions entre le PQ et QS. Je ne m'attendais pas à ce qu'il n'y en ait pas, ni à ce que ce soit l'harmonie totale. Mais j'ai senti une belle ouverture et un intérêt à échanger de la part des membres de tous les partis.» Pour croire en un troisième référendum, les partis politiques n'ont pas d'autres choix que de s'unir, explique un des membres du comité directeur et militant au BQ, Félix-Antoine Dumais-Michaud. «Les partis politiques sentent l'urgence et l'importance de travailler de concert. Ils doivent vaincre le cynisme et faire confiance en cette nouvelle génération. Les jeunes sont venus échanger et sont ressortis mieux outillés pour poursuivre la promotion de la souveraineté québécoise dans leur région respective.»
>
> Pendant ces trois jours, les militants et membres des partis ont eu la chance de participer à des débats et à des discussions multi-partisanes. Gilles Duceppe a d'ailleurs célébré ses vingt ans de carrière samedi soir, un hommage «très émouvant» puisque le chef du Bloc se retrouvait devant 300 jeunes souverainistes enthousiastes. Pour sa part, Mme

Guimond Bélanger, qui est aussi étudiante au baccalauréat en travail social à l'Université Laval, croit qu'un regroupement de la sorte est nécessaire pour redonner une énergie mobilisatrice aux militants. «C'était génial, tellement merveilleux. Nous sommes dans un milieu où échanger sur la politique se fait de façon dédaigneuse. Beaucoup de jeunes ne veulent pas en parler. C'est la preuve qu'il faut impliquer davantage les jeunes en politique[287].»

Cette belle jeunesse idéaliste et dynamique m'attendrit et m'agace. Pourquoi me donne-t-elle la désagréable impression que je ne suis qu'un vieux grincheux?...

Personne ne sembla donc prendre acte, bien qu'Amir Khadir ait été on ne peut plus clair à ce sujet, que le projet d'Assemblée constituante de Québec solidaire ne représente pas, comparé à l'intention du PQ de tenir un jour un référendum sur la souveraineté, un simple désaccord sur la stratégie à suivre pour faire l'indépendance, mais touche à l'essentiel : le genre de société dans laquelle on désire vivre. Plusieurs indépendantistes sont néanmoins ressortis de l'Université d'été avec la fausse impression que la cause souverainiste était pour Amir Khadir une priorité. Une simple écoute attentive de son intervention aurait dû les convaincre du contraire, mais que voulez-vous?... Gilles Duceppe lui-même parut se faire des illusions. Quelques semaines plus tard, il reçut dans son bureau le nouveau président du Forum jeunesse du Bloc québécois, Simon-Pierre Savard-Tremblay. Ce dernier, qui affirme avoir toujours fait passer le projet d'indépendance avant tout autre projet d'organisation sociale, qu'il soit de gauche ou de droite, se trouvait en l'occurrence sur la même longueur d'onde

---

287. Marie-Hélène Ratel. «Université d'été des jeunes souverainistes : travailler de concert dans l'adversité», *Impact Campus*, 24 août 2010
http://www.journauxetudiants.com/impactcampus/article-3825.html

que le chef du Bloc, qui, tout en se situant clairement au centre-gauche, se dit alors convaincu de la nécessité d'unir les forces indépendantistes, y compris, même si le Bloc se sent plus près du PQ, Québec solidaire[288]. Dans la bouche de Gilles Duceppe, le mot «nécessité» devait sans doute recouvrir ou englober le mot «possibilité», ou du moins ne pas l'exclure. Il allait déchanter... mais plus tard. À l'automne 2010, l'entente nécessaire (mais impossible — et, à mon sens, néfaste) entre le Bloc, le PQ et Québec solidaire devait toujours lui paraître possible, souhaitable. Du côté de Gilles Duceppe, la porte demeura donc ouverte.

Ainsi, en novembre, le Bloc publia un livre intitulé *D'ailleurs et résolument d'ici*, auquel contribuèrent dix auteurs d'origine étrangères, parmi lesquels Amir Khadir. Le texte de ce dernier s'intitule *Le fil d'Ariane de l'identité civique*. Il y raconte les circonstances et les raisons qui l'amenèrent à se présenter pour le Bloc en 2000 dans le comté d'Outremont. Il dit avoir alors été séduit par le «virage multiethnique du BQ et par extension de tout le mouvement souverainiste.[289]»

«Le BQ, écrit Khadir, c'était aussi Michel Seymour, qui présidait sa commission de la citoyenneté. Il venait de publier *La nation en question*[290] sur l'émergence d'une identité nationale québécoise affranchie de sa stricte base ethnique et animait au sein du Bloc un groupe de réflexion sur l'appartenance et l'attachement identitaire et civique au Québec[291].»

Dans ce texte très élogieux pour le Bloc québécois, parti qui permit par son ouverture et son action le rapprochement de

---

288. Entretien avec Simon-Pierre Savard Tremblay, le 1er décembre 2011.
289. *D'ailleurs et résolument d'ici*, p.81
290. Note d'Amir Khadir: Michel Seymour, *La nation en question, éditions de l'hexagone*, 1999, 208 pages.
291. *D'ailleurs et résolument d'ici*, p.85

nombreux néo-Québécois issus de l'immigration[292], Amir Khadir ne parle pas de Gilles Duceppe, mais simplement de Gilles, Gilles dont le nom de famille et le titre de chef du Bloc sont mentionnés dans une note de bas de page ! Cette familiarité, cette marque d'amitié ne laissaient en rien prévoir ce qui allait bientôt se produire. Car Amir Khadir, s'il était parfaitement dans son droit, et d'une logique inflexible, en défendant le programme politique de Québec solidaire, où le projet socialiste a priorité sur le projet d'indépendance, n'était par ailleurs nullement tenu de trahir les souverainistes et son ami Gilles pour appuyer un parti fédéraliste, et le plus centralisateur de tous par-dessus le marché.

La campagne électorale fédérale fut déclenchée en mars 2011, Amir Khadir appela les électeurs à voter pour les ou des « progressistes ». Il s'agissait de battre les conservateurs. Tout ce qui prétend être progressiste au Québec voulait battre les conservateurs. Hélas ! les candidats du Bloc québécois n'étant sans doute pas tous assez progressistes à ses yeux — il en appuya quand même quelques-uns —Khadir conseilla de voter pour des candidats du NPD, par exemple, dans Rosemont, Alexandre Boulerice, personnage effectivement trèèès « progressiste » — et membre de Québec solidaire[293]. Lors d'une visite au Saguenay — à Alma le 27 avril, il participa à un 5 à 7 — il conseilla de voter dans tous les comtés de la région pour les

---

292. L'auteur mentionne les députés fédéraux, Faille, Mourani, Kotto, Barbot et Thi Lac.
293. Sa recommandation de voter dans Ahuntsic pour une bloquiste, Maria Mourani, n'est pas étonnante étant donné les relations suspectes entretenue par Mme Mourani avec l'islamisme, relations qui sont peut-être pour Amir Khadir une garantie de « progressisme ». Voir ce dossier monté par Point de Bascule http://www. pointdebasculecanada.ca/articles/10002520-leadership-du-bloc-la-candidate-maria-mourani-entre-l'incompétence-et-la-complaisance-à-l'égard-des-islamistes.html

candidats du NPD[294]. Dans son propre comté, Laurier Sainte-Marie, que Gilles Duceppe représentait au Parlement depuis 1990, il vota pour la candidate du NPD, Hélène Laverdière, qui fut élue.

Loin de moi l'idée qu'Amir Khadir fut la cause du raz-de-marée néo-démocrate qui bouleversa le paysage politique du Québec le 2 mai 2011, car lui-même fut sans doute étonné du résultat. Emporté par la houle, roulé par la vague, il échoua finalement sur un rivage qui semble lui convenir :

> La montée en force du Nouveau Parti démocratique était souhaitée par nombre de souverainistes progressistes comme moi. Mais pas au prix d'un tel balayage du Bloc québécois. Québec solidaire avait d'ailleurs appelé à voter pour des candidats progressistes, qu'ils soient bloquistes ou néodémocrates. Aurais-je voté pour la candidate du NPD si j'avais su que mon député et ami Gilles Duceppe était en danger dans sa circonscription ? Sans doute pas. Mais aujourd'hui, je m'en confesse, je n'ai aucun regret. Celle pour qui j'ai voté, Mme Hélène Laverdière, fera une excellente députée pour le Québec. N'empêche, je suis triste pour Gilles et tant d'autres de ses collègues. Duceppe ne méritait pas ça. Mon «vote utile» — anti-Harper et destiné à renforcer la montée du NPD au Canada — n'était pas contre mon député bloquiste, mais il a contribué à sa défaite[295].

---

294 Voir article de Jean-Luc Doumont dans *Le point du Lac-Saint-Jean* http:// lepoint.canoe.ca/webapp/sitepages/content.asp?contentid=188365&id=2993&fb_ source=message Dans le comté de Jonquière-Alma, Claude Patry du NPD délogea le ministre Jean-Pierre Balckburn ; dans le comté de Roberval-Lac-Saint-Jean le ministre Denis Lebel conserva son siège, mais le candidat du NPD, Yvon Guay, récolta plus d'un quart des voix, devançant le candidat du Bloc.

295. http://www.ledevoir.com/politique/canada/323325/apres-les-elections-federales-le-quebec-qui-nous-attend

Khadir aurait donc voté pour la progressiste Hélène Laverdière parce qu'il croyait que le progressiste Gilles Duceppe allait l'emporter... À la fin de son papier, le triste ami de Gilles répète ce qu'il avait déjà expliqué le 14 août 2010 devant les jeunes souverainistes, propos dont même des politiciens expérimentés qui en avaient vu et entendu d'autres n'ont pas tiré les conclusions idoines :

> Le Québec, ce pays de projets qui nous attend, ne peut naître que de la ferme volonté de notre peuple et des rêves qui le nourrissent. La marche du Québec vers son indépendance ne peut carburer au ressentiment. Il faut donc imaginer une stratégie où les gestes posés pour le Québec visent une «rupture de dépassement». Innover socialement et économiquement. Prendre le virage écologique et politique qui puisse révéler le potentiel emballant de la liberté à notre propre peuple[296].

«Rupture de dépassement», «innover socialement et économiquement» on sait ce que ça veut dire dans la bouche de Khadir, qui n'a pas choisi par hasard le 14 août 2010 l'exemple du sinistre démagogue Hugo Chavez pour expliquer à quoi pourrait servir sous Québec solidaire une Assemblée constituante. L'étiquette «souverainiste» arborée par Khadir a trop longtemps leurré les bloquistes et les péquistes, qui ont enfin fini par admettre qu'Amir Khadir est un adversaire, voire un ennemi. Mais il a fallu que ce dernier leur fasse un dessin!

Le 23 mai, au Carré Saint-Louis, devant un auditoire qu'il cherchait à séduire, et au grand dégoût de plusieurs, Amir Khadir poussa la duplicité jusqu'à déclarer qu'il voyait en son ami Gilles un homme inspirant qui devrait inspirer toute une génération. Mais sans doute Amir Khadir trouve-t-il la néo-démocrate Hélène Laverdière plus inspirante encore, puisqu'il a voté pour elle et contribué à dégommer l'inspirant Gilles Duceppe. Pas étonnant

---

296. *Ibid.*

que de nombreux souverainistes haïssent maintenant Amir Khadir à s'en confesser. Je dois avouer que je les comprends.

Dans une entrevue accordée à Anne-Marie Dussault le 22 juin 2011 sur RDI, Gilles Duceppe déclarait: «Quant à M. Khadir, j'ai perdu beaucoup de respect pour lui [...] le soir de l'élection, ou le lendemain, il m'appelait ici, il voulait me voir de toute urgence pour qu'on développe une stratégie souverainiste, lui et moi, pour empêcher les fédéralistes de clamer victoire. Je trouve qu'il y a beaucoup d'hypocrisie dans ça. Qu'il ait voté NPD, ça je respecte ça, il faut respecter les gens. [...] Mais jouer un double jeu, je n'accepte pas ça[297].»

Ratoureux comme pas un, Amir Khadir déclarera lors d'une conférence donnée en janvier 2012 devant le Mouvement des étudiants souverainistes de l'Université de Montréal (MÉSUM), que le 2 mai c'est le message anti-conservateur du Bloc Québécois, «bloquer Harper», qui marcha à merveille, mais pas de la manière dont les bloquistes l'avaient souhaité. Selon lui la campagne des bloquistes aurait été trop négative[298]. C'est à cause de ça que le NPD — plus positif avec «smiling Jack» à sa tête, qu'un Bloc dirigée par le bougonneux Duceppe (ça c'est moi qui le dis) — a tiré les marrons du feu. Ce qui n'a rien de catastrophique, car Jack Layton était l'homme qu'il fallait au fédéral pour négocier de bonne foi après une victoire du OUI (ça c'est Khadir qui le dit).

Après la conférence, Simon-Pierre Savard-Tremblay demanda à Khadir, devant témoins, s'il préférerait un Québec souverain dirigé par Mario Dumont ou un Canada dirigé par Jack Layton. Khadir répondit en substance: aucun des deux, je combattrais les deux. Comprenne qui pourra: il combattrait Layton, à la

297. http://www.radio-canada.ca/emissions/24_heures_en_60_minutes/2010-2011/Entrevue.asp?idDoc=160250
298. Voir http://www.tagtele.com/videos/voir/77931/

victoire duquel il a ouvertement contribué et qui négocierait de bonne foi avec un Québec qui aurait voté oui. Mais si ce Québec indépendant avait à sa tête un homme de la droite modérée comme Mario Dumont, ça ne ferait pas davantage son affaire... Si un homme situé à droite sur le plan économique — avançons un nom connu —, Joseph Facal par exemple, prenait la tête du PQ, déclenchait un référendum et menaçait de le gagner, Amir Khadir voterait pour le NON ? C'est bon à savoir !...

Le comportement sinueux d'Amir Khadir — il y a parfois de brusques virages et des pentes glissantes dans la voie de gauche — ne mérite sans doute pas que nous nous lancions dans longues et pénibles spéculations. L'explication doit être beaucoup plus simple. Certains disent même que l'alliance entre le NPD et Québec Solidaire est essentiellement basée sur des considérations d'ordre pratique. Au Québec, les deux organisations sont très liées. Aux prochaines élections provinciales, on peut parier que les organisateurs et les bénévoles du NPD vont travailler pour Québec solidaire... C'est leur droit, les organisations du Bloc et du PQ n'étaient et ne sont-elles pas encore imbriquées ? Mais il s'agit de deux partis souverainistes. Qu'ont en commun le NPD et QS ?

« Je l'ai aussi questionné, m'écrit Simon-Pierre, sur le fameux discours sur la "langue de l'oppresseur" [le 15 mai 2011 à la place Gérald-Godin], et pourquoi il ne s'en était pas dissocié, lui qui affirme vouloir faire de la langue l'enjeu de la prochaine campagne de Québec solidaire. Il m'a répondu que même si c'était notre langue commune, le français a souvent été associé à la langue de l'oppresseur dans l'histoire, dans les colonies, et au Québec par rapport aux Amérindiens. » Ainsi, nous parlons la langue de l'oppresseur et pratiquons l'apartheid. Pas étonnant que celui qui énonce de telles sottises ne soit pas un partisan très enthousiaste de l'indépendance du Québec.

Je ne suis pas péquiste, mais je me surprends néanmoins à souhaiter le remplacement de Pauline Marois par Gilles Duceppe à la direction du PQ. Pourquoi? Tout simplement pour que cet horrible projet d'alliance électorale entre le PQ et QS, dont on parle ces jours-ci — écrit le 23 janvier 2012 — soit tué dans l'oeuf. S'il devenait chef du Parti québécois, et à moins d'être lui-même un hypocrite, Gilles Duceppe refuserait de faire alliance avec Québec solidaire. Mais Duceppe venant de se retirer complètement de la scène politique, le danger existe toujours. Comme dit si bien Joseph Facal: c'est ri-di-cu-le[299]!

La question posée par Louise Mailloux attend toujours sa réponse. Il faudra donc aborder le thème du voile islamique, qui est étroitement relié aux défis posés par l'islamisme, idéologie totalitaire qui est à la fois le plus ardent promoteur du voile et le pire ennemi de la laïcité, je devrais même dire: de la démocratie. «Mais de qui êtes-vous donc solidaire, monsieur Khadir? Et que doit-on penser d'un parti politique qui se défile devant la politique? D'un parti de gauche qui capitule devant ce qui détruit la liberté et la dignité des femmes?» La réponse de Louise Mailloux cingle comme coup de fouet: «Un seul mot me monte à la gorge: la lâcheté! Oui, une bien grande lâcheté, pour des gens de gauche!...[300]»

Mais si... mais si Amir Khadir n'était pas un lâche, mais plutôt, simplement, un complice?...

---

299. http://fr.canoe.ca/infos/chroniques/josephfacal/archives/2012/01/20120123-082600.html
300. Mailloux, *Op. cit.*, p. 111.

CHAPITRE XI

Islamiste ? Non, mais...

Ceux qui répètent que toutes les valeurs sont bonnes et que toutes les cultures se valent contribuent à leur insu à la promotion de la barbarie.

Hamid Zanaz
L'impasse islamique. La religion contre la vie

Toutes les sociétés démocratiques vivent avec des ennemis mortels réfugiés dans les plis de leur tolérance.

Philippe Val
Reviens, Voltaire, ils sont devenus fous

Louise Mailloux, femme de gauche et féministe, fut l'une des premières, sinon la première, à dénoncer le coup bas asséné à la laïcité par Amir Khadir et Françoise David au bénéfice des porteuses de voile et de leurs mentors islamistes. Richard Martineau, qui déjà en 2007 avait dénoncé dans son blog « La dérive de Françoise David[301] », tint le 7 juin 2008, précédant ou suivant de peu Mme Mailloux, des propos analogues. Je citai cet article le 10 juillet suivant dans *The Métropolitain*[302], mais pour le contredire, hélas, ce que je regrette aujourd'hui, car c'est Martineau qui avait raison et moi qui avais tort. Il revint sur le sujet le 9 mars 2009 dans un article que je me hâte de citer en gage de repentance : « En juin

---

301. http://martineau.blogue.canoe.ca/2007/02/19/la_derive_de_francoise_david
302. http://www.themetropolitain.ca/articles/view/274

dernier, quand Françoise David, co-porte-parole de Québec solidaire avec Amir Khadir, a affirmé qu'elle n'avait aucun problème à ce que les enseignantes et les fonctionnaires musulmanes portent le voile sur leur lieu de travail, j'ai écrit que l'ex-présidente de la Fédération des femmes du Québec faisait la carpette devant les islamistes[303]. »

Mailloux et Martineau ne furent pas les seuls à dénoncer les compromissions de Khadir et David. Je pense en particulier au site Point de Bascule, dont il faut lire en priorité les articles des 24 et 25 juillet 2008. Voici un extrait du second texte, publié en réponse à Sébastien Robert, responsable des communications à Québec solidaire — et auteur des fausses rumeurs sur les liens politiques d'Yves Archambault de la boutique Le Marcheur— qui avait protesté contre l'article de la veille :

> Il n'y aucun doute que l'idée d'un lien entre Françoise David et des gens proches des Frères musulmans est choquante. Je suis heureux de constater que vous partagez notre indignation face à une telle perspective. Nous n'avons toutefois pas affirmé que Mme David puisse être d'accord avec les objectifs de cette mouvance. Nous nous interrogeons sur ce qu'elle en pense, ce qui est une préoccupation légitime pour bien des citoyens. Sur la question des rapports de la gauche québécoise avec les musulmans, nous serions plus rassurés de voir Québec Solidaire associé aux véritables partis de gauche des pays musulmans au lieu de fraterniser avec des gens qui endossent l'idéologie islamiste. S'associer à des musulmans ne veut pas automatiquement dire s'associer à des islamistes.
>
> La prudence élémentaire exige cependant de bien connaître ses vis-à-vis si on ne veut pas collaborer malgré soi à leur agenda caché. [...] Nous croyons que la gauche québécoise devrait se dissocier de positions aveugles fondées sur les bons sentiments, et faire preuve d'esprit

---

303. http://www.canoe.com/infos/chroniques/richardmartineau/archives/2009/03/20090309-090500.html

critique. Une féministe comme Françoise David n'a pas le droit moral de se laisser utiliser par des gens dont l'idéologie représente un recul en matière d'émancipation de la femme. Elle n'a pas le droit moral de participer à un colloque qui préconise un rapprochement idéologique entre la gauche canadienne et une religion en particulier, par surcroît la seule religion autorisée par plusieurs régimes autoritaires qui ne reconnaissent pas le droit à la liberté de conscience et criminalisent le blasphème et l'apostasie. À quand un colloque marxiste de rapprochement avec les Mormons, les Juifs, les Hindous[304]?

Il y eut également, avant ceux que je viens de mentionner, les trois articles de Fabrice de Pierrebourg, « Amir Khadir espionné », « Le SCRS a perdu son temps » et « L'OMPI devra attendre » publiés les 12 et 13 février 2008 dans le *Journal de Montréal*. De Pierrebourg faisait état dans le premier de ceux-ci de l'association passée d'Amir Khadir avec l'Organisation des moudjahidines du peuple iranien (OMPI), mouvement islamo-marxiste, qui, écrit-il, citant un document du gouvernement canadien, « souscrit à une idéologie éclectique combinant sa propre interprétation de l'islamisme chiite et des principes marxistes[305]. » Dans le second article, de Pierrebourg citait Khadir : « Martin Luther King, Nelson Mandela, René Lévesque ont tous été placés sous étroite surveillance, dit-il avec une pointe d'ironie. [...] Les gens du renseignement sont mal renseignés, connaissent peu les pays en cause et sont victimes des jeux de propagande. » Le troisième article nous apprend que ça

---

304 « Réponse à Sébastien Robert... »   http://www.pointdebasculecanada.ca/archives/537.html On trouvera à cet endroit un lien avec le texte du 24 juillet. Le colloque MARXISM 2007 - A festival of Resistance, tenu à Toronto en mai 2007, avait pour objectif de rapprocher la gauche et les musulmans. Françoise David y avait prononcé deux conférences intitulées *The Future of the Left in Québec and Canada* et *Québec Solidaire and the new left*.
305. Voir http://www.canoe.com/archives/infos/quebeccanada/2008/02/ 20080212-061604.html On trouvera dans cette page des liens menant aux deux autres articles.

jouait dur à l'OMPI — et c'est sans doute encore le cas. En 2005, écrit de Pierrebourg, «Human Rights Watch avait accusé l'OMPI de se livrer à des actes de torture sur les dissidents du mouvement».

Publiés avant l'élection de 2008 et la victoire d'Amir Khadir dans Mercier, les textes de Pierrebourg, Mailloux, Martineau et Point de Bascule n'eurent pas beaucoup de retentissement. Mais les choses devaient bientôt changer, du fait qu'après son élection en décembre 2008, les faits et gestes d'Amir Khadir furent désormais suivis de près — la plupart du temps pour être approuvés — par la gent médiatique en général et par un chroniqueur en particulier, Éric Duhaime, qui n'attendit pas l'affaire du Marcheur pour s'attacher aux pas de Khadir. Il publia dès le 5 janvier 2009, un article dans lequel il écrivit: «Pour moi, l'élection d'Amir Khadir n'est rien de moins qu'incompréhensible, dommageable et peut-être même dangereuse[306].» Deux mois plus tard, Duhaime, émit contre Khadir, avec beaucoup de témérité, une accusation grave. Il employa alors l'expression «agenda islamique», que beaucoup ont retenue en remplaçant «islamique» par «islamiste».

Retrouvons donc Duhaime le jeudi 11 mars 2010, entre 8:08 et 8:26, à l'émission *Maurais live* de CHOI-FM, aussi appelé Radio X[307]. Deux sujets furent alors abordés: 1 - les revirements du ministre Tony Tomassi dans l'affaire des garderies religieuses; 2 - à partir de la huitième minute de l'émission, l'invitation lancée par Amir Khadir au député arabe israélien Jamal Zahalka, (dont nous avons parlé au chapitre IX).

La visite de Zahalka au Canada dans le cadre de la Semaine de l'Apartheid israélien, explique Duhaime, est soutenue par une coalition de centrales syndicales, d'associations islamiques et de

306. «Le Plateau d'Amir», *Journal de Montréal*, 5 janvier 2009. Reproduit dans http://lesanalystes.wordpress.com/2010/03/14/retro-le-plateau-damir/#more-1024
307. http://www.radioego.com/ego/listen/4375

militants d'extrême gauche, qui demandent le boycott de l'État d'Israël. Khadir aurait envoyé à des députés des invitations à les rejoindre, Zahalka et lui, au restaurant parlementaire (Salon Johnson) pour entendre ce que son invité a à dire sur l'apartheid israélien. Visiblement outré par la conduite du député de Mercier, Duhaime cite une résolution votée à l'unanimité la semaine précédente par la Législature ontarienne condamnant la campagne BDS, qui « *sert à inciter à la haine contre Israël, un État démocratique respectueux de la loi et des droits de la personne. L'usage du mot apartheid dans ce contexte diminue les souffrances de ceux qui furent les victimes d'un véritable régime d'apartheid en Afrique du Sud.* C'est pas moi qui le dis, précise Duhaime, c'est l'unanimité des députés en Ontario. Nous autres au Québec, là... Amir Khadir, y a un agenda islamique. J'espère qu'on commence à voir ça, là! C'est pas la première fois, je vous ai déjà parlé de son association avec l'organisation des Moudjahidines du peuple iranien[308]. Vous vous souvenez qu'il est allé *pitcher* son soulier à l'ambassade américaine [...] Puis à tous les jours[309], y a des motions, pis y a des débats qu'y'emmène. Y a soutenu la fille qui a le voile... qui avait le niqab la semaine passée à Montréal. Y a un agenda très clair c'gars-là. » Pas si clair que ça, en fait...

Attardons-nous un moment sur cette histoire de l'étudiante voilée. Elle est fort instructive. Voici les faits : après des mois de négociations avec le Cégep Saint-Laurent, une étudiante d'origine égyptienne âgée de 29 ans, Naïma Atef Amed, avait été exclue en novembre 2009 d'un cours de francisation parce qu'elle refusait d'enlever son voile intégral. C'est la ministre de l'Immigration,

---

308. L'utilisation de cette information, qui provient de l'article publié par de Pierrebourg en février 2008, affaiblit la démonstration plutôt qu'elle ne l'étaye. Réfutant facilement cette pseudo-preuve, Khadir s'en sortira avec les honneurs.
309. Exagération qui nuit elle aussi à la crédibilité du propos.

Yolande James, qui avait pris cette décision. Dans les jours suivants, l'étudiante porta plainte devant la Commission des droits de la personne, mais la nouvelle ne sortit que le 2 mars 2010. À Québec, le PQ et l'ADQ approuvèrent la ministre, mais lui reprochèrent d'agir au cas par cas et demandèrent au gouvernement d'émettre des directives interdisant le port du niqab et de la burqa dans les cours de français destinés aux immigrés[310]. Questionné à ce sujet par Tommy Chouinard, de *La Presse*, Amir Khadir se prononça contre l'interdiction du voile intégral. Voici ce qu'écrit le journaliste :

> Contrairement au PQ et à l'ADQ, Québec solidaire appuie sans réserve l'attitude de la ministre Yolande James et du cégep Saint-Laurent. « C'est comme ça qu'il faut agir, a lancé le député Amir Khadir. L'école ou n'importe quelle institution doit voir ce qui peut être raisonnablement fait pour répondre à une demande qui doit être de bonne foi. Il y a eu un certain nombre de choses qui ont été faites de la part du cégep, et ça démontre de sa part un minimum d'efforts pour accommoder. Si, au bout de l'exercice, on n'arrive pas à s'entendre, c'est regrettable, ça doit se terminer là. Interdire le port du voile intégral dans les cours de français, ce serait « barrer la route à quelques-unes de ces femmes voilées qui veulent s'en sortir », a-t-il ajouté. « Si la femme va dans la classe et qu'elle lève un peu le voile pour prononcer les mots, eh bien ! tant mieux. Si vous lui interdisez au départ de porter son voile, vous enlevez même cette chance[311]. »

---

310. Le gouvernement présenta en chambre le 24 mars 2010 le Projet de loi No 94 « établissant les balises encadrant les demandes d'accommodement dans l'Administration gouvernementale et dans certains établissement ». Deux ans plus tard, cette loi n'a pas encore été adoptée. J'ai publié à propos de ce projet loi et des commentaires qu'il a suscité un article qu'on trouvera sur le site CCIEL http://www.cciel.ca/projet-de-loi-94-les-multiculturalistes-aux-abois-par-pierre-k-malouf-ecrivain/
311. Voir http://www.cyberpresse.ca/actualites/quebec-canada/politique-quebecoise/201003/02/01-4256822-le-pq-veut-interdire-le-niqab-a-lecole.php

Fidèle au programme politique de son parti, Amir Khadir emprunte par cette déclaration la voie (de gauche) de la «laïcité ouverte», laïcité factice qui ouvre la porte des institutions publiques à tous ceux et celles qui sont fondamentalement opposés au principe même de laïcité. Je fais ici allusion aux musulmans intégristes, i.e. aux islamistes, pour qui le concept de séparation des pouvoirs politique et religieux est irrecevable, voire blasphématoire, mais qui, puisqu'il sont minoritaires, sont bien obligés, pour le moment, tout en s'ingéniant à les repousser, de respecter les limites que notre société impose à leurs ambitions politico-religieuses. Mais ce n'est que partie remise, comptez sur eux pour revenir à la charge... Ils trouveront... pourquoi parler au futur?... Ils TROUVENT d'ailleurs de nombreux appuis à l'extrême gauche, qui ne demande pas mieux que de faire alliance avec une idéologie qui communie avec elle dans la haine de l'Occident en général, d'Israël et des États-Unis en particulier[312].

J'ouvre une parenthèse... Visionnant l'entrevue de cette étudiante avec Anne-Marie-Dussault[313], j'eus une révélation: le niqab dissimule le visage, mais le motif religieux qui le justifie a pour principale fonction de présenter sous un jour rationnel

---

312. Pour mieux connaître les positions de Québec solidaire sur la laïcité en général et le port du voile en particulier voir les articles suivants: Michèle Sirois, «Pourquoi je quitte Québec solidaire» http://www.cciel.ca/pourquoi-je-quitte-quebec-solidaire-par-michele-sirois-anthropologue-specialiste-en-sociologie-des-religions/ Benoit Renaud, «Port de signes religieux - Québec solidaire ose aller à contre-courant» http://www.ledevoir.com/societe/actualites-en-societe/280500/port-de-signes-religieux-quebec-solidaire-ose-aller-a-contre-courant Françoise David et Amir Khadir, «Laïcité Pour un débat large, ouvert et démocratique» http://www.ledevoir.com/societe/ethique-et-religion/281271/laicite-pour-un-debat-large-ouvert-et-democratique Voir aussi la conférence de presse donnée conjointement le 9 mars 2010 à l'Assemblée nationale par Françoise David et Amir Khadir http://www.assnat.qc.ca/fr/actualites-salle-presse/conferences-points-presse/ConferencePointPresse-4635.html.
313. http://www.radio-canada.ca/nouvelles/societe/2010/03/03/001-niqab-entrevue-naima.shtml

l'aliénation de celle qui le porte et l'archaïsme débile de la culture qui l'y force. Ce n'est sans doute pas le cas de toutes les femmes voilées, mais dans celui-ci, ça se voit comme le nez au milieu de la figure. Il y a dans l'insistance butée de cette pauvre femme une forme d'appel au secours. La culture pathologique dont elle se réclame doit être dénoncée et combattue.

Revenons à l'émission du 11 mars 2010...

Après avoir rapporté des propos de Michaël Ignatieff, tracé le portrait de Jamal Zahalka, cité un article du *Jerusalem Post*[314], Duhaime nous apprend qu'Amir Khadir va déposer le jour même une motion de blâme contre le gouvernement fédéral sur ce qui se passe à Droits et démocratie :

> Y a une crise interne dans cette organisation-là, présentement, dit-il, parce que justement y a des employés qui ont donné des subventions à des organisations qui sont classées comme terroristes, des organisations islamistes. Et qu'est-ce qu'Amir Khadir fait ? Y va présenter une motion à l'Assemblée nationale aujourd'hui — on me dit même que les libéraux vont appuyer ça ! J'ai d'la misère à croire ça ! — pour blâmer Ottawa parce qu'il s'ingère dans la crise qui existe présentement à Droits et démocratie ! On est rendus loin, là ! Moi, j'pense... que même dans son propre parti-là, y faudrait que Françoise David le ramène à l'ordre, Amir Khadir. Si Françoise David veut fonder un parti islamiste au Québec, qu'a nous l'dise, là ! Mais là, là... C'est supposé être un parti de gauche... d'extrême gauche ou de gauche, son affaire, c'est pas supposé être un parti islamiste ! Et moi, ça m'inquiète cet agenda-là, d'Amir Khadir ! J'espère que c'est un agenda personnel, que c'pas un agenda de Québec solidaire puis de Françoise David. Et y a beaucoup de questions à s'poser ! »

---

314. On trouvera ci-haut, p. 177, le passage cité par Duhaime.

Des gens comme Fatima Houda-Pépin (d'origine marocaine et de culture musulmane), ou Sam Hamad pourraient nous aider à nous réveiller, soutient Duhaime, qui poursuit :

> Sur la question de l'islam radical, je pense qu'on peut s'entendre. Il faut qu'un moment donné le gouvernement arrête de laisser Amir Khadir décider et *caller* les shots au Parlement. Ça n'a aucun sens ! Y faut l'arrêter, y a un agenda ! C'est un gars qui est très radical, qui s'en va on sait pas où, mais on sait que c'est pas clair ses visées. Moi ça m'inquiète, pis c'est pas la première fois que j'en parle, j'vous en ai parlé sur bien d'autres dossiers, et ça continue de jour en jour on voit de plus en plus le vrai visage d'Amir Khadir...

L'animateur Dominic Maurais s'engage ensuite sur un terrain... disons très peu *politically correct*. Les chiffres de Statistique Canada sont inquiétants, dit-il : « Un sur trois en 2031 qui va être né à l'extérieur du Canada ! » Saisissant la balle au vol, Duhaime souligne l'importance de l'immigration arabo-musulmane au Québec, que nous favorisons parce qu'elle est francophone. Comparées à celles des États-Unis ou de certains pays européens, nos politiques d'intégration ne sont pas suffisamment strictes :

> Nous, on laisse passer ça, on laisse passer les radicaux, on les accueille, on les prend même comme réfugiés et on se ramasse avec des problèmes. On est en train d'importer les problèmes qu'y a dans le monde arabo-musulman, chez nous. Et Amir Khadir est peut-être celui qui tient la porte, pour ouvrir grandes nos portes à cet extrémisme-là. Et moi je pense qu'il faut l'arrêter, là. Y est au Parlement, y a des responsabilités, y est supposé représenter tous les électeurs, pas un petit groupe, pas des extrémistes. Il faut qu'y s'fasse rappeler à l'ordre !

Plusieurs mois s'écoulèrent avant que ces allégations ne provoquent des remous. Ainsi, à l'exception du blog *renartleveille.com*, qui publia le 15 mars un commentaire très négatif intitulé

L'agenda trop bien caché[315], il n'en fut plus question avant le 14 novembre suivant.

Duhaime revint à la charge dans son blogue du *Journal de Québec*, le 20 juillet[316]. Il mentionna de nouveau le militantisme d'Amir Khadir à l'OMPI dans les années 80 et rappela ses propos sur le rôle de la CIA dans les attentats du 11 septembre 2001, mais fit d'abord et surtout état des liens de Khadir avec Jaggi Singh, dont le député de Mercier était allé payer la caution à Toronto, après que le célèbre activiste eut été arrêté lors des manifestations anti G-20. Jaggi Singh et Amir Khadir sont «tous deux de virulents militants anti-Israël», écrit Duhaime, ce qui est tout à fait exact, mais ne fait pas d'eux *ipso facto* des partisans de l'islamisme, mais plutôt, et la nuance est importante — j'anticipe sur ma conclusion —, des alliés objectifs des islamistes qui assurent la direction de la cause palestinienne. Dans cet article du 20 juillet, comme dans celui du 27 juillet[317] ainsi que dans son intervention à CHOI-FM, également le 27 juillet[318], dans lesquels il révèle et commente les activités du PCQ au chalet des Khadir, Duhaime impute à Amir Khadir un agenda d'«extrême gauche», accusation, je devrais plutôt dire «constat», qui repose sur des bases beaucoup plus solides que celle du 11 mars à propos d'un «agenda islamique». Les mois passent...

Finalement, la gent médiatique sortit de sa torpeur. Il fallut pour la réveiller que des extraits de l'émission du 11 mars fussent publié sur le web, ce qui se produisit le 14 novembre[319]. Patrick

315. http://www.renartleveille.com/amir-khadir-agenda-cache-islamique/ L'expression «agenda caché» est un calque de l'anglais, souligne avec raison l'auteur de l'article.

316. http://blogues.canoe.ca/ericduhaime/politique-partisane/qs/les-amis-d'amir/#more-1981

317. http://blogues.canoe.ca/ericduhaime/politique-partisane/qs/khadir-chez-les-communistes/

318. http://www.radioego.com/ego/listen/5363

319. http://www.radioego.com/ego/listen/6195

Lagacé fut apparemment le premier à s'en aviser. Le jour même dans son blogue de *La Presse*[320], il compare les «écarts de langage» de Éric Duhaime à ceux du président de la CSQ, Réjean Parent: «Par un curieux retour du balancier, ying-yang, Éric Duhaime, chantre en pleine ascension de la droite québécoise, vole une page du *playbook* de M. Parent et dérape complètement à son tour, de façon aussi involontairement comique, versant dans l'exagération et l'anathème. En entrevue à la radio (CHOI?), accuse Amir Khadir, député de Québec solidaire, de "caller les shots" à l'Assemblée nationale et d'avoir un agenda islamiste…» Duhaime avait dit «islamique», mais pensait peut-être effectivement «islamiste». Cela dit, il serait vain d'exiger de Lagacé qu'il fasse une aussi subtile distinction. Suit une référence au montage de l'émission du 11 mars. «Donc, Éric Dumaine, dre-dretiste et Réjean Parent, go-gauchiste, même combat! Personnellement, j'ai hâte de voir les preuves du complot d'islamisation sur lesquelles se base M. Duhaime. Nul doute qu'il les fournira sous peu. Mais avoir su ça avant, j'aurais tâté la chemise du député de QS, il y a deux semaines, quand je l'ai interviewé pour un topo à venir aux Francs tireurs, question de voir s'il ne porte pas une ceinture d'explosifs[321]…»

Cette dernière remarque de Lagacé de même que le point d'interrogation qu'il ajoute après CHOI prouvent qu'il n'a pas écouté l'émission du 11 mars au cours de laquelle, à défaut d'avoir fourni des «preuves d'un complot d'islamisation» Éric Duhaime a porté à la connaissance du public des faits dignes d'intérêt, tout en tirant, malheureusement, des conclusions sans doute un peu osées. Il ne faut pas s'étonner cependant de la réaction cavalière

---

320. http://blogues.cyberpresse.ca/lagace/2010/11/14/eric-duhaime-et-rejean-parent-meme-combat/

321. Pour Lagacé comme pour tant d'autres dilettantes de la pensée critique *mainstream,* quand les islamistes ne posent pas de bombes ils sont inoffensifs. Le djihad culturel, connaît pas!

de Lagacé, qui, un an plus tard, étalera sans vergogne son ignorance et son incompétence dans des commentaires aussi stupides que vitrioliques sur le livre de Djemila Benhabib, *Les soldats d'Allah à l'assaut de l'occident*[322]. Retenons pour le moment que Lagacé attaque Duhaime et prend la défense de Khadir sans savoir de quoi il retourne. Je ne ferai pas semblant de m'en offusquer, car il allait de soi que toute critique de Khadir provenant d'un homme de droite comme Duhaime, allait se retourner contre ce dernier, sans qu'aucun de ses arguments à propos de Khadir ne soit pris en considération, même par un chroniqueur du ce-centre bien-pensant comme Lagacé. D'ailleurs, son allusion à la « ceinture d'explosifs », aussi puérile que stupide, est la preuve flagrante qu'il se mêle de questions auxquelles il n'entend rien. À cet égard cependant, Jean-René Dufort tomba, si possible, beaucoup plus bas que Patrick Lagacé.

Jeudi, 18 novembre 2010, à l'émission Infoman — enregistrée et montée dans les jours précédents —, Dufort vient à son tour à la rescousse de Khadir[323] : « Le problème ces temps-ci avec la droite au Québec, déclare-t-il d'un ton grinçant, c'est qu'à chaque fois qu'a dit queuque chose on a l'impression qu'c'est niaiseux ! Prenons comme exemple Éric Duhaime, une des lumières halogènes de la droite politique au Québec. Le co-fondateur du Réseau liberté Québec et ancien adéquiste Éric Duhaime semble littéralement *freaker* lorsqu'il rencontre un gauchiste comme Amir Khadir. »

De la minute et demie d'extraits qui avaient servi de base de lancement à Lagacé pour son rot, l'Infoman retient environ quarante secondes pour son pet. Le but étant de tourner Duhaime en ridicule, les arguments de ce dernier ne furent pas pris en

---

322. « La lapidation, c'est mal », *La Presse*, 20 septembre 2011. http://www.cyberpresse.ca/chroniqueurs/patrick-lagace/201109/19/01-4449282-la-lapidation-cest-mal.php
323. http://www.youtube.com/watch?v=8dHvoY4f8Ms

compte — rien sur Zahalka, rien sur Droits et démocraties, rien sur la « niqabée » du Cégep Saint-Laurent. Du travail bâclé quant au contenu journalistique — enlevez du mot Infoman les syllabes *In-fo* — mais tout à fait réussi en tant qu'entreprise de lynchage. Les pièces à conviction n'intéressant pas l'*man*, la seule véritable erreur de fait d'Éric Duhaime, qui évidemment n'avait pas été relevée par Lagacé, ne le fut pas davantage par Dufort — les grands esprits se rencontrent... dans l'ineptie. En effet, la motion présentée à l'Assemblée nationale le 11 mars 2010 ne blâmait pas le gouvernement fédéral, sinon de manière très indirecte : « Que l'Assemblée nationale du Québec exprime sa reconnaissance pour le travail exemplaire de l'organisation Droits et Démocratie au niveau international et souhaite voir préserver l'indépendance de cette institution afin d'en protéger la crédibilité et la pérennité[324]. » L'Assemblée n'y vit que du feu, la motion fut adoptée sans débat. Ici, on aurait eu raison de signaler que Duhaime s'était trompé, mais les très peu perspicaces Lagacé et Dufort ne s'en sont jamais aperçu.

Nous sommes toujours à l'*man*. Apparaît sur l'écran de mon ordinateur (et sur le vôtre, si vous prenez la peine de vérifier mes dires) une photographie de Duhaime. En sous-titre : Éric Duhaime, chroniqueur politique - Radio-X. Voix d'Éric Duhaime : « Nous autres au Québec, là... Amir Khadir, y a un agenda islamique. J'espère qu'on commence à voir ça, là ! » Isolée des propos qui l'avaient précédée, cette phrase peut effectivement porter à rire. Le traitement qui en est fait ici est tout simplement malhonnête.

Apparition de Jean-René Dufort et de Françoise David, tous les deux très souriants. Ainsi, quand il veut s'en donner la peine, Dufort est capable de recueillir les témoignages *from the horse's mouth*, comme disent les Anglais. Et sinon du cheval

---

324. Journal des débats de l'Assemblée nationale - 39e législature, 1re session - 11 mars 2010 http://www.assnat.qc.ca/fr/deputes/khadir-amir-25/interventions.html

lui-même, du moins de son écuyère. La co-porte-parole de Québec solidaire aura droit, grâce à la complaisance hilare de l'*man* à quatre interventions, dont chacune prétend être une réponse à une phrase ou un bout phrase de Duhaime, dont l'une fut d'ailleurs trafiquée au montage :

> Je suis au courant qu'Amir Khadir a aucun agenda caché. Je pense qu'Amir Khadir, c'est l'être le plus transparent du Québec. C'est pas compliqué : il dit ce qu'il pense et il fait ce qu'il dit. [...] Ça va bien, Amir et moi, pis y m'a pas encore demandé de porter l'voile, d'ailleurs sa femme non plus, ses filles non plus, tout est correct ! [...] Amir est à peu près musulman comme j'suis catholique euh... c'est-à-dire de culture, de tradition. Il vient d'un pays où c'est la religion d'État en fait, comme moi, comme québécoise, j'viens d'une province où ce fut quasiment une religion d'État et... c'est tout. Non, Amir Khadir a pas mal de fun quand il va dans les bars en fait. [...] Nous autres on est simples, on est clairs, on est transparents, bien j'invite la droite à faire preuve de la même authenticité.

Et Dufort de conclure : « On se demande quelle drogue forte peut bien prendre Éric pour confondre ceci [Khadir] et cela ! » [Ben Laden]

Voilà qui est plus mesquin et par conséquent plus efficace encore que la ceinture d'explosifs de Lagacé. Khadir n'étant évidemment pas Ben Laden, et vice versa, le dossier déposé par Duhaime est déclaré nul et non avenu sans le moindre examen des indices ou des preuves. Ce minable tour de passe-passe a pour double avantage de faire passer Duhaime pour un imbécile, Amir Khadir pour un héros. Il y avait pourtant dans le procès-verbal de Duhaime, généralement bien documenté, des points faibles qui auraient permis à des critiques de bonne foi de contester ration- nellement le jugement qu'il porte sur Khadir. Comme nous allons le constater, ce dernier se montra beaucoup plus futé que ses avocats de *La Presse* et de Radio-Canada.

Le jour où fut diffusée cette émission de l'*man*, mais plus tôt, c'est-à-dire à 11 h 53, Khadir donnait un point de presse à la Salle Bernard-Lalonde de l'Hôtel du Parlement[325]. Précédemment, au Salon bleu, le député libéral de Jean-Lesage, André Drolet, aurait lancé hors micro en s'adressant au député de Mercier les paroles que voici, citées par Khadir devant les journalistes : « Attends un peu, Amir, on va fouiller ton passé ; on t'aura bien à un moment donné », propos que Sylvie Roy, députée de l'ADQ, dira plus tard avoir entendus, et dont le député Drolet s'excusera ensuite devant l'Assemblée[326].

> Évidemment, moi, déclare Amir Khadir devant les journalistes, je l'invite, soit dit en passant, je l'invite ardemment à fouiller mon passé, à regarder ce que j'ai fait, tout ce que j'ai... toutes les organisations militantes dans lesquelles j'ai oeuvré depuis des années pour la défense de la démocratie, pour la défense des droits sociaux, pour la défense des droits étudiants, pour le développement international dans mes missions humanitaires. Je l'invite à le faire. Plus il va le faire, plus il va prendre la peine d'en parler sur la place publique, je pense, plus les gens vont comprendre que Québec solidaire est formé de gens intègres qui sont prêts à prendre des risques pour défendre l'intérêt de la population.

Cette tentative d'intimidation, explique-t-il, serait due au fait que les libéraux sont irrités par les questions qu'il pose en chambre à propos de Marc Bibeau, le principal collecteur de fonds du Parti

---

325 Transcription : http://www.assnat.qc.ca/fr/actualites-salle-presse/conferences-points-presse/ConferencePointPresse-6141.html Vidéo : http://www.assnat.qc.ca/fr/video-audio/AudioVideo-33473.html?support=video Aussi, partiellement, sur YouTube : http://www.youtube.com/watch?v=-ap6gifIMvI&feature=related
326 http://fr-ca.actualites.yahoo.com/assemblée-nationale-le-député-libéral-andré-drolet-sexcuse.html ou http://www.branchez-vous.com/info/actualite/2010/11/propos_menacants_a_lendroit_da.html

libéral. Les libéraux voudraient « intimider Québec solidaire pour qu'on ne pose pas des questions sur le rôle que joue éventuellement Marc Bibeau pour bloquer une enquête publique [sur l'industrie de la construction].

— Ce à quoi je pense qu'on référait, dit Paul Journet, de *La Presse*, c'est au fait que vous étiez... que vous avez apporté votre soutien à l'organisation des moudjahidines du peuple iranien et qu'apparemment vous étiez surveillé par les services de sécurité. Je pense que c'est à ça qu'on faisait allusion, entre autres. Pouvez-vous dire si c'est vrai et si c'est quelque chose qui est défendable?

— J'ai été sympathisant des moudjahidines du peuple entre 1980 et 1983. Cette organisation luttait en Iran contre la dictature des religieux au pouvoir, la dictature des ayatollahs, ceux qui, aujourd'hui, briment et répriment encore, 30 ans plus tard, le peuple iranien. » Cette organisation, précise-t-il par la suite, a été déclarée terroriste après qu'il l'eût quittée — ce qui est exact. « Ces sympathies-là passées, intervient Antoine Robitaille, ont fait dire à un chroniqueur que vous aviez, et je cite : un agenda islamiste[327]. Qu'est-ce que vous répondez à ça? » Le chroniqueur auquel Antoine Robitaille vient de faire allusion c'est évidemment Éric Duhaime, mais le nom de ce dernier ne sera pas prononcé pendant le point de presse. Amir Khadir répond au journaliste du *Devoir* qu'il se trouve dans la même situation que Barack Obama, objet lui aussi d'accusations farfelues, phénomène dont pourraient éventuellement être victimes d'autres députés qui posent trop de questions, comme Stéphane Bédard ou Sylvie Roy. « C'est des tentatives de salissage », affirme-t-il.

Paul Journet revient à la charge quelques minutes plus tard : « C'est quand même assez grave, ce dont on vous accuse. Ce

---

327. Robitaille se trompe de mot, Khadir fera de même. La confusion règne, mais peu importe : au Québec un mot ne vaut pas grand chose.

serait intéressant de répondre à tous les différents volets des accusations. La citation exacte, c'est un agenda islamique[328]. [...] Puisqu'on vous accuse de ça, souhaitez-vous dire si vous êtes laïc ou non, quelles sont vos convictions religieuses, vos positions, rapidement ? Vous avez déjà mentionné que votre femme est féministe. Souhaitez-vous répondre en quelques mots à ça ?

— C'est tellement ridicule et grotesque comme accusation, répond Amir Khadir, il me semble que ça va de soi. Je suis le principal porte-parole d'un parti qui est féministe. Ça fait dix ans que je travaille étroitement avec Françoise David qui était à la tête de la Fédération des femmes du Québec. Nous avons dès notre assemblée de fondation, en 2006 — juste pour parler de Québec solidaire — dans notre déclaration il y a plusieurs éléments, dont un des principaux est notre engagement au caractère laïc de l'État. En plus, je viens de milieux de militants, où mes parents, mes beaux-parents, où mon épouse, où toute ma famille est engagée dans le combat politique contre les fanatiques islamiques depuis au moins trente ans. Alors quand quelqu'un dit un agenda islamiste caché, c'est assez grotesque. En fait, c'est des gens qui n'ont pas fait leur travail sérieusement. Je vais vous le dire, pourquoi : c'est un de vos journalistes, un de vos collègues qui a fait un travail un peu bâclé, en 2004 ou 2006 — je ne le nommerai pas[329] — puis il a cherché des choses, il a trouvé sur Internet, il les a collées ensemble. Alors, s'il avait un peu fouillé puis s'il connaissait un peu la situation iranienne, il saurait que les moudjahidines sont la principale opposition à la théocratie[330]. Maintenant, les moudja-

---

328. Enfin un journaliste qui sait de quoi il parle !
329. Allusion à l'article de Fabrice de Pierrebourg, publié le 12 février 2008. Je n'ai rien déniché dans les journaux de 2004 à 2006, qui puisse avoir déclenché la moindre rumeur à propos de l'« agenda caché » d'Amir Khadir.
330. Le reproche tombe à plat. Quand il publia son article, Fabrice de Pierrebourg était parfaitement au courant de ce que Amir Khadir fait mine de nous apprendre.

hidines ont mal viré au cours des 10, 15 dernières années parce qu'ils se sont rabattus sur des conceptions qui leur appartiennent. Mais, moi, je ne suis plus avec eux depuis 1983. Les moudjahidines afghans, poursuit Khadir, ça, c'est le prosélytisme. Les moudjahidines... Par exemple le djihad islamique, le djihadisme, c'est du prosélytisme wahhabite, c'est les salafistes, c'est les wahhabites, c'est les branches orthodoxes ultra-conservatrices fanatisées qu'on décrit comme étant donc des fondamentalistes. Mais les moudjahidines du peuple, c'est des socialistes. [...] »

Le système de défense de Khadir fonctionne à merveille et produit l'effet désiré : le faux argument servi par Duhaime est réfuté en un tournemain, entraînant dans sa chute les éléments de preuve crédibles.

Le 25 novembre 2010, Éric Duhaime et Patrick Lagacé croisent le fer lors d'une émission de CHOI-FM[331]. Duhaime déclare avoir été très piqué par la publication d'extraits ayant pour but de le salir. Il répète qu' « il y a effectivement des liens troublants entre certaines associations islamiques et Québec solidaire et particulièrement Amir Khadir ». Patrick Lagacé lui-même, dit-il, est allé, en Israël et en Palestine un an auparavant et a ensuite écrit (c'est Duhaime qui cite) : « Oui Israël frappe fort, sauf que le Hamas n'est pas exactement la section palestinienne des amis de Ghandi, il faut le dire. » Duhaime poursuit : « Ça, Amir Khadir, a eu des centaines d'occasions de le faire [condamner le Hamas], il ne l'a jamais fait !... » Si, pourtant, il a dit un jour, si je me souviens bien, que le Hamas ne respectait pas les droits des femmes. Je retrouve la référence et je vous la refile... Plus tard, le 22 décembre 2010, un mois après le débat entre Duhaime et Lagacé, Jean-François Lisée

331. http://www.radioego.com/files/8/6298.mp3

publiera dans son blogue de *L'actualité* une lettre de Khadir dans laquelle ce dernier convient que le Hamas et le Hezbollah « ont au départ des relents égalitaires et populistes sur le plan économique, mais finissent par tomber dans l'absolutisme religieux qui ne peut s'imposer que par dictature, comme le peuple iranien en a fait la douloureuse expérience depuis 30 ans[332] ». S'il s'agit d'une condamnation, elle est fort mitigée. Le grand coupable, c'est toujours Israël : « La politique agressive et intransigeante d'Israël alimente le discours de ces courants fanatisés et fait le jeu des orthodoxes religieux de part et d'autre. Mais dire du Hezbollah et du Hamas qu'ils sont ce qu'ils sont, ne disqualifie en rien leur droit de résister à l'oppression. C'est là, dit-il, une nuance difficile à établir et surtout à vivre. » Cette lettre d'aveux est très révélatrice, j'y reviendrai. Rallumons la radio...

En réponse aux questions de Maurais : « Pat, as-tu été un peu malhonnête ?... C'est tu une bonne job que t'as faite ? » Lagacé bafouille d'abord un peu, puis met le doigt sur le bobo en soulignant, comme Khadir l'avait fait dans sa conférence de presse du 18, le principal point faible de l'argumentation de son interlocuteur : l'association passée de Khadir avec l'OMPI, que Fabrice de Pierrebourg, « ami et collègue » de Lagacé, n'approuve pas : « Fabrice trouve que tu donnes une *twist*, Éric, à ces faits-là, qui est débranchée de la réalité. » Lagacé poursuit sur cette lancée, et de manière convaincante, il faut l'avouer. Duhaime se défend en disant qu'il ne parle pas seulement d'événements datant de plusieurs années, mais de faits récents : l'appui donné par Khadir à la venue de George Galloway et sa participation en septembre à la cérémonie de commémoration des martyrs de la résistance

332. http://www2.lactualite.com/jean-francois-lisee/amir-khadir-hamas-et-hezbollah-des-obscurantistes/6975/

libanaise (Sada al-Mashrek)[333]. Ne nous y trompons pas, ces «martyrs» — les organisations islamistes sont friandes de ce mot, mais le fait est qu'elles sont de très efficaces fabriques de martyrs — font partie du Hezbollah. Lagacé conclut en déclarant qu'il aurait été préférable de permettre l'entrée de Galloway au Canada afin de débattre avec lui. D'accord, mais j'ajouterais: tout en gardant à portée de la main une bonne réserve de goudron et de plumes...

Ce même jour, c'est-à-dire le 25 novembre 2010, à l'occasion d'un débat sur une motion condamnant la polygamie, Amir Khadir déclare devant la Chambre: «M. le Président, Québec solidaire est un parti féministe qui rejette avec force toutes les formes institutionnelles ou non-institutionnelles de discrimination à l'endroit des femmes.» Lui et Françoise David, poursuit-il, viennent de publier dans *Le Devoir* un article où ils prennent position...

> ...non pas contre le port de voile dans certaines institutions publiques ou parapubliques mais contre le principe même du voile, comme un instrument de domination et d'asservissement des femmes, comme un symbole de violence institutionnalisée à l'égard des femmes. C'est-à-dire que pour nous, la bataille doit se mener par rapport aux institutions religieuses elles-mêmes, non pas à celles qui en sont victimes. Donc à cet égard, il est certain que nous rejetons avec le plus de véhémence possible toute atteinte à la liberté des femmes et toute atteinte à la dignité des femmes et la polygamie en est une particulièrement virulente, que nous tenons à rejeter. [...] Toutes les institutions de pouvoir religieux sont des institutions de pouvoir patriarcal, et c'est dans un rejet de toute influence de la religion dans nos sociétés qu'il faut peu à peu combattre la possibilité par les défenseurs de ces modèles de

---

333. Une photo de Khadir fut prise à cette occasion. Voir http://davidouellette. net/2010/11/25/amir-kahdir-a-t-il-un-agenda-islamique/

pouvoir imposer leur modèle à nos sociétés à nos législations, par exemple au Québec, si on veut à long terme combattre l'influence de ces cercles de pouvoir religieux, il faut une fois pour toute mettre fin au financement des écoles privées, derrière lequel se cachent plusieurs de ces groupements pour obtenir des financements et pour maintenir des foyers d'endoctrinement pour en arriver à imposer ce modèle[334].

Inutile de convoquer de nouveaux témoins, la cause est entendue, les pièces essentielles ont été présentées, nous n'apprendrions rien de plus en déposant une nouvelle chemise sur la pile de dossiers. Si, pourtant. Un détail. Une motion présentée par Amir Khadir le 4 décembre 2009 à l'Assemblée nationale[335] :

Merci, M. le Président. Je demande le consentement de la Chambre, conjointement avec le ministre des Relations internationales, la députée de Rosemont, la députée de Lotbinière et le député de La Peltrie, pour présenter la motion suivante :

«Considérant la recrudescence des violations des droits fondamentaux dont les femmes iraniennes font l'objet, notamment par l'imposition plus stricte du port du voile et le harcèlement dont est victime la récipiendaire du prix Nobel de la paix Shirin Ebadi et sa famille;

«Que l'Assemblée nationale affirme son soutien aux femmes iraniennes qui luttent contre la violence dont elles font l'objet et en appelle au respect des droits fondamentaux de toutes les personnes.»

J'entends d'ici les commentaires: «Qu'est-ce qu'il lui prend? Le procureur de la couronne dépose devant la cour un élément de preuve qui sert les intérêts de l'accusé? Ça n'a pas de bon sens!» Je réponds à cela qu'il faut tenir compte de tous les faits, y compris

---

334. http://www.youtube.com/watch?v=siuFTdGWSBc&feature=related
335. Journal des débats de l'Assemblée nationale - 39e législature, 1re session - 4 décembre 2009
http://www.assnat.qc.ca/fr/deputes/khadir-amir-25/interventions.html

ceux qui viennent affaiblir ou contredire notre hypothèse de départ. J'avais plutôt tendance, avant d'examiner l'ensemble du dossier — et tout en conservant un doute raisonnable — à approuver Éric Duhaime quand il accusait Amir Khadir d'avoir un «agenda islamique», voire islamiste. Je l'ai dit dès le début, Amir Khadir, Françoise David et leur parti m'inspirent une profonde méfiance... C'est toujours le cas, et de plus en plus, mais porter contre des personnes ou des groupes des accusations fausses ou mal étayées, a presque toujours comme fâcheux résultat d'occulter leurs véritables méfaits. Je me souviens que plusieurs personnes, mises au courant il y a quelques mois de mon projet d'écriture, ne m'ont pas caché que leur plus ardent souhait était que je parvienne à démontrer qu'Amir Khadir est non seulement un allié objectif des islamistes, mais que lui-même en est un. Allié objectif, tous les fait considérés et analysés depuis le premier chapitre nous en fournissent la preuve, mais rien ne nous autorise à porter une accusation plus grave. Éric Duhaime, le plus acharné des poursuivants de Khadir, en vint d'ailleurs à la même conclusion. Le 17 mai 2011, deux jours après l'infâme discours de la place Gérald-Godin, Duhaime déclara chez Dutrizac:

> Amir Khadir, c'est pas un islamiste, comprenez-moi bien. C'est pas quelqu'un qui va à la mosquée tous les vendredis. C'est pas quelqu'un qui va prêcher les théories de Ben Laden. Sauf que la gauche radicale, et Amir Khadir inclus, comme partout ailleurs en Occident, elle fait alliance avec ces islamistes-là au nom de la haine des Américains, du capitalisme, d'Israël, de l'Occident, etc. Et ça donne des folies comme c'qu'on a vu dans les rues de Montréal en fin de semaine[336].

---

336. http://www.radioego.com/ego/listen/8004

Parfaitement d'accord! Le verdict final ne peut être autre chose qu'un non-lieu.

Amir Khadir n'est donc pas l'allié de certains groupes islamistes parce qu'ils sont, justement, islamistes. Il s'en fout! Il est leur allié pour la simple raison qu'ils visent essentiellement le même but que lui : la destruction d'Israël (Khadir emploie l'euphémisme « amélioration »), objectif qui a priorité sur toute autre considération. Ses alliés seraient nudistes plutôt qu'islamistes, que ça ne changerait rien! Ainsi Manon Massé se serait-elle embarquée sur le Tahrir à l'été 2011, le Hamas eût-il promu une vision du monde naturiste radicale. La seule différence, c'est qu'après avoir touché terre elle se serait fait déshabiller plutôt que voiler. Sacrifice qui en aurait valu la peine, la Cause étant primordiale!

Khadir écrivait d'ailleurs : « Sur le Hamas ou le Hezbollah, Québec Solidaire n'a pas pris position de manière spécifique parce que nous n'avons pas été interpellés[337] ».

C'est noté : ils n'ont pas été interpellés! Ces gens-là, que la moindre injustice réelle ou imaginaire fait monter aux barricades — mais seulement si Israël, les USA ou le capitalisme peuvent y être associés — n'ont pas été interpellés à propos du Hamas ou du Hezbollah, bien sûr que non! Croyez-vous qu'un gagagauchiste pro-voile de QS, ou une féministe anesthésiée de la Fédération des femmes du Québec, s'est jamais soucié une seule seconde de ce que sont et font le Hamas et le Hezbollah? Et vous vous imaginez que le ramassis de palestinophiles hidjabées ou non qui buvaient les crachats de Khadir le 15 mai 2011 au métro Mont-Royal pour aller ensuite les redégobiller devant la boutique Le Marcheur, auraient pu interpeller à propos du Hamas et du Hezbollah les porte-parole d'un parti pour qui Israël est un pays qu'il faut

---

337. Voir note 332, p. 229.

détruire (ils disent « améliorer »)? Il aura fallu que Jean-François Lisée lui pose la question pour que, tout à coup, le député de Mercier nous fasse la démonstration qu'il aurait pu devenir un excellent casuiste.

« Et c'est pour mener leur combat légitime contre l'injustice faite à leur peuple, tout en gardant leur distance critique vis à vis des fondamentalistes islamistes, que les courants démocratiques authentiques au Liban, en Palestine et en Iran ont besoin de notre appui[338]. » Ces mouvements démocratiques, quels sont-ils? Nous l'apprendrons peut-être un jour. En attendant, le Hamas peut bien imposer la charia et obliger les femmes à porter le voile[339], on s'en fiche! On peut bien enseigner aux enfants dans les écoles palestiniennes de Gaza et de Cisjordanie que les Juifs doivent êtres tués, qu'est-ce que ça peut faire? Constatez par vous-mêmes à quel point ces détails sont négligeables:

> Cet endoctrinement de masse des enfants est fondée sur une campagne minutieusement planifiée qui s'appuie sur des croyances solidement ancrées et des mécanismes psychologiques qui ont une assise profonde. L'incitation utilise une méthodologie multimodale, en prêchant le nationalisme palestinien, au martyrologue et, sous l'égide du Hamas, les règles hégémoniques insistant sur le fait que la Chari'a, doit se répandre à travers le monde. La campagne utilise les médias, l'école et la rue, autant que des personnages religieux qui font référence.
>
> L'endoctrinement dans les zones palestiniennes va bien au-delà des sources tirées des textes dans les livres et à la télévision. Il englobe des éléments sociétaux plus généraux, qui comprennent le journal classique,

---

338. *Ibid.*

339. À ceux qui douteraient de mes dires, je conseille la consultation des sites suivants: http://pointdebasculecanada.ca/actualites/10001327.html, http://www.jihadwatch.org/2008/12/hamas-parliament-votes-for-sharia-in-gaza.html, http://bouclierdamour.over-blog.com/article-34720037.html, http://www.dailymotion.com/video/xa3mns_crimes-du-hamas-la-charia-a-gaza_news et http://www.cbn.com/cbnnews/world/2009/August/Hamas-Leaders-Enforce-Sharia-Law-in-Gaza-Strip/

les parents, les enseignants, des méthodes d'enseignement qui encouragent et valorisent l'adhésion, assorties d'une désapprobation écrasante pour les élèves moins motivés. Les Imams sont extrêmement influents, puisque leur vocation est de souligner les objectifs du Jihad et du Martyre. Les camp d'été, et la dénomination des rues, des aires de jeux, des équipes de football aux noms de martyrs, contribuent à maintenir cette atmosphère à travers toute la société[340].

En fait, tant mieux si les enfants des écoles palestiniennes veulent mourir en Martyr — « La Shahada est quelque chose de très, très beau[341] !» — ça permettra de régler plus vite le cas des Juifs... je veux dire d'Israël. Quant aux femmes voilées et à la charia, on réglera ça plus tard, d'ailleurs ça les regarde. Peut-être, en effet, comme nos musulmanes à nous, portent-elles le voile librement... Pourquoi pas?... Et n'allez pas dire que Khadir est indifférent au sort de ces femmes. Rappelez-vous sa motion en faveur des Iraniennes à l'Assemblée nationale. Ça c'en est tout un, et tout un gros, geste concret pour combattre l'islam intégriste !... Et puis cessons de l'achaler avec ça. Voulons-nous construire un monde meilleur, oui ou non? Eh bien! occupons-nous d'abord du seul vrai problème: Israël. Il faut « améliorer » Israël. Hi! Hi! Hi! Et si pour atteindre notre but, il faut collaborer avec les islamistes, tant pis! Après tout, Staline a bien fait alliance avec Hitler, pourquoi la gauche-de-la-gauche éclairée du XXIe siècle, ne ferait-elle pas alliance avec le fascisme vert? Après tout, il s'agit de mettre au pas « The last colonialist entity that exists on the earth ».

---

340 Daphne Burdman, médecin-psychiatre et pathologiste, dans une entrevue avec Manfred Gerstenfeld publiée dans Israël flash. http://www.israel-flash.com/2011/10/ l'endoctrinement-des-enfants-palestiniens-a-la-haine-genocidaire-une-perspective-psychiatrique/#ixzz1kJwRzek8.
341. Voir cette fascinante vidéo http://www.youtube.com/watch?v=EvNNKh_ KKzY&feature=endscreen&NR=1

Sans adhérer à leurs dogmes religieux, mais tout en partageant, pour des motifs qui ne sont pas nécessairement les mêmes que les leurs, la haine que leur inspire l'État juif, Amir Khadir participe à sa manière, et à partir de notre sol, au combat mené par les islamistes au Proche-orient, combat qui doit mener à la disparition d'Israël. Cela, nous l'avons bien compris. Mais ici, chez nous, dans notre pays, pourquoi faut-il qu'Amir Khadir et son parti ferment les yeux, baissent les bras, exécutent un pas de côté, acquiescent du bonnet, plient l'échine et déclarent forfait chaque fois que l'islam politique avance un pion ? Un pion qui prend souvent l'apparence d'une femme voilée... Me serais-je trompé ? Serait-ce au fond qu'ils partagent vraiment, tout en le cachant bien, les vues du chef du Hamas, leur allié dans la lutte contre Israël, Mahmoud Al-Zahhar, qui, le 28 octobre 2011 déclarait dans un discours transmis par la télé libanaise Al-Quds TV :

> Aujourd'hui, nous voulons souligner que notre plan ne se limite pas à la libération de la Palestine. La nation de l'Islam toute entière va répandre des sourires sur les figures de tous les habitants de la terre, et va essuyer les larmes de tous les êtres humains. Notre plan remédiera à toutes les maladies qui affligent la civilisation occidentale, qui ne sait qu'enfermer ou tuer, contrôler ou détruire, entrer en conflit avec les peuples ou les tenir à l'écart. Cette civilisation sera incapable de résister au glorieux Islam, et à son grand projet humain [...] La nation arabe a commencé à cueillir les fruits du chaud printemps arabe. Hier, les Islamistes ont gagné en Tunisie, ils vont gagner en Égypte, et ensuite en Libye, jusqu'à ce que l'Islam, qui gouverne en conformité avec le Coran, l'emporte sur la terre entière[342].

---

342. Voir http://www.memritv.org/clip/en/3189.htm et http://www.jihadwatch.org/2011/11/hamas-top-dog-western-civilization-will-not-be-able-to-withstand-the-great-and-glorious-islam.html

La terre entière?... Ça voudrait dire... le Québec aussi? Non, non, non! Amir Khadir et Françoise David ne pourraient être complices d'une telle entreprise! Quelqu'un les a trompés!... Il faut pourtant admettre que le portrait de la civilisation occidentale esquissé par l'exalté du Hamas ressemble à s'y méprendre à la vision de Québec solidaire: «la civilisation occidentale, qui ne sait qu'enfermer ou tuer, contrôler ou détruire, entrer en conflit avec les peuples ou les tenir à l'écart». Peut-être qu'ils ont raison, après tout. Peut-être que le salut ne peut venir que du Coran et de la charia.

CHAPITRE XII

Les trois châtiments

Précisément parce qu'il n'existe pas de société économique pure, toute organisation scientifique de l'économie porte en soi l'affirmation d'une mystique — c'est-à-dire un credo d'État qui heurte aussi la vie intérieure, et de même que l'organisateur doit *éliminer toute hétérodoxie économique, de même il* devra *éliminer toutes les hétérodoxies intérieures. La société tout entière contrôlée économiquement et tout entière libre spirituellement est une contradiction.*

Cesare Pavese,
Le métier de vivre, 18 février 1940

Nous devrions tous prendre garde de ne pas nous laisser coloniser par quelque chose qui viendrait de cette société consumériste [...] *C'est nous, avec notre connaissance de l'Islam et nos principes, qui devrions coloniser de manière positive les États-Unis d'Amérique* [...] *Nous ne voulons pas détruire l'Occident. Ce que nous voulons c'est réformer l'Occident.*

Tariq Ramadan[343]

---

343. « *We should all be careful not to be colonized by something which is coming from this consumerist society* [...] *It should be us, with our understanding of Islam, our principles, colonizing positively the United States of America* [...]*We don't want the West to be destructed. What we want is the West to be reformed.* » Paroles prononcées le 27 juillet 2011 lors d'une conférence donnée à Dallas dans le cadre d'une levée de fonds organisée par l'Islamic Circle of North America (ICNA) http://www.pointdebasculecanada.ca/articles/10002436-

Je retire ce que je viens de dire : le salut ne viendra pas du Coran, mais du socialisme. Amir Khadir, Françoise David et leur parti n'ont pas d'«agenda islamique caché», et s'ils n'ont rien contre l'islamisme, ou du moins ne font strictement rien pour s'y opposer, et vont parfois même jusqu'à lui ouvrir des portes, ce qu'ils veulent clairement, nettement, ouvertement, c'est faire du Québec un État socialiste. Ils appellent ça «dépasser le capitalisme», expression destinée à leurrer les gogos, car il s'agit en réalité de régresser vers le socialisme, mais un socialisme maquillé, revampé, saupoudré d'idées à la mode, féministe bien sûr, et surtout, écologiste. Je reviendrai plus loin sur le pseudo-féminisme de Québec solidaire, mais parlons d'abord d'écologie.

Écosocialisme! Une belle baloune! Qu'elle soit socialiste ou capitaliste toute société industrielle est polluante... et productrice de biens. À cette différence près que les sociétés socialistes du XXᵉ siècle étaient hyper-polluantes et polluées, mais peu productrices. Ces sociétés ayant presque toutes croulé sous leur propre poids de crimes et d'incurie — sauf la Corée du Nord, Cuba et la Chine (mais la Chine n'a plus de communiste que le nom du parti unique qui la dirige) — dans quels pays l'écologie est-elle prise en compte, objet de débats, mise de l'avant dans les programmes des partis politiques, dont certains se disent spécifiquement verts? Dans quels pays les problèmes causés par la pollution (industrielle ou autre) font-ils l'objet de recherches et pourront-ils trouver remèdes? Dans les pays capitalistes! Ces pays capitalistes étant dans la très grande majorité des cas démocratiques, on se demande pourquoi il faudrait régresser vers le socialisme pour protéger l'environnement. Socialisme et démocratie sont incompatibles, mais l'on pourrait peut-être opter pour le socialisme et sacrifier la démocratie, si seulement le socialisme pouvait tenir ses promesses, ce qu'il n'a jamais réussi à faire.

Faisons quand même semblant de prendre au sérieux le programme de Québec solidaire. Le moyen envisagé par ces tristes éteignoirs pour réduire la pollution et protéger l'environnement, c'est tout simplement, en accumulant les mesures vexatoires, de faire disparaître l'industrie — c'est-à-dire l'industrie privée, mais aussi les industrieux, ces êtres humains qui prennent des initiatives, qui prennent des risques, qui inventent et qui créent. Seront aussi emportés dans la déroute de l'industrie, le commerce, la communication, et, presque à coup sûr, les libertés individuelles — comme l'avait très bien compris en son temps Cesare Pavese, qui, soit dit en passant, était ou avait été communiste. Le programme économique de QS, c'est moins de production, moins de distribution[344], moins de consommation, donc moins de pollution. Aussi ridicule que ça!

Un parcours rapide du document intitulé *Pour une économie solidaire, écologique et démocratique* qualifié de «Version finale du programme de Québec solidaire» et qui porte sur l'économie, l'environnement et le travail nous permet de mieux comprendre ce qui se passerait si nous portions au pouvoir Amir Khadir, Françoise David et la bande de m.-l., de trotskistes et d'altermondialistes qui forment le noyau dur de leur base

---

344. Mais néanmoins plus de RE-distribution, mais redistribution de quoi, mystère!

mulitante[345]. La cible est nettement désignée, les moyens pour l'atteindre clairement définis. Prodigue en postulats stupides (comme la première phrase de l'extrait qui suit), QS met cartes sur tables:

> Le système capitaliste produit les inégalités sociales, les destructions environnementales et renforce le sexisme et le racisme en maintenant de nombreux groupes et de nombreuses personnes dans la pauvreté[346].
>
> Dans l'élaboration du présent programme, Québec solidaire s'est donc donné un double objectif: viser la démocratisation de l'économie et revaloriser le rôle de l'État comme acteur de transformations sociales. [page 4]
>
> Considérant ce qui précède, Québec solidaire vise, à long terme, la socialisation des activités économiques. Ce processus de transformation sociale reposera, notamment, sur une économie publique forte (secteur des services publics, société d'État et nationalisation de grandes entreprises dans certains secteurs stratégiques) et sur une économie sociale à promouvoir et à développer (coopérative, secteur communautaire, entreprise d'économie sociale). Une certaine place au secteur privée sera maintenue, particulièrement en ce qui a trait aux PME. [p. 5]
>
> Afin de concurrencer les banques privées et ainsi fournir des services de proximité et abordables pour la population, il est proposé d'instituer une banque d'État, soit par la création d'une nouvelle institution, soit par la nationalisation partielle du système bancaire. [p. 6]
>
> Il faut donc que les entreprises œuvrant dans le domaine de l'énergie soient placées sous contrôle public par une participation majoritaire de l'État en envisageant, au besoin, la nationalisation complète. [p. 9]

---

345. http://www.quebecsolidaire.net/sites/www.quebecsolidaire.net/files/ Programme_de_QS-_Pour_une_economie_solidaire_verte_et_democratique.pdf
346. QS ne compte pas dans ses rangs qu'un seul médecin. On y retrouve aussi le docteur Diafoirus, qui après avoir posé sur le capitalisme le diagnostic inepte que nous venons de lire, va nous proposer comme remèdes toute une panoplie de cataplasmes, de clystères et de saignées.

> Afin de concrétiser la responsabilité publique et collective des ressources naturelles québécoises, Québec solidaire prévoit placer l'industrie minière sous contrôle public (participation majoritaire de l'État), incluant au besoin la nationalisation complète. [p.10]
>
> En plus du secteur minier, Québec solidaire propose également de placer la grande industrie forestière sous contrôle public (participation majoritaire de l'État) en envisageant, au besoin, la nationalisation complète. [p. 10-11]

Tout de même conscients que l'économie étatisée d'un Québec socialiste aura pour conséquence une baisse vertigineuse de la production, de la distribution et de la consommation des biens — aucune économie planifiée par un État quelconque n'a jamais pu assurer le bien-être des populations auxquelles elle a été infligée — les socialistes de Québec solidaire, qui ont une longue expérience de l'échec, nous préviennent :

> La croissance économique doit cesser d'être considérée comme un objectif en soi. Tout en favorisant un développement qui permet d'améliorer le bien-être collectif et d'assurer le plein respect des droits de toutes et de tous, Québec solidaire prendra des mesures immédiates d'ordre légal, réglementaire, fiscal ou autres pour décourager la surproduction, la surconsommation, le surendettement et toute autre activité non-viable à long terme. En ce sens, nous accorderons moins d'importance à l'indicateur du Produit intérieur brut (PIB) et valoriserons des indicateurs alternatifs tenant compte des externalités sociales et environnementales causées par l'activité économique. [p.4]

Nous est ici présenté comme un choix libre et réfléchi, ce qui découlera de manière automatique et inéluctable de l'organisation économique et sociale d'un Québec soumis aux lubies de Québec solidaire : l'appauvrissement général des Québécois, la stagnation de l'économie, la généralisation du travail au noir — il faudra bien survivre! On se demande d'ailleurs d'où viendra l'argent destiné à acheter les entreprises nationalisées ou simplement la majorité de leurs actions. D'emprunts sur les marchés financiers? Pourquoi ces derniers accepteraient-ils de financer un Québec de moins en moins solvable?... Et s'ils acceptaient, ne serions-nous pas ensuite à leur merci? Belle manière de dépasser le capitalisme! Mais pourquoi, diront certains, n'exproprierions-nous pas les entreprises capitalistes sans les dédommager? Ça s'est déjà fait! À Cuba, entre autres... Désolé de vous décevoir, mais il semble que les collectivistes enragés de Québec solidaire ne soient pas disposés à aller aussi loin... sauf dans un cas:

> Les mises à pied importantes ou les fermetures d'entreprise devront être étudiées et approuvées ou refusée [sic] par une instance gouvernementale, afin de s'assurer que l'entreprise assume ses responsabilités sociales et environnementales. En cas de fermeture dans le cadre d'une délocalisation d'entreprise, Québec solidaire entend reconnaître le droit aux employé-es de reconvertir l'entreprise en coopérative, le tout sans indemnisation à l'employeur. [p. 15]

Ce qui est proposé ici s'appelle tout simplement une confiscation. Comme il faut s'attendre à ce que des dizaines, voire des centaines d'entreprises tentent de fuir notre ghetto socialiste, les coopératives devraient pousser comme des champignons. Mais il faudra quand même les capitaliser ou les subventionner... Il ne suffira pas d'avoir volé les équipements et les bâtisses du capitaliste démissionnaire et de collecter 123,45 $ de part sociale par tête de pipe pour faire fonctionner la baraque. Pour pouvoir subventionner, faudra-t-il emprunter? Comme ils vont être enthousiastes les milieux bancaires à l'idée de financer nos prises de contrôle improvisées. En plus de sortir de l'Alena et de la Zléa, de l'Otan et de Norad, il faudra ériger un mur de l'apartheid autour du Québec, un vrai celui-là, pour empêcher les Québécois séduits par les attraits du monde civilisé de quitter leur petit lopin écolo.

Mais peut-être, déclare un optimiste, n'aurons-nous pas besoin d'emprunter sur les marchés étrangers, car nous ferons payer nos riches, et quand après une dizaine d'années il n'en restera plus qu'un seul, nous ferons payer LE riche. À part de t'ça, faut pas s'en faire!... c'est le prolétariat québécois lui-même, grâce à son travail acharné et à sa productivité miraculeuse, qui pourra se payer (et offrir en cadeau à l'État QS) l'industrie minière, l'industrie forestière, l'industrie gazière, l'industrie pharmaceutique, l'industrie aérospatiale, l'industrie du déménagement, l'industrie du cinéma, l'industrie du sexe...

N'y comptez pas trop, chers amis, car en plus de mettre systématiquement des bâtons dans les roues à l'entreprise privée — celle qui « aura conservé une certaine place » — pour l'empêcher de faire des profits et de lui en confisquer la plus grande part si elle réussit quand même à en générer, Québec solidaire compte réduire les heures de travail et allonger les vacances des travailleurs — j'espère qu'on va encore toucher de la péréquation! :

> La réduction du temps de travail ouvre également la voie à la reconversion de l'économie dans un sens écologique et en vue d'un dépassement du capitalisme. Réduire immédiatement la semaine normale de travail à 35 heures pour la ramener graduellement à 32 heures avec possibilité alternative de prolonger les vacances. Le tout sans perte de rémunération, avec embauche proportionnelle et sans intensification du travail, et avec resserrement des conditions de recours aux heures supplémentaires dans toutes les entreprises. [p. 14]

Patron masochiste recherché pour transformer entreprise rentable en organisme de bienfaisance. Il va être bien servi, le patron, je veux dire le dernier patron, le patron stupide, celui qui aura voté pour Québec solidaire à l'encontre de ses propres intérêts et qui ne se sera pas encore mis sur le BS! Après lui avoir attaché des boulets aux chevilles, Québec solidaire va lui lier les poignets derrière le dos et fournir une provision d'oeufs pourris à ses employés:

> Comme parti progressiste, Québec solidaire appui [sic] les luttes des salarié-es pour l'amélioration de leurs conditions de travail et de vie. En ce sens, nous proposons les réformes législatives suivantes:
>
> - Reconnaître dans la Charte des droits et des libertés le droit à l'association en syndicats, le droit à la négociation et le droit à la grève.
> - Renforcer la Loi anti briseur de grève et voir à son application pour empêcher qu'elle soit contournée.
> - Abolir le droit à l'injonction contre le piquetage en changeant la définition de services essentiels de manière à ce qu'elle soit stricte et limitée.
> - Reconnaître à toutes et tous (incluant aux étudiant-es) le droit de grève politique (qui vise à influencer le gouvernement) et de solidarité (en appui à d'autres travailleurs-euses ou étudiant-es en grève).
> - Interdire les lockouts. [p. 16]

Favoriser les grèves politiques, c'est-à-dire donner le pouvoir à la rue?... Interdire les lockouts... même dans les entreprises nationalisées? Nous aurons donc un État omniprésent, mais soumis aux diktats des activistes professionnels et des establishements syndicaux?... C'est ça la gauche-de-la-gauche? Plus cave que ça, tu meurs!

N'en jetez plus, la cour est pleine! L'université gratuite[347], qu'on fera payer par le dernier riche juste avant qu'il sorte de sa tanière pour s'enfuir au Nouveau-Brunswick; la publicité éliminée de l'espace public, pour être remplacée par de la propagande gouvernementale (ou syndicale); ne sont guère plus que deux gros

---

347. Voir http://www.lagauche.com/lagauche/spip.php?article3252

boutons d'acné dans un faciès déjà ravagé par la lèpre: ils ne changent rien au portrait.

On pourrait qualifier de dangereux (ou de farce macabre) le programme économique de Québec solidaire s'il y avait la moindre chance qu'il soit appliqué un jour. Il ne le sera pas davantage que ne pourrait l'être un projet de transhumance des Québécois vers les alpages de la planète Mars, mais il existe, ce programme. Il existe, est considéré comme souhaitable, sinon réalisable, par 3 ou 4% de la population[348]. Il est, surtout!... mis de l'avant par les mêmes atrabilaires qui, en attendant le départ des Québécois vers Mars, occupent leur loisirs à combattre le sionisme et à favoriser chez nous, en douce, l'implantation de la charia. Ce n'est pas demain la veille, mais certains en rêvent déjà!

Interrogé à Radio-Canada le 22 novembre 2011 par Azeb Wolde-Giorghis, l'imam Foudil Selmoune du Centre islamique de Brossard déclarait, entre autres: «On coupe la main à des personnes qui ont de l'argent et qui volent. Et c'est une leçon pour les autres de ne pas faire la même chose. Alors on va créer une société, une communauté qui va vivre dans une ambiance où il y a la paix, où il y a la justice.» «Elle existe [la lapidation] dans la charia. Mais comme j'avais dit, il faut voir pourquoi Dieu a fait ces lois. C'est pour créer une société saine, pure, claire et équilibrée, balancée. C'est pour éviter les crimes et les malentendus.» «C'est pas nous qui donnons le droit, c'est... c'est des lois de Dieu. On peut pas les changer.[349]»

---

348. Je sais que Québec solidaire va ramasser aux prochaines élections bien plus que 3 ou 4 pour cent des votes, Mais une belle récolte de 10% ferait simplement la preuve que le balayage du NPD en 2011 n'a pas suffi pour convaincre les électeurs qu'il faut réfléchir avant de voter.

349. http://www.pointdebasculecanada.ca/articles/10002537-le-r En réaction à cette profession de foi de l'imam un groupe d'intellectuels est intervenu dans une lettre au *Devoir*:http://m.ledevoir.com/societe/ethique-et-religion/337603/charia-des-propos-qui-meritent-d-etre-denonces

Il ne faut voir ni contradiction ni dispersion ni gaspillage d'énergie dans le fait que Québec solidaire poursuit trois lièvres à la fois. Les bilieux anti-occidentaux de Québec solidaire sont cohérents. Pratiquant ce que Pascal Bruckner appelle le «militantisme expiatoire», ils comptent nous infliger un triple châtiment pour les crimes commis par l'Occident depuis les Croisades : 1 - Le socialisme remplacera le capitalisme ; 2 - Israël, la dernière entreprise coloniale de l'Occident, sera rayé de la carte ; 3 - s'installeront sur notre sol, en la figure des femmes voilées et de leurs seigneurs barbus, des représentants des peuples opprimés — jusque-là, tout va bien ! — qu'il nous sera interdit de regarder de travers, de brusquer ou de ramener à l'ordre... car nous avons péché. N'allez d'ailleurs pas vous imaginer que des poursuites seront intentées contre l'imam de Brossard, comme le réclamaient les auteurs de la lettre au *Devoir* mentionnée à la note 349. Ceux qui oseraient le faire seraient aussitôt taxés d'islamophobie et traînés devant le Tribunal des droits de la personne !...

Des trois projets de Québec solidaire, seul le premier n'a aucune chance de devenir réalité. Le socialisme, oubliez ça !... Mais la disparition d'Israël est cependant chose possible à moyen ou à long terme — attendez seulement que l'Iran l'ait, sa bombe ! Quant aux islamistes, ils ont bien du chemin à faire avant de nous causer les emmerdements qu'ils provoquent en Europe, mais ils sont déjà à pied d'oeuvre. Ils pratiquent au Québec, comme ils le font ailleurs, ce qu'on appelle le djihad culturel. Et la plupart sont passablement plus subtils que l'imam de Brossard. Rien de trop compliqué, il suffit de dresser sur l'échiquier une chaîne de pions. Les femmes voilées se retrouvent toujours au premier rang. On trouve parmi elles beaucoup plus de conscrites que d'engagées volontaires, mais toutes, consciemment ou inconsciemment, accomplissent la tâche qui leur est dévolue par les «soldats d'Allah[350] ». Vedettes, actrices de soutien ou simples figurantes, elles jouent dans le même film et sur le même plateau que les premiers rôles. La modestie des personnages muets a d'ailleurs été prévue, voulue, mise en scène ou, à la rigueur, récupérée par les auteurs du scénario.

Mais dans un cas comme dans l'autre, ni les féministes de Québec solidaire ni celles de sa succursale subventionnée par l'État, l'ONG couramment appelée la Fédération des femmes du Québec (FFQ), ne trouvent rien à redire. Ces bonnes femmes et leurs comparses masculins n'ont qu'un seul ennemi, leur propre civilisation. « Certes, écrit la très pluraliste ex-présidente de la FFQ, Michèle Asselin, le foulard est un symbole qui peut être utilisé pour soumettre les femmes aux lois et valeurs d'un ordre patriarcal.[351] » Contemplez-moi ce « peut être utilisé » ! Mme Asselin n'a pourtant pas l'habitude de patauger dans le doute ou la nuance. Quand il s'agit du monde occidental, elle manie le martinet avec une exemplaire sévérité. Elle écrit : « Les modèles classiques d'oppression que sont le patriarcat, le capitalisme, le racisme, le néocolonialisme, n'agissent pas indépendamment l'un de l'autre et produisent des inégalités sociales différentes pour les femmes blanches, de couleur, ou celles appartenant à des groupes stigmatisés.[352] » Vous chercherez en vain dans ce défilé de certitudes pédantes le moindre début de commencement d'ombre d'un doute. Mais le foulard « peut être utilisé pour soumettre »...

---

350. N'en déplaise à Patrick Lagacé, il faut lire *Les soldats d'Allah à l'assaut de l'Occident*, de Djemila Benhabib. Ceux qui ne l'ont pas encore fait pourraient interrompre ici leur lecture, parcourir l'ouvrage de Mme Benhabib, et me revenir ensuite...
351. Michèle Asselin. « La cause de toutes les femmes ! », dans *Le Québec en quête de laïcité*, p. 125.
352. *Ibid.*, p. 124.

Mme Asselin a sans doute oublié, mais peut-être ne l'a-t-elle jamais réalisé, qu'héritiers et redevables des Lumières, la pensée féministe et le mouvement féministe ont prospéré et remporté toutes leurs victoires dans les pays occidentaux... capitalistes, Mme Asselin! Ça s'appelle la civilisation occidentale démocratique et libérale. « La pensée féministe, écrit l'algérienne Wassyla Tamzali, s'est imposée par sa capacité à renouveler le contenu de l'universalisme, et non parce qu'elle lui aurait tourné le dos[353]. » L'universalisme, ce n'est évidemment pas l'imposition à toute la planète des façons de faire ou des valeurs de l'Occident. L'universalisme, c'est l'égalité des droits pour tous. C'est ainsi que le multiculturalisme trahit les principes fondamentaux de l'universalisme libéral en postulant l'égalité des communautés culturelles l'une par rapport à l'autre plutôt que de garantir l'égalité des individus entre eux quelle que soit leur culture et à quelque communauté qu'ils se rattachent. J'ajouterais même : en dépit voire à l'encontre de leur culture et de leurs traditions. Le communautarisme ghettoïsant favorisé par l'idéologie, les politiques et les pratiques multiculturalistes permet à des groupe sociaux hostiles aux droits universels, mais heureux de tirer profit de notre prospérité économique et de notre belle Charte des droits, d'instaurer à l'intérieur de leurs enclaves, en toute légalité, des pratiques archaïques oppressives.

Quant au jumeau hétérozygote du multiculturalisme, l'interculturalisme, qui fut conçu et se développa dans la même matrice idéologique que son frère de sang, il en est une copie conforme. À cette mini différence près que la culture majoritaire y est qualifiée de pôle d'attraction, tout en se voyant strictement interdit d'exercer un quelconque *pouvoir* d'attraction. Pour les multiculturalistes

---

353. Wassyla Tamzali, *Une femme en colère*, p. 65.

déguisés en interculturalistes, il s'agit simplement d'appliquer des politiques multiculturalistes en les qualifiant d'interculturalistes.

Certes, quelle soit multi ou inter, la société s'émeut et s'agite quand se produisent des crimes d'honneur, mais qui soulève le petit doigt pour protéger les droits des filles retournées dans leur pays pour y être mariées à des cousins qu'elles n'ont jamais rencontrés ? Qui va semoncer les parents arriérés qui décident de voiler des petites filles de huit ans ou de les empêcher d'écouter de la musique ? « Le multiculturalisme aide les immigrés à remettre à plus tard le déchirement qui naît du renoncement à tout ce qui se révèle anachronique et inadapté. Il enferme les gens dans des systèmes sociaux corrompus, inefficaces et injustes, même s'il préserve en effet leurs arts et traditions populaires. Il perpétue la pauvreté, la misère et la maltraitance[354]. » Parlant de tradition, j'ouvre une parenthèse.

Il serait odieux, selon Amir Khadir, d'imposer l'étiquetage des viandes halal, ainsi que le propose le Parti québécois[355], idée appuyée par le premier ministre Jean Charest. Il me semble à moi qu'il serait au contraire odieux d'imposer la viande halal à tout le monde. Parce que nous serions ouverts aux autres cultures, disent les multiculturalistes ; parce que l'étiquetage coûterait trop cher disent les entreprises capitalistes. Non, mais !... « Geneviève Lepage, porte-parole de l'Association musulmane québécoise, assure que la viande halal ne pose pas de problème de santé publique. » Sûrement pas, mais elle nous pose un sérieux problème de santé mentale ! Il ne s'agit pas seulement d'alimentation, chère mèdème !... mais d'une question sociale et plus précisément : religieuse ! Que les

---

354. Ayaan Hirsi Ali, *Nomade. De l'islam à l'Occident, un itinéraire personnel et politique*, p. 302.
355. Paul Journet, « Le PQ veut encadrer l'abattage selon les rites halal », *La Presse*, 14 mars 2012. http://www.cyberpresse.ca/actualites/quebec-canada/politique-quebecoise/201203/14/01-4505493-le-pq-veut-encadrer-labattage-selon-les-rites-halal.php

musulmans veuillent manger halal, ça les regarde, mais leurs rites et leurs tabous ne doivent pas franchir les frontières de leur communauté. Je propose au contraire que nous leur imposions nos pattes de cochon et notre boudin blanc en les faisant passer pour du tofu. Mèdème Lepage viendra alors nous dire, s'il elle a une once de bon sens et ne pratique pas le système des deux poids, deux mesures, que les musulmans qui réclameront un étiquetage de ces produits pseudo-végétariens ont des lubies «issues d'une idéologie qui vise à stigmatiser les non-musulmans». Dans ce dossier comme dans la plupart de ceux qu'il aborde, Khadir dit une chose et son contraire : ne se prononçant pas pour ou contre l'étiquetage obligatoire de ces viandes, il qualifie d'odieuse la position du P.Q.! Branche-toi, Amir! «Qu'on [sic] poulet soit tourné vers la Mecque ou le Nord, je m'en fiche», dit-il. Ce que nous aimerions savoir, c'est dans quelle direction Amir lui-même se branche et à quelle fraction de son électorat il essaie de faire plaisir quand il tient de tels propos.

De quel côté Amir se tourne du haut de son minaret socialiste, nous l'ignorons, mais nous pouvons affirmer que la volte-face hyper-multiculturaliste des féministes occidentales de gauche est désormais accomplie. À Québec solidaire comme dans la gauche modérée (et même chez de soi-disant libéraux), on a déjà dépassé le stade du relativisme culturel, pour entrer dans l'ère de la démission culturelle. Arborée par les ennemis(e)s de l'universalisme libéral, l'étiquette «féministe» est devenue un piège à con(ne)s. Des féministes complices, par naïveté, bêtise ou ignorance, de l'idéologie totalitaire qui constitue de nos jours, et sur toute la planète, le plus puissant ennemi de l'égalité des sexes, trahissent la cause qu'elles prétendent défendre. C'est le cas de Michèle Asselin, dont les ratiocinations provoquent l'hilarité: «C'est pourquoi la FFQ est contre toute obligation religieuse ou politique qui serait faite aux femmes de porter un foulard islamique ici, au Québec, et ailleurs dans le monde. Mais du même souffle, elle s'oppose au fait d'interdire, aux femmes et aux hommes qui choisissent librement de le faire, de porter un signe religieux. Ni obligation, ni interdiction[356] !» C'est exactement la position de ses khamarades Françoise et Amir. Nul doute que Mme Asselin se rendra bientôt à Téhéran pour tirer la barbe des ayatollahs : « J'ai dit !... ni obligation, ni interdiction !» Ces messieurs seront sûrement très secoués... Mais c'est aux Iraniennes que Mme Asselin devrait aller faire la leçon. Dans le pays d'Ahmadinejad les femmes apprendront de la bouche de l'ex-présidente de la Fédération des femmes du Québec, qui s'y connaît mieux qu'elles en matière de bienséance vestimentaire, que le foulard n'est pas toujours utilisé, mes chères amies, pour soumettre les femmes aux lois et valeurs d'un ordre patriarcal. Sans doute Mme Asselin effectuera-t-elle une tournée de conférences dans les geôles iraniennes où, selon le témoignage de Chahdortt Djavan, 150 000 femmes étaient emprisonnées en 2007 parce qu'elles étaient mal voilées. Pas parce qu'elles refusaient de porter le foulard !... Parce qu'elles étaient mal voilées[357] !

L'avenir nous sourit. Non seulement notre pays écosocialiste aura-t-il transformé le « modèle Québécois » — que toute la planète voudra désormais imiter — mais il aura surtout redéfini le voile islamique, bouleversant les idées reçues, jetant sur la vie des femmes musulmanes un éclairage souriant. Instrument de domination des hommes sur les femmes partout ailleurs dans le monde, mais également marquage culturel de supériorité de la musulmane sur les infidèles (hommes ou femmes) — la femme voilée nous dit en effet : « Je suis une croyante, vous êtes des

---

356. Asselin, *Op. cit.*, p. 125.
357. Voir la Conférence de presse donnée à Udine par Chahdortt Djavan en mai 2007. http://www.youtube.com/watch?v=REX0kcx4o9A&feature=related

mécréants» — le hidjab et le tchador, de même sans doute que le niqab et la burqa, seront devenus au Québec l'expression par excellence de l'émancipation des musulmanes, désormais libres. L'obligation de porter ces accoutrements n'existant plus — grâce aux mesures énergiques prises par le gouvernement de Québec solidaire pour mater les islamistes («pas d'obligation» a décrété, Mme Asselin) —, les femmes voilés ne le seront plus que parce qu'elles le veulent bien. Fi donc de ce que nous disent aujourd'hui les femmes de culture musulmane, qui n'y connaissent rien:

> Chahdortt Djavann, romancière et anthropologue iranienne: «Le voile est un acte de maltraitance physique.» «Le voile à lui seul résume et diffuse la vision du monde islamique.» «Le voile est un cache-sexe provocateur[358].»

> Wassyla Tamzali, avocate à Alger, ancienne directrice des droits des femmes à l'Unesco: «Voiler les femmes musulmanes est aujourd'hui instrumentalisé par les islamistes; ils en font un dogme religieux impératif pour pousser aussi loin que se peut la ségrégation sexuelle; la dissimulation du corps des femmes semble être devenue l'unique préoccupation des musulmans de tous les continents[359].» «Ceux-là ne réalisent pas que refusant de stigmatiser une religion ils donnent leur soutien actif, et ironie de la chose, cela au nom des valeurs de liberté, de tolérance envers des pratiques qui stigmatisent les femmes[360].»

> Djemila Benhabib, écrivaine québécoise d'origine algérienne: «La bataille contre le voile islamique n'est que le début d'une guerre ouverte contre les intégristes, dont l'issue dependra de notre capacité à le disqualifier des institutions publiques, y compris de l'école[361].» «Je sais

358 http://www.dailymotion.com/video/x24a28_chahdortt-djavann-chez-ardisson_news?start=7#from=embed

359. Wassyla Tamzali, *Op. cit.*, p. 88-89.

360. Wassyla Tamzali, *Burqa?*, p. 38.

361. Djemila Benhabib, *Ma vie à contre-Coran*, p 78.

que l'avancée des voiles islamiques, c'est le recul de la démocratie et la négation des femmes. Je sais que l'islam politique n'est pas un simple mouvement fondamentaliste, mais un mouvement politique totalitaire qui a pour visée d'engloutir le monde après avoir avalé la démocratie[362]. »

Wafa Sultan, psychiatre et auteure américaine née en Syrie : « Ici en Occident, le port du hidjab est une façon pour les femmes de s'identifier comme musulmanes. C'est également un outil qui permet aux musulmanes de démontrer leur supériorité sur les non-musulmans et pour les hommes musulmans de contrôler leurs femmes. Ainsi, il faut noter qu'un nombre de plus en plus grand de musulmanes voilées contribuent activement à la radicalisation de l'islam[363]. »

Je n'ai cité que des femmes, mais elles ne sont pas les seules à sonner l'alarme. Des hommes tiennent aussi le même discours. Malheureusement, quiconque, homme ou femme, veut avertir les sociétés canadiennes ou québécoises des visées liberticides des islamistes — et même lorsque ces avertissements proviennent d'individus de foi musulmane comme Tarek Fatah ou Salim Mansur — est aussitôt accusé d' « islamophobie ». Islamophobie, voilà bien un mantra aussi intelligent de la part des idiots utiles et des compagnons de route de l'islamisme qu'une accusation de germanophobie lancée autrefois contre les ennemis du nazisme. À ce compte-là, les opposants au communisme soviétique devaient sûrement détester le peuple russe ! L'accusation d'islamophobie n'est souvent d'ailleurs que le signal avertisseur d'un discours haineux, comme le soulignaient, en 2011, Micheline Labelle,

---

362. Benhabib, *Les Soldats d'Allah...*, p. 295.
363. « *Here in the west, I believe that wearing the Hijab is a way for women to identify themselves as Muslims. It is also a tool for Muslims to prove their superiority over other non Muslims and for Muslim man to control their women. Thus, it's interesting to note that increased number of veiled Muslim women goes hand in hand with Islamic radicalization.* » http://archive.frontpagemag.com/readArticle.aspx?ARTID=29320

Mounia Chadi, Marie-Michèle Poisson, et Yasmina Chouakri, en référence à des propos tenus par Samira Louani[364], qui aurait traité de «…cellules cancéreuses qui rongent notre société de l'intérieur» les panélistes d'une conférence du 25 janvier 2011 sur «Laïcité, genre et immigration : Mythes, réalité et stigmatisation», organisée par la Table des groupes de femmes de Montréal (TGFM) :

> Nous considérons ce discours comme étant haineux. Des «cellules cancéreuses», ça tue. Recourir à cette image est une tactique très révélatrice. Nous considérons qu'il s'agit d'une double stratégie : de marginalisation des voix libérales dans l'islam et de culpabilisation des voix critiques de l'islamisme dans la société majoritaire. Ce discours haineux réagit par des insultes et des taxations d'«islamophobie» et de «xénophobie» à des points de vue solidement argumentés. Nous tenons à attirer l'attention de l'opinion publique au Québec sur le danger que certains milieux de l'activisme islamique s'accaparent la parole au nom de l'islam et montrent du doigt tout penseur libre qui ait un point de vue différent[365].

Elles ajoutent plus loin : «Il se trouve que parmi les panélistes à la conférence du 25 janvier, il y avait deux femmes d'origine et de culture musulmane qui ont fait la liaison entre la montée du phénomène d'un islam radical dans le monde et la montée du port du foulard islamique, y compris en Occident.»

Taslima Nasreen, poète et écrivain originaire du Bengladesh, ferait-elle aussi partie du contingent des islamophobes ? Sûrement, car bien que de culture musulmane, elle s'affiche comme athée, ce

---

364. Candidate pour le Nouveau parti démocratique (NPD) dans la circonscription montréalaise de Bourrassa en 2008. Elle ne s'est pas présentée en 2011. Voir le dossier très étoffé de Point de bascule http://pointdebasculecanada.ca/archives/600.html
365. http://blog.sami-aldeeb.com/2011/02/16/a-montreal-une-islamiste-veut-faire-taire-les-critiques/#more-6542.

qui la rend passible de la peine de mort. Elle écrit : « L'islam régit la façon de s'habiller, ce qu'il faudrait porter, ce qu'il faudrait manger, avec qui il faut dormir. Tout est décidé par la religion, ça n'est plus une pratique individuelle. Si les gens veulent croire à l'islam, ils le peuvent. Mais cela ne signifie pas que nous devrions autoriser la théocratie à abolir l'individualisme[366]. »

L'individualisme étant (avec le capitalisme) la bête noire de QS, je doute que les membres et les dirigeant(e)s de ce parti opposent la moindre résistance aux visées des théocrates. Ainsi, quand Amir Khadir déclare que Françoise David et lui ont pris position « non pas contre le port de voile dans certaines institutions publiques ou parapubliques mais contre le principe même du voile, etc. », ce qu'il nous dit en réalité, c'est qu'il a bien diagnostiqué le mal mais qu'il n'a pas l'intention de s'y attaquer. Il mènera bataille contre les institutions religieuses (lesquelles ?), qu'il laissera cependant agir à leur guise sur le terrain : « Toutes les institutions de pouvoir religieux sont des institutions de pouvoir patriarcal[367]... »

Contre l'islamisme (idéologie politique totalitaire), aucune mesure spécifique ne sera donc prise qui ne visera également l'Église catholique, les Églises protestantes, les Adventistes du Septième jour, les Raéliens, les Adorateurs-du-persil... toutes institutions patriarcales, assurément, mais dont aucune, à ce que je sache, ne punit de mort l'apostasie, n'émet de fatwa contre les romanciers ou les caricaturistes blasphémateurs, ne précipite les homosexuels du haut des falaises, ne décapite sur la place publique, ne pratique la lapidation des femmes adultères ou l'amputation des chapardeurs, n'exige le témoignage de deux femmes pour égaler celui d'un homme, ne recrute des candidats au martyre en leur promettant la libre disposition dans l'au-delà de soixante-douze

366. Dans *Libres de dire*, (co-auteure Caroline Fourest), p.196.
367. Voir p. 230.

houris. Bonne idée quand même de ne plus subventionner les écoles religieuses privées, mais il est bien connu que la propagande islamiste utilise bien d'autres voies que celle de l'école : les mosquées, l'internet et les chaînes satellites diffusant en Arabe, les centres culturels. Sans compter, à l'occasion, ces rencontres sociales où des universitaires, des politiciens et des représentants des médias se font emberlificoter et de béats qu'ils étaient à l'entrée en ressortent béants !...

Je songe, par exemple, au « souper annuel du dialogue et de l'amitié » du 26 janvier 2012, organisé par l'Institut du dialogue interculturel de Montréal (IDI). Thème de la soirée : *L'Art de vivre ensemble ; l'importance d'être de bons voisins dans la société québécoise*, que je traduirais ainsi : *De l'importance de laisser nos nouveaux voisins agir à leur guise, ils sont tellement gentils !* L'IDI est financé par le mouvement Fetullah Gülen, du nom d'un ancien imam turc vivant aux États-Unis depuis 1998.

Gülen a fondé plus de 300 madrasas dans le monde : au Pakistan, en Asie centrale, dans le Caucase. Il a ouvert également plus de cent écoles dites « à Charte » dans 25 États américains, écoles que fréquentent plus de 35 000 étudiants. Ces écoles ont été accusées d'être des instruments de propagande, mais n'ont jamais été poursuivies ou condamnées[368]. On pourrait pourtant craindre que l'école Sogut, de Montréal-Nord, fondée par des fidèles de Gülen, soit une sorte de madrasa — où l'on dispenserait un enseignement fondamentaliste basé sur le Coran. Il semble heureusement que ce ne soit pas le cas. L'école Sogut paraît être un établissement tout à fait respectable et bien tenu. On y trouve des classes de

---

368. Sur les écoles Gülen, voir http://lys-dor.com/2011/06/26/le-reseau-scolaire-de-fethullah-gulen-lorsque-les-operations-de-renseignement-et-lislamisation-vont-de-pair/ Aussi : http://www.boilingfrogspost.com/2010/10/20/did-you-know-the-king-of-madrasas-now-operates-over-100-charter-schools-in-the-us/

maternelle et du cours primaire, de la première à la sixième année. Elle est fréquentée par quelque 350 enfants en majorité d'origine turque. Une courte visite (sur l'écran de mon ordinateur[369]) ne m'a permis de repérer aucune prof ni aucune petite fille voilées. Il n'y a pas non plus de ségrégation des sexes. Constatations qui m'enlèvent toute velléité de grimper dans les rideaux. Mais regardons-y quand même de plus près.

Rien ne prouve hors de tout doute, malgré les révélations récentes de Wikileaks[370], que les activités de Gülen soient illégales ou subversives, mais voilà un personnage extrêmement puissant — il vaudrait plusieurs milliards — dont il faut assurément se méfier. Peut-être n'est-il pas «le plus dangereux islamiste de la planète», mais à la lecture d'un discours de son cru prononcé en 1998, il est permis de se demander si lui et son mouvement ne mettent pas en pratique avec grand succès, aux États-Unis et chez nous, la stratégie qu'il recommandait en Turquie:

> Vous devez remonter dans les artères du système sans que personne ne s'aperçoive de votre existence jusqu'à ce que vous atteigniez tous les centres du pouvoir... jusqu'à ce que les conditions soient réunies, [les disciples] doivent continuer comme ça. S'ils font quelque chose prématurément, le monde écrasera nos têtes, et les musulmans souffriront partout, comme dans la tragédie en Algérie, comme en 1982 [en Syrie] ... comme chaque année dans les catastrophes et les tragédies en Egypte. Le temps n'est pas encore venu. Vous devez attendre le moment où vous serez accomplis et les conditions réunies, jusqu'à ce que nous puissions porter le monde entier sur nos épaules et l'emporter ... Vous devez attendre jusqu'à ce que vous ayez pris tous les pouvoir de l'État,

---

369. http://ecolesogut.ca/index.php?option=com_content&view=article&id=161&Itemid=28
370. Voir l'article de Paul. L. Wiliams, *Meet "the most Dangerous Islamist on Planet Earrth " He lives in Pennsylvania* http://www.canadafreepress.com/index.php/article/34651

jusqu'à ce que vous ayez mis de votre côté toutes les pouvoirs des institutions constitutionnelles en Turquie [...]

Jusqu'à ce moment, toute mesure prise serait prématurée — comme casser un œuf sans attendre les quarante jours pour son éclosion. Ce serait comme tuer le poussin à l'intérieur. Le travail qu'il faut faire est [de] confronter le monde. Maintenant, j'ai exprimé mes sentiments et mes pensées,devant vous en toute confiance ... confiance en votre fidélité et discrétion. Je sais que lorsque vous partirez d'ici, tout comme vous vous débarrasserez de vos cannettes de jus vides, vous devez jeter les pensées et les sentiments que j'ai exprimés ici [...][371]

Malgré tout, Gülen est généralement considéré comme un «modéré». Pourtant, comme le souligne Point de Bascule, «il existe une proximité idéologique et une collaboration entre Fetullah Gülen et les Frères Musulmans. Le site OnIslam mis sur pied par des collaborateurs du guide spirituel des Frères Musulmans, Youssef Qaradawi, reproduit plusieurs articles de Gülen et le site de Gulen accrédite Qaradawi[372]». Selon la journaliste de *La Presse*, Laura-Julie Perrault, qu'il faut féliciter pour sa perspicacité, personne, ni la ministre Kathleen Weil, ni le patron des nouvelles de Radio-Canada, Alain Saulnier[373], ni aucun des dignitaires qui participaient à ce souper «sans alcool» ne savaient qui est Fetullah Gülen, qui a apparemment réussi à faire oublier à tout le gratin de notre bonne société et son existence et celle de son mouvement[374]. Ignorance symptomatique. Je parie d'ailleurs que tout ce beau monde ne sait pas davantage qui est Youssef al-Qaradawi, Guide

371. Cité sur Bivouac-ID http://www.bivouac-id.com/billets/fethullah-gulen-lislamiste-le-plus-dangereux-sur-terre/

372. http://www.pointdebasculecanada.ca/articles/10002496-le-projet-de-conqu

373. Qui fut congédié en février 2012, sans qu'il y ait de lien apparent avec sa présence à la soirée du 26 janvier.

374. Laura-Julie Perreault, http://www.cyberpresse.ca/actualites/201202/12/01-4495133-le-mouvement-gulen-fraye-avec-lelite-quebecoise.php

spirituel des Frères Musulmans et Président de l'Union Internationale des Savants Musulmans (oulémas). En janvier 2009, ce charmant personnage fit les déclarations suivantes à propos des Juifs devant les caméras du réseau Al Jazeera :

> Tout au long de l'histoire, Allah a imposé aux [Juifs] des personnes qui les puniraient de leur corruption. Le dernier châtiment a été administré par Hitler. Avec tout ce qu'il leur a fait — et bien qu'ils [les Juifs] aient exagéré les faits —, il a réussi à les remettre à leur place. C'était un châtiment divin. Si Allah veut, la prochaine fois, ce sera par la main des musulmans. [...] Pour conclure mon discours, je voudrais dire que la seule chose que j'espère est qu'à l'approche de la fin de mes jours, Allah me donne l'occasion d'aller sur la terre du djihad et de la résistance, même sur une chaise roulante. Je tirerai sur les ennemis d'Allah, les Juifs, et ils me lanceront une bombe dessus et ainsi, je clorai ma vie en martyr. Loué soi Allah, Roi de l'univers. Que la miséricorde et les bénédictions d'Allah soient sur vous[375].

Un autre modéré ! Modéré à un tel point que le journal *The Hindu* de New Delhi pouvait annoncer le 22 décembre 2011 que Barack Obama venait de recruter Qaradawi comme médiateur dans des négociations secrètes entre les USA et les talibans afghans[376]. Si le président des États-Unis lui-même loue les services d'un imam obscurantiste et génocidaire, pourquoi irions-nous reprocher à notre sympathique ministre de l'Immigration, Kathleen Weil, d'avoir prononcé le discours d'ouverture lors d'un souper on ne peut plus amical financé par un ami de Qaradawi ? Tout ça ne peut être que bien innocent ! Louise Mailloux, qui assistait à cette

---

375. Vidéo de ce discours http://www.memritv.org/clip/en/2005.htm Traduit en français par MEMRI
376. http://www.thehindu.com/news/article2755817.ece La nouvelle est reprise dans le *National review Online* par le journaliste Andrew C. McCarthy http://www.nationalreview.com/articles/286854/obama-recruits-qaradawi-andrew-c-mccarthy

soirée du 25 janvier, fit pourtant le commentaire suivant à l'émission de Benoît Dutrizac :

> Il y a un éléphant dans la pièce et il y a peu de gens qui le voient. Je pense qu'il serait temps de se réveiller parce que d'ici vingt ans... On est en train de reprogrammer l'ensemble du Québec à tous les niveaux. Et le travail, il est commencé depuis longtemps. Et je pense que ce souper-là illustre assez bien tout le travail qui se fait. L'interculturalisme, finalement, c'est beaucoup de l'inter-religieux et c'est la laïcité finalement qui est en train de régresser avec toutes les conséquences que ça va nous amener, entre autres sur la question des [droits des] femmes...[377].

Il ne s'agit pas seulement de protéger les droits des femmes, bien sûr, mais les femmes voilées se trouvant au premier rang des pions alignés par l'islamisme, ne serait-il pas sage, en effet, de relever le défi à l'endroit même où nous sommes attaqués ? Je veux dire sur le front de la laïcité ?

Je fais partie de ceux qui soutiennent que le Québec doit se doter d'une charte de la laïcité qui aurait force de loi. Cette charte devrait interdire le port de signes religieux ostentatoires dans les institutions publiques par toutes les personnes qui offrent des services : juges, procureurs, policiers, enseignants, médecins, infirmières, travailleuses des services de garde, etc. Ces restrictions ne toucheraient pas la clientèle, sauf en ce qui concerne le voile intégral (niqab ou burqa), qui serait complètement interdit, sans la moindre exception. L'expression «signes religieux ostentatoires» ne nous y trompons pas, vise d'abord et avant tout le voile islamique, non point la croix chrétienne ou la kippa, qui en fait ne dérangent personne, mais qui ne pourraient être permis alors que le voile serait interdit[378].

---

377. http://www.985fm.ca/audioplayer.php?mp3=124331
378. Sur ce point je suis d'accord, pour une fois, avec Françoise David, qui écrit que «par signe religieux, nous entendons aussi bien une croix qu'une kippa ou un voile islamique». «Des convictions et des doutes», dans Le Québec en quête de laïcité, p. 90.

Il en va de de même pour l'article 6 du projet de loi 94, qui dit : « *Est d'application générale la pratique voulant qu'un membre du personnel de l'Administration gouvernementale ou d'un établissement et une personne à qui des services sont fournis par cette administration ou cet établissement aient le visage découvert lors de la prestation des services. Lorsqu'un accommodement implique un aménagement à cette pratique, il doit être refusé si des motifs liés à la sécurité, à la communication ou à l'identification le justifient* », mais qui vise, sans le spécifier, à empêcher le port du niqab ou de la burqa, non point celui du masque de *goaler* ou de la cagoule mafieuse, qui ne seront interdits que parce qu'on ne fait pas d'omelette sans casser des oeufs. Cette charte comporterait bien d'autres exigences ou interdictions, mais il n'y a pas lieu d'entrer ici dans les détails[379].

Une charte de laïcité est nécessaire, mais elle ne réglerait pas tous les problèmes. Car une fois colmatée la brèche ouverte par les soldates voilées de l'islamisme dans les institutions publiques, d'autres attaques auront lieu sur d'autres fronts. En particulier sur celui de la liberté d'expression.

Une précision avant de poursuivre. N'y aurait-il au Québec aucune femme voilée, aucun lieu de prière pour les musulmans dans les universités, aucune demande d'horaire séparé pour les hommes et les femmes dans les piscines publiques, aucune boucherie halal, aucune jeune pakistanaise renvoyée dans ses foyers pour y être mariée à un cousin quinquagénaire, aucune excision clandestine, aucune jeune fille assassinée parce qu'elle a péché contre l'honneur de son père, aucun imam prêchant la mise à mort des homosexuels — et peut-être effectivement n'y en-a-t-il qu'un seul (dans Rosemont) —, aucune poursuite devant les tribunaux des droits de la personne

---

379. On trouvera sur le site CCIEL, un excellent projet de charte. http://www.cciel. ca/charte-de-la-laicite/

ayant pour but de faire taire ou d'intimider ceux qui critiquent l'islamisme (ou l'islam), que la question de la laïcité se poserait quand même. Les Québécois ont d'ailleurs commencé à se la poser bien avant que les porteuses de hidjab ne se mettent à pulluler, les mosquées à pousser comme des champignons. La composition ethnique de notre société serait-elle à peu près la même qu'en 1950, qu'il faudrait de toute façon nous débarrasser du crucifix de Duplessis pour aller l'accrocher ailleurs qu'au Salon Bleu, interdire la prière dans les assemblées municipales, abolir le funeste cours ÉCR implanté dans nos écoles en 2010. Quoique, peut-être ce programme d'enseignement qui fait la promotion de la pensée magique au détriment de la pensée rationnelle, n'existerait-il pas si l'arrivée en masse au Québec d'immigrants pieux — et pas seulement des musulmans — n'avait servi de prétexte au lobby religieux (i.e. au ministère de l'Éducation : le Secrétariat au affaires religieuses (SAR) et le Comité sur les affaires religieuses (CAR); en périphérie : les facultés de théologie et de science religieuse) pour vicier le processus de laïcisation du système scolaire québécois. Comme dit si bien Marie-Michelle Poisson : « Force est de constater que les immigrants ont été instrumentalisés par les concepteurs du programme, qui, [...] ont camouflé les contenus essentiellement catholiques derrière une myriade de contenus multiconfessionnels. Ainsi le prétexte de "la reconnaissance de l'autre" n'aura-t-il été qu'une caution permettant de consolider la présence du catholicisme traditionnel dans le système scolaire québécois[380] ». Tout cela est sans doute exact, mais le cours ÉCR a aussi pour objectif, en plus de sauver la mise aux profs d'enseignement religieux, de rééduquer le peuple québécois, c'est-à-dire de *driller* les jeunes générations à la pensée et aux attitudes multiculturalistes — ou

---

380. Marie-Michèle Poisson, « Arguments contre une propagande », dans *Le Québec en quête de laïcité*, p. 113-114.

interculturalistes, mais c'est du pareil au même — en passant par dessus la tête de leurs parents[381].

L'enseignement religieux existe donc encore dans nos écoles, mais dépouillé de sa composante essentielle, la foi. Ça ne fait l'affaire ni des croyants ni des incroyants, car ce cours n'est qu'un compromis boiteux. Certains lui trouvent certes des qualités. Ils s'imaginent qu'on ouvre l'esprit de nos enfants en leur présentant sans leur accorder la permission de les critiquer — il est surtout interdit de critiquer! — des croyances incompatibles entre elles qui se sont d'ailleurs souvent entredéchirées tout au long de l'histoire — mais ça il ne faut pas le dire. Tout le monde il est beau, tout le monde il est gentil, et si tu penses le contraire, ne le dis pas devant tes petits camarades — ou devant tes élèves si tu as le malheur d'être un prof! Surtout, si tu préfères ta religion à celle des autres ou, pire encore, préfère n'en avoir aucune.

Tout ce long détour pour dire que cette situation est certes regrettable mais que les islamistes et les femmes musulmanes voilées n'y sont pour rien! Peut-être pourront-ils tirer parti de la situation, mais ils n'en sont pas la cause. Les Québécois « de souche » sont les seuls responsables de ce beau gâchis. Une charte de la laïcité est donc nécessaire, mais insuffisante; insuffisante, mais nécessaire. Ce dont tout le monde n'est pas persuadé.

Il y a ceux, en effet, qui sont en faveur d'une « laïcité ouverte », Québec solidaire, par exemple; d'autres qui sont pour une laïcité biaisée, qui rabattrait le caquet des intégristes des autres religions ou des autres cultures, mais pas celui de nos intégristes de souche. Il s'agirait de retourner à nos valeurs chrétiennes, de revaloriser notre héritage catholique, valeurs chrétiennes et traditions que

---

381. Voir l'étude de Joëlle Quérin publiée en 2009 par l'Institut de recherche sur le Québec, *Le cours Éthique et culture religieuse* (ÉCR) http://irq.qc.ca/journal/2009/12/2/le-cours-ethique-et-culture-religieuse-ecr.htm

nous avons abandonnées ou réaménagées à notre guise bien avant que le premier niqab ne fasse son apparition au Marché Jean-Talon. Cette position de repli, ce retour en arrière que proposent certains adversaires de l'islamisme me semble tout à fait stérile. «Elles veulent porter leur hidjab? Alors faisons notre signe de croix!» Oui, les Québécois ont reçu en héritage des valeurs chrétiennes, mais également les principes fondateurs du libéralisme, dont l'un des plus importants s'appelle la liberté de conscience. Parmi toutes nos traditions, la plus importante, c'est la laïcité.

Soyons clairs: nous n'abattrons pas la croix du Mont-Royal, nous ne changerons pas les noms de nos rues, nous ne cesserons pas de nous souhaiter un joyeux Noël, mais nous ne retournerons pas à l'église. Il est trop tard, il est impossible, il serait ridicule de régresser sous prétexte qu'il faut nous protéger. Même dans la bouche d'orateurs incroyants qui feraient juste semblant d'y croire, les sermons catholiques ne sauraient réfuter les prêches des imams! Le combat contre l'islamisme est un combat politique. La religion ne doit pas s'en mêler! Toutes les confessions doivent être écartées du champ de bataille, car parfois utiles quand elles s'occupent de leurs oignons, elles deviennent néfastes quand elle se mêlent de régenter la Cité.

Il nous reste à comprendre pourquoi Amir Khadir, Françoise David et leur parti se font les alliés des pires ennemis de la liberté. Pourquoi ils désirent infliger à ce morceau d'Occident qu'est le Québec, après le socialisme et la disparition d'Israël, un troisième châtiment, le seul en fait qui ait quelque chance de nous être appliqué. Nous connaissons déjà la réponse. L'islamisme est une entreprise de destruction. Le socialisme de Québec solidaire en est une également. Les buts et les moyens diffèrent, mais la cible est la même. La même au proche-Orient: Israël. La même chez nous: la civilisation occidentale, ce qu'ils appellent, dans leur langage simpliste, le «capitalisme». Tout sévice infligé à cette parcelle de l'Occident qu'est le Québec, et de quelque côté qu'il vienne, est le bienvenu! Et si le coup fatal nous était porté par l'islamo-fascisme plutôt que par la gauche-de-la-gauche de Québec solidaire, certains opineraient du bonnet: «Nous avons échoué, mais puisqu'il faut que la destruction vienne des djihadistes, ils sont les bienvenus!»

CONCLUSION

Ni idiot, ni utile

Je m'y suis trop complu : mais qui n'a dans la tête
Un petit grain d'ambition ?

Jean de La Fontaine
Le Berger et le Roi

Parvenant après six mois de labeur intense au terme de mon projet d'écriture, voici que m'envahit la désagréable impression d'avoir perdu mon temps[382]. Tu aurais dû te contenter de rédiger l'introduction, me glisse à l'oreille une petite voix maligne. J'ai mis en effet pour attaquer la figurine Amir Khadir autant d'énergie et d'efforts qu'il m'en aurait fallu pour déboulonner la statue d'un géant. Une chiquenaude aurait suffi, j'ai mobilisé toute l'artillerie ! Que ne me suis-je consacré à un sujet sérieux ? Gros soupir... Mais voici qu'au moment où l'envie me prend de ranger mon manuscrit au fond d'un tiroir, voici que paraît dans *Le Devoir* et dans *Le Journal de Montréal* une lettre de Khadir intitulée *Les liaisons dangereuses (de M. Charest)*[383]. Ça parle au diable ! La mouche du coche ne cessera jamais de bourdonner ses leçons de morale !

---

382. J'anticipe sur ce que vont dire certains critiques. Ceux du moins qui ne choisiront pas de se taire.
383. *Le Devoir*, 16 février 2012. Titre dans *Le Journal de Montréal* 20 janvier : Les liaisons dangereuses.

Je ne ferai pas semblant d'être impartial. Khadir, pour qui tout «baron de la finance» est un pestiféré, reproche à Jean Charest d'entretenir une «relation privée» avec «une des plus grandes fortunes du pays», la famille Desmarais, Power corporation. Venant d'un autre que lui, ce soupçon de collusion me mettrait la puce à l'oreille. Il y a peut-être là, en effet, quelque sourde menace pour la démocratie. Venant d'un personnage crédible, la proposition suivante: «M. Charest doit donc tout faire pour restaurer la confiance du public», me paraîtrait pertinente. Sous la plume de Khadir, ce n'est qu'une chiure de mouche: «La population s'indigne avec raison de tels manquements à l'éthique; devant des gestes qui, même s'ils ont été posés en toute légalité, se produisent en toute impunité à une fréquence intolérable.» Et voici le bouquet: «Québec solidaire partage cette indignation et se range résolument du côté des gens ordinaires, du 99% qui n'est pas invité aux banquets du 1%, que ce soit à Sagard ou ailleurs.»

Elles donnent envie de gerber, ces leçons de bonne conduite données par un démagogue qui accuse le même peuple de pratiquer l'apartheid; qui se fait au Québec le haut-parleur des islamo-fascistes du Proche-Orient; dont l'objectif est de ranimer, en le rebaptisant écosocialisme, le cadavre puant du collectivisme; dont le carnet mondain est une liste de rendez-vous suspects ou de complicités malsaines avec des personnages douteux, voire ignobles: Galloway, Katz, Marouf, André Parizeau, Rashi, Sloan, Singh, Smith, Zahalka... Non, mais!... C'est le même vertueux prêcheur qui accuse Yves Archambault d'être complice du lobby israélien et Benoit Dutrizac d'avoir des jugements «taillés sur le modèle du B'nai Brith puis du Congrès juif canadien qui sont aveuglés par les millions...». C'est le même individu qui accueille à bras ouverts des communistes et qui s'inspire de leur «pensée», mais qui pointe du doigt les partisans réels ou présumé du Parti libéral ou de l'ADQ. C'est le même homme qui prononçait le 15 mai 2011 devant une foule fanatisée un discours dégoulinant de bêtise et de fausseté. C'est le même homme dont les khamarades soi-disant patriotes de Québec solidaire sont allés le 23 mai 2011 injurier et rabaisser aux yeux de ses compatriotes un honnête commerçant de la rue Saint-Denis, citoyen modèle, qui, par sa probité, sa persévérance tranquille et son ardeur au travail fait honneur au Québec. C'est le même homme qui, après les basses oeuvres de ses porte-parole devant le Marcheur, fit au Carré Saint-Louis l'éloge de Gilles Duceppe, qu'il venait de poignarder dans le dos trois semaines auparavant. Ça n'en finit plus!... Cette accumulation de tartuferies nous donne seulement envie de décerner à Jean Charest un certificat de bonne conduite!

Tiens! Pourquoi ne pas fournir au Grand Prêtre Amir Khadir quelques nouveaux motifs d'indignation factice?

Avait lieu lundi soir dernier, au Monument national, le lancement du dernier livre de Mathieu Bock-Côté[384]. J'y ai croisé plusieurs personnages suspects faisant partie du 1 % plus quelques centièmes, entre autres le démoniaque Pierre-Karl Péladeau... Je présume que ce dernier, qui avait l'air d'excellente humeur, a acheté ou fait acheter le livre de Bock-Côté, que je me suis aussitôt mis à regarder de travers. Il a de drôle de fréquentations ce type-là, je lirai son bouquin en le tenant à bout de bras... D'autres personnages, sans doute moins fortunés, mais tout aussi louches ont fait acte de présence: Mario Dumont, Paul Piché, Richard Martineau, Normand Lester, Sophie Durocher, Marie-France Bazzo, Christian Rioux, Marcel Masse, Éric Duhaime, Joanne Marcotte, Raymond Archambault, Jocelyn Coulon, Pierre Curzi, Mario Roy... Pas Mario Roy!... Était-il envoyé par Desmarais

---

384. *Fin de cycle*, chez Boréal.

pour suborner Péladeau? A-t-il décidé de quitter Gesca pour se joindre à Québecor? Qui est à l'origine de cette machination? J'ai trouvé: les Éditions du Boréal! D'ailleurs, c'est Jacques Godbout qui a présenté Bock-Côté... Sapristi! Péladeau, Godbout, Rioux, Bazzo, Roy,... PKP est en train de mettre la patte sur Boréal, *Le Devoir,* Télé Québec et *La Presse* pour en faire un conglomérat! Mais comment expliquer l'absence de Jean Charest? Il ne fait pas partie du complot?

Mais laissons là les liaisons dangereuses de Jean Charest, qui est quand même au Québec une figure importante et que d'autres que moi se chargeront de déboulonner, et faisons plutôt le bilan des liaisons pernicieuses d'Amir Khadir, la figurine. N'ayez crainte, tout a été dit, je ne me répéterai pas. Les faces cachées d'Amir Khadir, il suffisait de faire le tour du personnage pour les apercevoir. Elles nous sautent littéralement à la figure. Elles ne demeurent cachées que parce que la plupart des observateurs politiques ne se donnent pas la peine d'en parler. Car Amir Khadir ne nous cache rien. Ils auront donc raison ceux qui diront que je me suis attaqué avec un peu trop d'ardeur et de conviction, de minutie et d'insistance, à un sujet facile.

Je crois quand même que le jeu en valait la chandelle. Faisant partie des 90 à 95 % de la population qui ne voteront jamais pour Québec solidaire ni aucun autre parti du même acabit, j'ai fait, pour tenter de mieux m'expliquer l'aversion qu'il m'inspirait — et que son discours du 15 mai 2011 a exacerbée —, le portrait politique d'un individu qui se prétend solidaire de 99 % de la population, mais qui en réalité n'en représente guère plus qu'on ne peut compter de doigts sur ma main d'extrême gauche.

Je suis obligé de conclure que mon instinct ne me trompait pas. Un politicien déjà nuisible dans l'opposition et dont l'action, s'il parvenait au pouvoir, mènerait le Québec au désastre, ne mérite pas qu'on lui fasse confiance. Si encore il s'agissait d'un idiot, le dommage serait moins grand. Amir Khadir est au contraire un homme d'une grande intelligence. Mais cette intelligence mise au service des causes délétères dont il fut abondamment question dans ce livre, ne peut mener à rien de bon. À une retraite bien méritée, peut-être?... Vos malades ont besoin de vous, docteur Khadir.

25 août 2011- 15 mars 2012
Pierre K. Malouf

REMERCIEMENTS

Je remercie chaleureusement les personnes suivantes : en premier lieu Yves Archambault et Ginette Auger, de même que tous ceux et celles qui, par leurs témoignages ou leurs conseils, m'ont orienté sur des pistes fécondes. À cet égard, Marc Lebuis et Simon-Pierre Savard-Tremblay m'ont rendu de précieux services. Ma plus profonde reconnaissance à celui qui a eu le premier l'idée de ce livre et m'a mis au défi de l'écrire, mon ami Daniel Laprès.

HYPERLIENS
Pour accéder directement aux hyperliens servant de références au présent ouvrage, rendez-vous à www.accentgrave.ca/khadir

BIBLIOGRAPHIE

Ouvrages consultés, cités et recommandés

BAILLARGEON, Normand et Jean-Marc PIOTTE (dir.). *Le Québec en quête de laïcité*, Montréal, Écosociété, 2011.

BENHABIB, Djemila. *Ma vie à contre-Coran*, Montréal, VLB éditeur, 2009.

BENHABIB, Djemila. *Les soldats d'Allah à l'assaut de l'Occident*, Montréal, VLB éditeur, 2011.

BRAUMAN, Rony et Alain FINKIELTRAUT. *La discorde. Israël, les Juifs, la France*, Paris, Mille et une nuits, 2006

GIVET, Jacques. *La gauche contre Israël. Essai sur le néo-anti sémitisme*, Paris, J. J. Pauvert, coll. Libertés, 1968.

FATAH, Tarek. *The Jew is not my Enemy*, Toronto, McLelland & Stewart, 2010.

FINKIELTRAUT, Alain. *Le Juif imaginaire*, Paris, Seuil, 1980, Points No 149.

GHEZ, Fabien. *L'État de trop*, Paris, Éditions David Reinharc, 2010.

GURFINKIEL, Michel. *Israël peut-il survivre ? La nouvelle règle du jeu*, Paris, Hugo & Cie, 2011

HALAL, L. G. *Israël : une réalité ? Témoignage d'un Arabe*, Québec, Éditions Élysée, 1975.

HIRSI ALI, Ayaan. *Nomade. De l'Islam à l'Occident, un itinéraire personnel et politique*, Paris, Laffont, 2010.

MAILLOUX, Louise. *La laïcité, ça s'impose !*, Montréal, Les Éditions du Renouveau québécois, 2011.

MANSUR, Salim. *Delectable Lie. A liberal repudiation of multiculturalim*, Mantua Books, Brantford, 2011.

NASREEN, Taslima et Caroline FOUREST. *Libres de le dire*, Paris, Flammarion, 2010

OZ, Amos, *Une histoire d'amour et de ténèbres*, Paris, Gallimard, 2004, Folio No 4265.

TAGUIEFF, Pierre-André. *La nouvelle propagande antijuive*, Paris, Presses universitaires de France, 2010.

TAGUIEFF, Pierre-André. *Israël et la question juive*, France, Les provinciales, 2011.

TAMZALI, Wassyla. *Une femme en colère. Lettre d'Alger aux Européens désabusés*, Paris Gallimard, 2009.

TAMZALI, Wassyla et Claude BER. *Burqa?*, Montpellier, Chèvre-Feuille étoilée, 2010.

TARNÉRO, Jacques. *Le nom de trop. Israël illégitime?*, Paris, Armand Colin, 2011.

VAL, Philippe. *Reviens, Voltaire, ils sont devenus fous.* Paris, Grasset, 2008.

WARREN, Jean-Philippe. *Ils voulaient changer le monde*, Montréal, VLB éditeur, 2007.

ZANAZ, Hamid. *L'impasse islamique. La religion contre la vie.* Chaucre, Les Éditions libertaires, 2009.

Ouvrages consultés non cités, mais recommandés

BAWER, Bruce. *Surrender. Appeasing Islam, sacrifying Freedom*, New York, Double Day, 2009.

BERL, Emmanuel. *Nasser tel qu'on le loue*, Paris, Gallimard, 1968. Idées No 151.

De PIERREBOURG, Fabrice. *Montréalistan. Enquête sur la mouvance islamiste*, Montréal, Stanké, 2007.

FOUREST, Caroline. *La dernière utopie. Menaces sur l'universalisme*, Paris, Grasset, 2009.

MILOT, David et Robert COMEAU (dir.). « Histoire du mouvement marxiste-léniniste au Québec » *Bulletin d'histoire Politique*, Vol 13, No 1, Automne 2004, LUX éditeur.

STAURHAUG, Hege, *But the Greatest of These Is Freedom*. Trad. du norvégien et édité en anglais par Bruce Bawer, 2011. Édition originale en norvégien chez Kagge Forlag, 2006.

Ouvrages consultés et cités mais non-recommandés

DAVID, Françoise. *Bien commun recherché. Une option citoyenne*, Montréal, Écosociété, 2004.

DAVID, Françoise. *De colère et d'espoir*, Montréal, Écosociété, 2011.

FARAJ, Rezeq. *Palestine. Le refus de disparaître*. Lachine, Pleine Lune, 2005.

HART, Alan. *Arafat. Terrorist or Peacemaker*, Londre, Sedwich & Jackson Ltd, 1984.

KHADIR, Amir, « Le fil d'Ariane de l'identité civique », collaboration au recueil *D'ailleurs et résolument d'ici*, Bloc québécois et Richard Vézina éditeur, novembre 2010.

VALLIÈRES, Pierre. *Un Québec impossible*, Montréal, Québec/Amérique, 1977.

Études et documents

Pour sortir de la crise : dépasser le capitalisme ? Manifeste de Québec solidaire, 1er mai 2009
http://www.quebecsolidaire.net/actualite-nationale/manifeste-sortir-de-la-crise

Pascale Dufour, «From Protest to Partisan Politics: When and How Collective Actors Cross the Line. Sociological Perspective on Québec solidaire », *Cahiers canadiens de sociologie*, Vol 34, N°1, 2009, p. 55 à 81.

Achevé d'imprimer au Canada
sur les presses de Imprimerie Lebonfon Inc.